Juliette Benzoni

Juliette Benzoni est née à Paris. Fervente lectrice d'Alexandre Dumas, elle nourrit dès l'enfance une passion pour l'Histoire. Elle commence en 1964 sa carrière de romancière avec la série des *Catherine*, traduite en plus de 20 langues, qui la lance sur la voie d'un succès jamais démenti à ce jour. Elle a écrit, depuis, une soixantaine de romans, réunis notamment dans les séries intitulées *La Florentine*, *Les Treize Vents*, *Le Boiteux de Varsovie* et *Secret d'État*. Outre la série des *Catherine* et *La Florentine*, *Le Gerfaut* et *Marianne* ont fait l'objet d'une adaptation télévisuelle. Du Moyen Âge aux années 1930, les reconstitutions historiques de Juliette Benzoni s'appuient sur une documentation minutieuse. Vue à travers les yeux de ses héroïnes, l'Histoire, ressuscitée par leurs palpitantes aventures, bat au rythme de la passion.

Figurant au palmarès des écrivains les plus lus des Français, elle a su conquérir 50 millions de lecteurs dans plus de 20 pays.

Découvrez un site consacré à l'auteur (et approuvé) :
www.bibliojbenzoni.unblog.fr

SECRET D'ÉTAT

*

LA CHAMBRE DE LA REINE

DU MÊME AUTEUR
CHEZ POCKET

SUITE ITALIENNE
LES BORGIA
(issus de *Suite Italienne*)

DANS LE LIT DES ROIS ET DES REINES

CRIMES ET CRIMINELS

Séries :

LES ENQUÊTES D'ALDO MOROSINI

LE BOITEUX DE VARSOVIE
(4 aventures réunies
en 2 volumes)
LES ÉMERAUDES DU PROPHÈTE
LA PERLE DE L'EMPEREUR
LES JOYAUX DE LA SORCIÈRE
LES LARMES DE MARIE-ANTOINETTE
LE COLLIER SACRÉ DE MONTEZUMA
L'ANNEAU D'ATLANTIDE
LA CHIMÈRE D'OR DES BORGIA
LA COLLECTION KLEDERMANN

**LES DAMES DU
MÉDITERRANÉE-EXPRESS**
(en 1 volume)

LE ROMAN DES CHÂTEAUX DE FRANCE
(en 1 volume)

SECRET D'ÉTAT

LA CHAMBRE DE LA REINE
LE ROI DES HALLES
LE PRISONNIER MASQUÉ

MARIE

MARIE DES INTRIGUES
MARIE DES PASSIONS

LE SANG DES KŒNIGSMARK

AURORE
FILS DE L'AURORE

LE TEMPS DES POISONS

ON A TUÉ LA REINE
LA CHAMBRE DU ROI

LE BAL DES POIGNARDS

LA DAGUE AU LYS ROUGE
LE COUTEAU DE RAVAILLAC

LA FLORENTINE

FIORA ET LA VENGEANCE
FIORA ET L'AMOUR

LA GUERRE DES DUCHESSES

LA FILLE DU CONDAMNÉ
PRINCESSE DES VANDALES

LE GERFAUT DES BRUMES

LES CANONS DE YORKTOWN
UNE ÎLE SOUS LE VENT
(4 tomes réunis en 2 volumes)

CATHERINE

IL SUFFIT D'UN AMOUR
BELLE CATHERINE
LES ROUTES INCERTAINES
PIÈGE POUR CATHERINE
LA DAME DE MONTSALVY

JULIETTE BENZONI

SECRET D'ÉTAT

*

LA CHAMBRE DE LA REINE

PLON

Pocket, une marque d'Univers Poche,
est un éditeur qui s'engage pour la
préservation de son environnement et
qui utilise du papier fabriqué à partir
de bois provenant de forêts gérées de
manière responsable.

ISBN : 978-2-266-08384-3

À la mémoire
de la princesse Isabelle de Broglie
qui a montré le chemin.

Ceci est un roman.

Selon un principe auquel je demeure fidèle, les personnages réels s'y mêlent à ceux de la fiction d'une façon que j'espère agréable.

Cependant, si j'ai suivi le cheminement de l'Histoire d'aussi près que possible, je n'en ai pas moins usé du privilège du romancier afin d'apporter ma coloration personnelle et d'avancer certaines hypothèses, partagées d'ailleurs par d'autres auteurs.

Et puis, après tout, si c'était vrai ?

REMERCIEMENTS

De nombreux ouvrages m'ont été nécessaires pour élaborer la trilogie qui débute par ce livre. La liste en est longue, trop longue et d'ailleurs un roman ne la justifie pas.

Disons qu'elle commence par *La Vie quotidienne au temps de Louis XIII* d'Émile Magne et l'incontournable *Vie de Louis XIII* de Louis Vaunois, pour cheminer jusqu'à l'admirable, le passionnant *Anne d'Autriche* de Mme Claude Dulong, l'un des plus beaux textes parus sur cette époque troublée (Hachette Littérature).

Mais je tiens à rendre ici un tout particulier hommage à la fantastique somme de recherches et de travail que représente *Les Bâtards d'Henri IV* de Jean-Paul Desprats, paru en 1994 à la Librairie Académique Perrin. Il m'a évité bien des écueils, pas mal de poussière aussi et ce sont de ces choses qu'il faut souligner. À tous ceux qui souhaiteraient se faire préciser certains faits ou certains détails, je ne saurais trop recommander la lecture, passionnante au demeurant, de ce véritable travail de bénédictin.

J.B.

Première partie

LA PETITE FILLE AUX PIEDS NUS
1626

CHAPITRE 1

LE CACHET DE CIRE ROUGE

Le ciel se couvrait. Lancé au galop, le jeune cavalier jeta un coup d'œil plein de rancune au nuage noir installé au-dessus de sa tête depuis sa sortie du château de Sorel. S'il avait été moins bon chrétien, il lui aurait montré le poing, mais c'eût été offenser Dieu et un gamin de dix ans ne pouvait se le permettre, fût-il François de Vendôme, prince de Martigues et petit-fils du roi Henri IV qui, lui, en avait fait bien d'autres.

N'empêche que l'orage, s'il éclatait maintenant, le retarderait et n'arrangerait pas ses affaires déjà fort aventurées. Cependant, il savait ce qu'il risquait en quittant Anet sans prévenir — il avait sellé lui-même son cheval ! — et les conséquences de son escapade étaient faciles à deviner. Sa seule chance d'y échapper était de rentrer discrètement. Arriver après que l'on eut corné l'eau serait une vraie catastrophe car son gouverneur, M. d'Estrades, ne plaisantait pas avec la discipline : François serait fouetté. Il s'y préparait, mais quelques coups d'étrivières de plus ou de moins étaient tout de même à considérer. Sans compter l'accueil qu'il recevrait de la duchesse, sa mère...

Elle lui demanderait d'où il venait et, comme il ne savait pas encore mentir, il le dirait. La condamnation viendrait plus tard mais, sur le moment, il devrait subir son regard grave, d'autant plus pénible qu'il pèserait sur lui en silence et lui donnerait pleine conscience d'avoir causé une déception à une mère qu'il aimait et admirait, n'étant pas loin de voir en elle une sainte. Pourtant, c'était en connaissance de cause qu'il avait désobéi, il arrive que l'on soit obligé de choisir entre le devoir et les mouvements du cœur.

Celui de François l'attirait depuis un moment déjà vers le château de Sorel, mais l'attrait, ce jour-là, s'était fait irrésistible : le jeune garçon venait d'apprendre que la petite Louise souffrait d'une maladie dont il n'avait pas retenu le nom. Seulement que l'on pouvait en mourir ou en rester défiguré. Une idée que l'amoureux de dix ans ne pouvait pas supporter : il fallait qu'il aille voir !

Sa rencontre avec la petite Séguier datait du 14 mars, quelques jours avant le printemps. Chaque année, à pareille date, on célébrait une messe d'action de grâces en l'abbaye bénédictine d'Ivry, en mémoire de la victoire remportée par le roi Henri IV sur les troupes du duc de Mayenne. Les Vendôme au grand complet assistaient à la cérémonie même si la duchesse, née Françoise de Lorraine-Mercœur, comptait le vaincu dans sa parentèle. Ainsi le voulait le duc César, fils aîné du grand roi et de la ravissante Gabrielle d'Estrées. Naturellement, les familles de quelque importance vivant aux environs se faisaient un devoir de s'y rendre. Ainsi de celle d'un riche conseiller au Parlement de Paris, Pierre Séguier[1], comte de Sorel, accompagné de sa femme Marguerite de la Guesle et de sa fille. Louise était l'unique enfant d'un couple qui, visiblement, l'adorait et en était très fier.

À juste titre : nul ne pouvait voir ce petit bout de femme de six ans sans éprouver l'envie de la prendre dans ses bras ou au moins de lui sourire. Fraîche et rose, délicate comme une fleur d'églantine, elle avait de ravissants cheveux blonds et bouclés que le béguin de velours bleu — du même bleu que ses grands yeux ! — avait peine à maintenir en place. Sagement assise auprès de sa mère, elle garda, durant tout le long service, les yeux baissés sur le chapelet d'ivoire enroulé autour de ses petits doigts. Sauf pendant un instant où elle tourna la tête comme si elle sentait qu'on la regardait, leva les yeux sur le jeune garçon et lui sourit. Un grand, un beau sourire qu'il rendit avec usure mais qui n'échappa pas, hélas, à Mme de Vendôme, d'assez mauvaise humeur ce jour-là où elle se trouvait être chef de famille pour une cérémonie qui ne l'enchantait pas. En effet, le duc César son époux était retenu dans son gouverne-

1. Ne pas confondre avec son cousin, prénommé Pierre lui aussi, qui sera garde des Sceaux et chancelier de France.

ment de Bretagne où il s'employait activement à créer des difficultés à l'homme qu'il détestait le plus au monde : le cardinal de Richelieu, ministre du roi Louis XIII. Au retour, cependant, elle ne dit rien.

Mais lorsque, après une nuit agitée, François descendit aux écuries aux petites heures de la matinée, il eut la surprise d'y trouver l'écuyer de sa mère, le chevalier de Raguenel, qui faisait les cent pas au milieu du va-et-vient des palefreniers et des porteurs d'eau. François feignit de ne pas l'avoir vu, mais l'officier le rejoignit au moment où il atteignait les grandes portes.

— Eh bien, monseigneur François, où prétendez-vous aller de si bon matin ?

— Faire une dernière promenade.

Perceval de Raguenel était un homme courtois, aimable, pourtant François le trouva franchement antipathique lorsqu'il demanda :

— Et de quel côté s'il vous plaît ? Vous n'ignorez pas que nous rentrons tout à l'heure à Paris ? Cela ne vous laisse guère de temps. Sauf si vous avez seulement l'intention de faire le tour du parc...

François devint tout rouge :

— C'est-à-dire que je...

Il ne trouvait plus les mots. L'écuyer vint à son secours :

— Et si vous alliez en parler à Mme la duchesse ? Elle vous attend dans ses appartements.

— Ma mère ? Mais pourquoi ?

— Je pense qu'elle vous le dira. Hâtez-vous ! Dans dix minutes, elle se rend à la chapelle pour dire ses heures.

Comme il ne voyait pas le moyen de faire autrement, François partit en courant et, quelques instants plus tard, une chambrière l'introduisait dans la chambre où Françoise de Vendôme achevait sa coiffure. C'était l'ancienne chambre de Diane de Poitiers, une pièce somptueuse mais à peine plus que celles des vingt-deux autres appartements de ce château quasi royal. Murs et plafond étaient peints de vives couleurs rehaussées d'or, des tapis couvraient le précieux parquet et de magnifiques tapisseries réchauffaient l'atmosphère presque autant que le feu flambant dans la grande cheminée de marbre multicolore. Le jour de ce matin de mars passait à travers les fenêtres à meneaux enchâssant d'admirables vitraux en « grisaille » qui représentaient des scènes de l'Ancien Testament et ne donnaient guère de lumière, mais le feu et de hautes chandelles de cire blanche y suppléaient.

Dès le seuil franchi, le jeune garçon salua puis s'avança vers sa mère au milieu du ballet des suivantes qui le regardaient en souriant. Mme de Vendôme, elle, ne sourit pas.

— Ah ! vous voilà ! Ceci me paraît bien, Julie, ajouta-t-elle à l'adresse de sa coiffeuse. Laissez-moi, à présent, et emmenez tout le monde. Puis, quand le dernier jupon eut franchi la porte : « Eh bien, où vouliez-vous aller de si bon matin ? »

— Faire une dernière promenade, madame, puisque ce tantôt nous regagnons Paris.

— Et de quel côté ? Serait-ce vers Sorel ?

Le petit prince rougit sans oser répondre, considérant sa mère avec une certaine appréhension. En effet, en dépit de l'amour attentif qu'elle leur portait sans le montrer beaucoup, Françoise de Lorraine-Mercœur, duchesse de Vendôme par mariage, possédait le don d'impressionner ses trois enfants bien davantage que le duc César leur père dont le joyeux caractère, le goût de la plaisanterie souvent gauloise et l'insouciance rappelaient beaucoup le Béarnais et en faisaient un interlocuteur moins imposant.

Cela tenait à ce qu'elle se voulait surtout la servante du Seigneur, ayant été élevée par sa mère dans des principes chrétiens d'une grande rigidité qui lui permettaient d'afficher une certaine simplicité au milieu du faste où l'obligeaient son rang, sa grande fortune — elle avait été l'un des plus beaux partis d'Europe — et l'amour qu'elle portait à un époux dont les goûts se trouvaient à l'opposé des siens. Sauf en ce qui touchait l'éclat et la puissance de leur maison. Homme de guerre avant tout, César aimait mener grand train et joyeuse vie tandis que Françoise, filleule de feu l'évêque de Genève François de Sales, amie de Jeanne de Chantal et de ce prodigieux personnage que l'on appelait « monsieur Vincent », s'intéressait surtout au salut éternel des siens et à la pratique d'une charité qui s'étendait fort loin : jusqu'aux prostituées des rives de Seine à Paris et à celles de la maison close que la présence de soldats obligeait à tolérer à Anet. Aussi, lorsque l'un des enfants était amené à répondre de quelque sottise, avait-il toujours la vague impression de comparaître devant le tribunal de Dieu lui-même.

C'était exactement ce que ressentait François, mais pas une seconde il ne songea à dissimuler :

— En effet, madame. Y verriez-vous quelque inconvénient ?

— Peut-être. Dites-moi d'abord pourquoi vous alliez là-bas ? Est-ce à cause de cette petite fille ? J'ai remarqué, hier, qu'elle vous souriait et que vous lui répondiez. L'aviez-vous déjà rencontrée ?

— Jamais. C'est pourquoi j'ai eu envie de la revoir. Elle est bien jolie, ne trouvez-vous pas ?

— Certes, certes, mais vous êtes un peu jeune pour vous intéresser aux filles. En outre, je ne suis pas certaine que vous recevriez bon accueil là-bas. Les Séguier ne sont pas nos amis.

— Pourtant, hier, ils étaient à la messe ?

— Il s'agissait d'un hommage rendu au feu roi votre aïeul. En outre, leurs terres dépendent de notre principauté d'Anet : cela oblige mais ne signifie pas que ces anoblis de fraîche date soient disposés à l'allégeance envers nous. Votre père, d'ailleurs, ne le souhaiterait pas : les Séguier comme beaucoup de ces messieurs du Parlement se veulent proches de M. le Cardinal et proclament fort haut leur attachement au roi Louis [1].

— Et nous ? Ne sommes-nous pas attachés au Roi ?

1. Louis XIII.

— Il est le Roi. Nous lui devons amour et obéissance. Ce que ne saurait espérer l'évêque de Luçon. Faites-moi plaisir, François, et tâchez d'oublier qu'une petite fille vous a souri...

L'enfant baissa la tête.

— Pour l'amour de vous, je m'y efforcerai, madame, murmura-t-il sans réussir à retenir un gros soupir qui amena un sourire sur le beau visage un peu sévère de la duchesse :

— J'aime votre franchise et votre obéissance, François. Venez m'embrasser !

C'était faveur rare depuis que le jeune garçon avait été remis aux mains des hommes. Il l'apprécia à sa juste valeur et s'en trouva un peu consolé de son sacrifice, mais quand quelqu'un vous trotte dans l'esprit il est bien difficile de l'en déloger. Sous les plafonds dorés de l'hôtel de Vendôme, à Paris, François ne réussit pas à oublier Louise et quand, à la fin du mois de mai, la duchesse, ses enfants et sa maison, fuyant les puanteurs parisiennes, vinrent prendre leurs quartiers d'été sur les bords de l'Eure, l'amoureux de dix ans ne put s'empêcher d'éprouver une allégresse inhabituelle : avec un peu de chance, il allait « la » revoir !

Cependant, s'il croyait son secret enfoui entre sa mère et lui, François se trompait : sa sœur Élisabeth, de deux ans plus âgée, s'était aperçue de quelque chose. De soudaines songeries, des rougeurs fugitives, toutes manifestations inconnues jusque-là d'un garçon turbulent, bagarreur, passionné de chevaux, d'armes, d'indépendance, et doué d'une vitalité que gouvernantes et précepteurs s'accordaient à juger épuisante, lui avaient donné à penser durant les mois d'hiver. Néanmoins, elle garda pour elle ses impressions et ce fut seulement en descendant de carrosse dans la cour d'honneur du château que, laissant leur frère aîné, Louis de Mercœur[1] — quatorze ans —, accompagner leur mère à l'intérieur, elle tira François à part sous prétexte d'aller saluer les cygnes sur les pièces d'eau. En réalité, ils allèrent se promener le long du canal aux carpes. Sans parler, d'abord, ce que le jeune garçon ne supporta pas longtemps.

— Si tu as quelque chose à me dire, dis-le vite ! grogna-t-il, employant le tutoiement dont ils se servaient souvent lorsqu'ils étaient seuls. Aurais-je fait une bêtise ?

— Non, mais tu as très envie d'en faire une. Je l'ai senti quand, tout à l'heure, Mme de Bure a parlé des dames de Sorel. Notre mère l'a fait taire aussitôt mais tu es devenu tout rouge et tu as poussé un soupir à renverser la voiture. Tu brûles de revoir cette Louise, n'est-ce pas ?

Les deux enfants, unis par une profonde tendresse et une confiance totale, s'entendaient toujours à merveille alors qu'ils entretenaient avec leur aîné des relations beaucoup plus distantes,

1. Dans la haute noblesse, le fils aîné porte toujours un nom différent jusqu'à la mort du père : Fronsac chez les Richelieu, Crussol chez les d'Uzès, Mercœur chez les Vendôme, etc.

voire protocolaires : il était l'héritier, on le respectait pour ça mais on ne l'aimait guère. François n'essaya même pas de nier.

— C'est vrai, mais j'ai donné ma promesse à notre mère.

— Et tu le regrettes ?

François détourna la tête, se baissa, prit un caillou qu'il envoya, d'un geste vif et sûr, ricocher par trois fois sur la surface lisse du canal. Enfin, il renifla puis, sachant qu'Élisabeth ne se contenterait pas d'une demi-réponse :

— Mmm... ouais !... Tant que nous avons été à Paris c'était facile. Ici, ce n'est plus la même chose.

— Je m'en doutais. Que vas-tu faire ?

— Vous posez des questions stupides, ma sœur : une parole ne se reprend pas !

— J'en demeure d'accord. Seulement... moi, je n'ai rien promis.

D'abord suffoqué, François regarda plus attentivement le visage malicieux de sa sœur. Jusqu'à sa rencontre avec Louise, il la considérait comme la plus jolie fille de sa connaissance : de leur grand-mère, Gabrielle d'Estrées, elle tenait, comme lui-même, une blondeur quasi irréelle et des yeux d'azur profond ; en outre, elle possédait une intelligence éveillée. Il admettait volontiers qu'elle le dépassait souvent sur ce chapitre, bien qu'à dix ans il mesurât déjà trois pouces de plus qu'elle. Mais là, elle ouvrait, à son usage, une fenêtre inattendue sur l'astuce féminine.

— Ce qui veut dire ?

— Que Mme de Sorel passe pour fort pieuse, bien donnante aussi, et qu'elle se rend volontiers chez de pauvres gens, parfois assez loin de chez elle. Je sais qu'elle y mène sa fille depuis que celle-ci a pris ses six ans, tout comme notre mère l'a fait pour moi. Désormais, je peux y aller en compagnie de Mme de Bure mais... tu pourrais aussi être des nôtres. La charité y gagnerait et notre mère serait aux anges : tu aurais sûrement droit aux bénédictions de monsieur Vincent.

— Tu veux dire que sans aller à Sorel il est possible de rencontrer ces dames ? Mais comment savoir où elles vont ?

— L'un de nos cochers courtise la nourrice de Louise. Nous pourrons sûrement arriver à nous rencontrer...

Pour toute réponse, François sauta au cou de sa sœur et, dès le lendemain, il obtenait de sa mère la permission d'accompagner Élisabeth dans les visites charitables qu'elle accomplissait sous la conduite de sa gouvernante. Mme de Vendôme qui, dès le jeune âge, avait fait inscrire son cadet à Malte dans l'espoir qu'il succéderait un jour à son oncle, le Grand Prieur Alexandre, vit là un signe du ciel : la pratique de la plus humble charité n'était-elle pas essentielle chez ces messieurs de l'Ordre dont l'enseignement commençait par les plus rudes tâches hospitalières ? Et l'on put voir, à plusieurs reprises, le jeune prince de Martigues, chargé d'un lourd sac à pains, pénétrer avec dignité dans quelque pauvre chaumine sur les pas des « dames » de charité. Le spectacle était tellement nouveau que Mercœur essaya bien d'en rire, mais il se fit si vertement rabrouer par Mme de Vendôme qu'il n'insista pas.

À dire vrai, cet exercice fut moins pénible que François ne l'aurait cru : naturellement généreux et tout à fait dépourvu de morgue, il se sentit proche de ceux qu'il allait visiter et s'intéressa sincèrement à leur sort. C'était heureux car le pieux stratagème d'Élisabeth ne lui permit, sur un grand mois, de rencontrer qu'une seule fois la damoiselle de ses pensées. Elle lui parut plus ravissante encore qu'à l'abbaye d'Ivry et cela bien qu'elle fût modestement vêtue comme il convenait aux circonstances. Il ne trouva pas un mot à lui dire, se contentant de rougir furieusement en maltraitant son chapeau. Cependant, sa promesse lui parut plus difficile à tenir que jamais.

En fait, il resta sur sa faim. Aussi, quand il la sut malade il n'y tint plus. Il fallait qu'il sache ; il fallait qu'il la voie. Sans plus réfléchir, il prit un cheval et partit pour Sorel. Il ne put même pas franchir l'entrée du château. On l'en chassa sans trop de précautions oratoires : le mal était grave et personne n'approchait la petite malade sauf sa mère et ses femmes. C'est ainsi que François, plus inquiet que jamais, se retrouva dans la forêt avec les perspectives de retour que l'on sait.

Le temps ne s'améliorait pas. Il fit tout à coup si sombre sous le couvert que la nuit semblait s'avancer. Le cheval du jeune garçon devenait nerveux et quand, soudain, un violent coup de tonnerre éclata, l'animal partit d'un hennissement qui ressemblait à un éclat de rire, se cabra et envoya son cavalier dans les broussailles avant de partir à fond de train en direction d'Anet.

Meurtri plus encore dans sa vanité que dans son corps qui s'en tirait sans dommages, François se demanda comment M. d'Estrades, qui s'efforçait d'inculquer aux jeunes Vendôme les grands principes équestres édictés par feu M. de Pluvinel, prendrait le retour au château d'un cheval sans cavalier et, plus tard, d'un cavalier sans son cheval.

Pestant, maugréant, jurant même, il se tirait des broussailles pour se mettre en marche vers son destin quand il aperçut la petite fille.

Seulement vêtue d'une chemise tachée, une poupée serrée contre son cœur, elle se tenait debout au milieu du sentier sur ses minuscules pieds nus et pleurait sans rien dire, reniflant de temps en temps tout en gardant son pouce dans sa bouche. Elle ne devait pas avoir plus de trois ou quatre ans, elle était menue et fragile. En dépit de sa tenue sommaire, ce n'était pas une paysanne : la masse de cheveux châtains moussant sur sa tête gardait la trace d'un peigne soigneux sous la forme de quelques boucles bien rondes et d'un bout de ruban bleu qui s'y accrochait. En outre, son unique vêtement était fait de toile fine et brodée. Cependant, en s'approchant, François vit aussi que les taches étaient du sang. Comprenant qu'il y avait là un problème plus grave que les siens, il se jeta à genoux et prit l'enfant entre ses mains pour palper son petit corps rondelet.

— Que t'est-il arrivé ? Tu es blessée ?

Elle ne répondit pas, continua de pleurer sans bruit mais sans manifester la moindre douleur à la palpation. D'ailleurs, le sang était presque sec.

— Non. Tu n'as pas l'air d'avoir mal mais d'où viens-tu comme ça ? Qui es-tu ?

Tout en le fixant de ses yeux noisette rougis par les larmes, la petite ôta son doigt de sa bouche pour émettre deux sons :

— Vi... laine.

Et elle remit son pouce d'où elle l'avait tiré.

— Vilaine ? Ce n'est pas un nom ! Et puis tu n'en es pas une ! Les vilaines n'ont pas de si belles poupées, ajouta-t-il en essayant de prendre le jouet que sa minuscule propriétaire défendit farouchement. C'était en effet un objet assez coûteux, en bois bien sculpté avec des cheveux en filasse et une robe de velours à la mode avec une fraise autour du cou.

Les points d'interrogation s'alignaient dans l'esprit du jeune garçon. D'où pouvait venir cette enfant ? Il devait y avoir eu un malheur quelque part, mais où ? Il essaya de le savoir en prononçant le nom de deux ou trois manoirs ou riches demeures des environs dont certains appartenaient à des vassaux de la principauté d'Anet, mais au lieu de répondre la petite fille se mit à pousser des cris en appelant sa nounou.

Pour comble de malchance, l'orage que François avait fini par oublier se manifestait par un coup de tonnerre plus violent que le précédent, et d'un seul coup le ciel creva...

— On ne peut pas rester ici. Il faut que je te ramène chez nous. Quelqu'un saura peut-être qui tu es ?

Comme par enchantement, elle se tut et tendit vers lui une menotte sale aux minuscules doigts écartés qui ressemblait à une étoile de mer. En un instant, elle fut trempée et François presque autant qu'elle. Apitoyé, il ôta son pourpoint pour l'en envelopper avant de prendre la petite main.

— Viens ! Il faut nous dépêcher !

Il s'inquiétait : comment la faire marcher encore sur ses pieds blessés et, en outre, elle ne pourrait jamais suivre son pas ?

— Il va falloir que je te porte, soupira-t-il, un peu effrayé par cette nouvelle responsabilité, mais elle était à peine plus grande qu'un bébé et plus légère qu'il ne l'aurait cru quand il l'enleva. Alors, toujours sans lâcher sa précieuse poupée, elle passa son bras libre autour du cou de son sauveur et laissa aller sa tête sur son épaule avec un soupir de bonheur. Elle ne savait pas qui était ce garçon mais il était si beau avec ses longs cheveux blonds, tout raides, et ses yeux clairs ! Un ange peut-être ? De toute façon, elle était bien avec lui.

— Ne t'endors pas et tiens-toi ferme, conseilla le jeune héros. Je vais essayer de courir...

C'était tout de même trop préjuger de ses forces et il reprit le pas en maudissant ce sacré cheval qui l'avait planté là juste au moment où il en avait le plus besoin. Quant à ce qui arriverait quand il se présenterait au château avec sa trouvaille, il n'essayait même pas de l'imaginer.

On parcourut ainsi un grand quart de lieue, en s'arrêtant de temps en temps pour laisser souffler le porteur. Grâce à Dieu, la pluie aussi s'était arrêtée. Il n'empêche que François était épuisé quand il atteignit enfin les abords d'Anet, se demandant tout de même pourquoi, en voyant revenir son cheval sans lui, on n'avait pas envoyé à sa recherche. Et, bien sûr, il était affreusement tard ! L'immense cerf de bronze entouré de quatre chiens qui ornait le dessus du grand portail et servait d'horloge frappait huit coups de son pied mécanique.

— Miséricorde ! gémit François en déposant son fardeau sur les dalles de la cour d'honneur. J'entends déjà siffler les étrivières !

Cependant, le château n'était pas dans son état normal. Les gardes causaient entre eux par petits groupes sur le mode animé et personne ne fit attention à lui. L'agitation se situait surtout autour d'un grand carrosse de voyage, tellement couvert de boue et de poussière qu'il était impossible d'en déchiffrer les armoiries. Des valets couraient dans tous les sens. On dételait les chevaux et quand le jeune garçon arrêta quelqu'un pour savoir ce qui se passait, l'homme prit juste le temps de lui lancer :

— Je ne sais pas au juste ! Mgr l'évêque de

Nantes est arrivé il n'y a pas une heure et tout le monde est au salon des Muses...

Surpris, François leva les sourcils. L'évêque en question, Philippe de Cospéan, était un vieil ami de la famille, un intime et le plus fidèle conseiller de la duchesse, mais c'était la première fois que son arrivée déclenchait un tel tohu-bohu. François, alors, voulut prendre la main de sa petite compagne pour l'emmener à sa mère mais il vit qu'elle pleurait de nouveau, sans bruit cette fois, et qu'elle tremblait dans sa chemise mouillée. Elle ne lui dit rien mais son regard implorait. Il comprit et la reprit dans ses bras :

— Allons toujours rejoindre la famille ! Nous verrons bien, soupira-t-il.

Jamais le beau château rebâti au siècle précédent par Diane, duchesse de Valentinois, ne lui avait paru aussi vaste ni le salon des Muses si imposant avec ses panneaux peints et dorés, ses chambranles de marbre et son mobilier somptueux. Il y avait là beaucoup de monde mais le regard de François alla droit à sa mère, assise auprès d'un évêque visiblement harassé et lui parlant avec animation. Elle semblait sous le coup d'une grande émotion. Il y avait des traces de larmes sur son beau visage blond, presque aussi pâle que l'énorme fraise « en meule de moulin » qui avait l'air d'offrir sa tête sur un plateau de mousseline empesée. Son fils aîné s'accoudait, l'air grave, au dossier de son fauteuil et sa fille, assise à ses pieds sur un carreau de velours, tenait l'une de ses mains. Tout autour, dames et officiers composant la maison ducale semblaient frappés de stupeur, aussi peu vivants que des personnages de tapisserie.

En dépit de la tension qui régnait, l'entrée de François ne passa pas inaperçue :

— Seigneur ! Martigues, s'écria son frère Louis de Mercœur d'un ton mécontent, d'où nous arrivez-vous dans un pareil état et en telle compagnie ? Quelle sottise venez-vous de commettre ? Qui est cette mendiante ?

L'indignation éteignit, comme une chandelle sous un courant d'air, la légitime inquiétude du jeune garçon :

— Ce n'est pas une mendiante. Je l'ai trouvée dans la forêt telle que vous la voyez : pieds nus avec sa poupée et sa chemise pleine de sang. Regardez-la mieux... à moins que votre grandeur et votre égoïsme ne vous brouillent la vue !

— Paix ! mes fils, coupa Mme de Vendôme. Ce n'est pas le moment d'une querelle. François va nous dire où il a trouvé cette enfant...

L'interpellé n'eut pas le temps d'ouvrir la bouche. Déjà, sa sœur se précipitait vers lui. Elle s'agenouilla devant la fillette que son frère posait à terre, et scruta le petit visage sali et mouillé de larmes.

— Mère ! s'écria-t-elle. Il a dû arriver malheur à La Ferrière. Cette petite est la plus jeune des enfants de Mme de Valaines. Elle s'appelle Sylvie.

— C'est bien ça ! s'écria François soudain éclairé. Tout à l'heure, quand je lui ai demandé son nom, j'en ai seulement attrapé deux morceaux : vi et laine. Je ne savais que faire, d'autant que, affolé par l'orage, mon cheval venait de se débarrasser de moi...

— Dire qu'il se prend pour un centaure ! gloussa Mercœur.

Le gamin allait répliquer vertement quand apparut M. de Raguenel qui venait d'exécuter un ordre de la duchesse. À la vue de l'enfant, il pâlit et vint grossir le groupe enfantin, prenant la petite réfugiée entre ses mains :

— Sylvie ! Mon Dieu !... Mais comment est-elle ici et dans cet état ?

Il semblait tellement bouleversé que Mme de Vendôme laissa François recommencer son récit.

— Alors, je l'ai prise dans mes bras et je l'ai rapportée ici, conclut-il.

— Et vous avez bien fait, approuva sa mère. À présent, allons au plus pressé ! Mme de Bure — elle se tournait vers la gouvernante d'Élisabeth — voulez-vous emporter cette pauvre petite qui doit être victime d'un grand malheur. Veillez à ce qu'on la baigne puis qu'on la nourrisse et la couche. Lorsque nous saurons le vrai de sa situation, nous aviserons.

L'interpellée s'approcha de Sylvie dont elle voulut prendre la main mais celle-ci s'accrocha farouchement aux doigts de François, bien décidée à ne pas le quitter : au moment où elle faisait un rêve si affreux, le Bon Dieu lui avait envoyé un ange et elle voulait le garder. Aussi émit-elle un véritable hurlement quand on essaya de l'en détacher. Il fallut lui promettre qu'il irait la voir quand elle serait au lit pour qu'elle se taise.

— Eh bien ! soupira la duchesse. Monsieur de Raguenel !

L'écuyer n'eut pas l'air d'entendre. Il gardait les yeux fixés sur la porte derrière laquelle Sylvie venait de disparaître. Mais il répondit au second appel.

— Vous connaissez bien les Valaines ?

— Oui, madame la duchesse. La baronne m'a fait l'honneur de me garder son amitié après la mort de son époux. Je suis très inquiet.

— Cela se conçoit ! Eh bien, prenez une dizaine d'hommes armés et allez jusqu'à La Ferrière. Vous viendrez me rendre compte dès que possible. Quant à vous, François, vous irez changer d'habits plus tard. Un grand malheur vient de nous frapper et vous devez en être informé.

Après quoi, sans s'expliquer davantage, elle revint à l'évêque :

— Je ne peux comprendre comment mon beau-frère, le Grand Prieur de Malte, a pu se laisser abuser au point d'aller chercher mon époux dans son gouvernement de Bretagne pour le ramener à Blois ? Et d'abord, pourquoi Blois ?

— Le Roi veut se rapprocher de la Bretagne dont l'agitation l'inquiète. Quant au Grand Prieur Alexandre, il a cru, en toute bonne foi, que Sa Majesté désirait seulement s'entretenir des affaires de ladite Bretagne avec le duc César. « M. de Vendôme peut venir à Blois, lui a dit le Roi en souriant. Je vous donne ma parole qu'on ne lui fera pas plus de mal qu'à vous-même. »

— Quelle duplicité ! Qui aurait cru le Roi capable de ça ? En vérité, on y sent le Cardinal d'une lieue. Il nous hait.

— Le Cardinal n'est pas à Blois mais à Limours. Et puis le Roi n'a fait que jouer sur les mots. Lorsque M. de Vendôme est arrivé, il s'est écrié : « Mon frère, j'étais en impatience de vous voir ! » Et, la nuit même, il les faisait arrêter tous les deux par MM. du Hallier et de Mauny. La chose a été exécutée sans bruit. Les prisonniers ont été emmenés sur l'heure au château d'Amboise par la Loire. Quant à moi, je suis venu vous avertir avec l'horrible impression de n'avoir eu que trop raison : le duc César n'aurait jamais dû quitter sa forteresse de Blavet[1], sinon pour passer la mer, mais le Grand Prieur insistait, ignorant sans doute que le Roi était déjà au fait de certaines affaires. Il pensait naïvement que notre Sire était enfin disposé à écouter ses frères plutôt qu'un ministre dont il s'était défié pendant si longtemps.

— Et mon époux a cru cela ? Et il est venu se jeter dans la gueule du loup au lieu de conforter sa position en Bretagne et son titre de Grand Amiral ?

— C'est ce que je lui représentai, mais il n'a pas voulu m'écouter. Comme chez le Grand Prieur, il y

1. Aujourd'hui Port-Louis, dans le Morbihan.

a, je crois, un grand fond de naïveté en votre époux, madame. Il croyait...

— Que le Cardinal renoncerait à le dépouiller de son gouvernement, qu'il oublierait la méfiance que lui inspirent les enfants de Gabrielle d'Estrées ? Le Cardinal n'oublie jamais rien ! lança-t-elle avec colère. Je m'y entends peu en politique, mon ami, mais voilà des mois que je redoute ce genre de catastrophe...

Non sans raison ! Depuis le début de l'année qui était la neuvième du règne effectif de Louis XIII, les passions bouillonnaient autour d'un couple royal de vingt-cinq ans [1] qui ne s'entendait pas au mieux. Les vieilles braises encore rouges des guerres de religion ne demandaient qu'à se réveiller au souffle d'une Cour jeune, ambitieuse, turbulente, jalouse de son influence comme de ses privilèges et surtout inquiète de celle, grandissante, de l'homme de fer en qui elle devinait un dompteur et qui entreprenait de la mater. Nul souci du royaume dans tout cela ! Rien que l'intérêt particulier !

Les prémices d'une tempête s'étaient levées quelques mois plus tôt à propos du mariage de Monsieur, frère du Roi et jusqu'à présent son héritier puisque, au bout de dix ans de mariage, le couple royal demeurait sans enfant.

Le souverain et la reine mère, Marie de Médicis, souhaitaient marier ce garçon de dix-sept ans,

1. Louis XIII et Anne d'Autriche étaient nés la même année.

velléitaire, agité, nerveux, vaniteux, totalement dépourvu de courage mais facile à manier, avec sa cousine, Mlle de Montpensier, qui était la fille la plus riche de France. Le Cardinal, bien entendu, approuvait ce mariage mais il n'en allait pas de même chez les princes du sang — Condé, Conti, Soissons et, naturellement, Vendôme — ni dans l'entourage de la jeune reine Anne d'Autriche. Un entourage composé de jolies femmes un peu folles et de jeunes seigneurs étourdis sur lequel régnait la meilleure amie de la Reine, l'intrigante, folle et ravissante duchesse de Chevreuse. Tout ce monde ne voulait à aucun prix que Gaston d'Anjou épouse ce grand parti que d'autres convoitaient. On lui réservait un autre destin.

Une conspiration se forma donc, dont la cheville ouvrière fut le gouverneur du prince, le maréchal d'Ornano, colonel des Corses, personnage rude, expéditif et arrogant, qui poussait son élève à la rébellion, allant jusqu'à lui proposer de fuir Paris et de se réfugier à La Rochelle. En plein fief protestant !

La riposte royale ne se fit pas attendre : le 26 mai de cette année 1626, le Roi faisait arrêter d'Ornano et ses deux frères et les bouclait à la Bastille dont, par prudence, on remplaça le gouverneur pour l'occasion.

Pour les conjurés, ce coup de force était signé Richelieu et, bien loin de les calmer, il les rendit furieux. Mme de Chevreuse, toujours aussi active, concocta aussitôt un nouveau complot ayant pour but, cette fois, l'élimination physique du Cardinal et peut-être aussi du Roi dont on remarierait la veuve avec Monsieur qui ferait, selon la duchesse, un souverain idéal. C'était en effet une parfaite marionnette que l'on manipulerait à loisir...

Anne d'Autriche, encore mal remise de sa romance passionnée avec l'irrésistible duc de Buckingham, n'y voyait pas d'inconvénient : elle n'aimait guère son époux et détestait Richelieu. Elle laissa faire sa chère Chevreuse. De son côté, Gaston d'Anjou [1] — Monsieur — plongea jusqu'au cou dans la conspiration à la tête de laquelle Mme de Chevreuse plaça le jeune prince de Chalais qui était fou d'elle, allant jusqu'à offrir quelques-uns de ses gentilshommes pour la mener à bien. Mais de ces récents développements, Mme de Vendôme ignorait tout : elle en était restée à l'arrestation du maréchal d'Ornano qui déjà l'inquiétait fort.

— Oui, répéta-t-elle. Voilà des mois que je redoute ce qui arrive aujourd'hui. Le Grand Prieur et mon époux se sont engagés avec Monsieur et les princes du sang en refusant d'admettre qu'ils sont seulement princes légitimés et qu'on prendrait moins de gants avec eux qu'avec les autres !

Elle pria ensuite son entourage de la laisser s'entretenir un moment en particulier avec l'évêque de Nantes. Seul son fils aîné fut autorisé à rester. François tendit la main à sa sœur pour l'emmener, tout en protestant :

1. Titré duc d'Anjou jusqu'à ce qu'il devienne duc d'Orléans en 1626.

— Pourquoi Mercœur et pas nous ?

— Vous êtes trop jeune, François. Quatre ans de plus, cela compte et votre frère est presque un homme.

Élisabeth ne dit rien, mais son petit air outragé disait clairement qu'elle n'en pensait pas moins :

— Venez, François ! Allons voir ce que devient votre trouvaille !

Quand tout le monde fut sorti, la duchesse tira un chapelet d'une poche dissimulée dans sa robe de velours gris et le tint fermement entre ses mains comme si elle s'y accrochait.

— À présent que nous sommes seuls, mon ami, dites-m'en un peu plus car je vous avoue ne pas comprendre comment on en est venu à arrêter mon époux et son frère pour cette ridicule histoire du mariage de Monsieur où ils jouaient seulement le rôle de spectateurs ?

L'évêque eut pour elle un regard plein d'amitié compatissante. Le courage et la foi de cette jeune femme l'avaient toujours impressionné et il la plaignait d'avoir épousé un homme que son orgueil et son ambition poussaient à se jeter dans tous les guêpiers :

— Il y a plus grave, madame la duchesse... et vous n'en saviez rien... En revanche, le Grand Prieur, lui, s'est trouvé en premier plan.

Et de raconter comment celui-ci, de mèche avec Monsieur et la duchesse de Chevreuse, avait monté un attentat contre le Cardinal en profitant de ce que, le Roi étant à Fontainebleau, son ministre logeait à Fleury en attendant que fût achevée la maison qu'il se faisait construire en ville. Le plan du Grand Prieur était simple : chassant dans la forêt, Monsieur et quelques amis devaient à la nuit close demander table et couvert à Richelieu qui serait abattu à la faveur d'une querelle artificiellement déclenchée. Ensuite, on disposerait du Roi selon la façon dont il réagirait à la nouvelle. Mais Monsieur, fidèle à lui-même, se déclara malade au dernier moment, l'un des siens, le jeune prince de Chalais, fit des confidences imprudentes et les autres conjurés furent pris. Le lendemain matin, Monsieur, qui était encore couché, eut la surprise de voir le Cardinal débarquer dans sa chambre, tout sourire, pour lui proposer sa maison de Fleury « qui semblait tant lui plaire ». Après quoi il alla offrir sa démission au Roi, qui non seulement la refusa mais lui donna tous pouvoirs pour terminer cette affaire avec « la dernière rigueur ».

— Je ne vois toujours pas ce que mon époux vient faire dans cette histoire ? s'exclama la duchesse. Il était déjà en Bretagne quand on a incarcéré d'Ornano...

— Sans doute, mais son frère y trempait jusqu'au cou puisque l'idée était de lui.

— Et on n'a pas arrêté le Grand Prieur ?

— Non. Richelieu voulait se débarrasser des deux frères d'un seul coup. Il a convoqué le Grand Prieur sur le mode le plus aimable et lui a laissé entendre qu'il souhaiterait le voir accéder à l'Amirauté, laissée vacante par M. de Montmorency, à la condition, évidemment, que le duc César renonçât à ses prétentions à cette charge. Notre cher Grand Prieur a été ébloui. De là cette grande ardeur à obtenir de son frère qu'il vienne en discuter à Blois avec Sa Majesté. Voilà comment cela s'est fait, madame.

— C'est indigne ! Comment le Grand Prieur Alexandre a-t-il pu se montrer si stupide ?

— L'ambition, madame la duchesse, l'ambition !

— Et... qu'advient-il de Monsieur ?

— Pour être certain de n'être pas inquiété, il s'est dépêché de livrer tous les participants au complot et il a même promis d'épouser Mlle de Montpensier dès qu'il plairait au Roi.

— On n'est pas plus infâme ! Et que va faire le Roi maintenant qu'il tient le gouverneur de Bretagne ?

— Il part pour Nantes afin d'y affirmer sa reprise en main de la province... et d'y exercer sa justice !

— Miséricorde ! Nous sommes dans de beaux draps ! Votre conseil, monseigneur ?

— Difficile à dire ! Le mieux serait peut-être de vous mettre à l'abri avec vos enfants dans une terre de votre patrimoine...

— Mère, coupa le jeune Louis, si nous allions tous nous jeter aux genoux du Roi ?

— Pour demander pardon de quoi ? gronda sa mère. Votre père n'a pas bougé de son gouvernement...

— On peut participer de loin à un complot, glissa l'évêque. En préparant des positions de repli, en incitant la Bretagne à se soulever. En y levant des troupes...

Françoise de Vendôme ne répondit pas tout de suite. Elle entendait encore, au fond de sa mémoire, la voix de César clamer qu'il espérait bien ne plus revoir le Roi son frère qu'en peinture. Boutade, ou bien...

— Moi, je vais partir, décida-t-elle, et vous m'accompagnerez, monseigneur, puisque vous êtes toujours évêque de Nantes où va le Roi. Une fois sur place, j'aviserai...

— Irai-je avec vous, ma mère ?

— Non. Allez me chercher votre gouverneur !

Un moment plus tard, M. d'Estrades recevait l'ordre d'emmener, dès le matin, ses élèves et leur sœur à Vendôme où, sous la triple protection des remparts, d'une ville fidèle et d'un fort château — sans compter leurs défenseurs — ils seraient beaucoup mieux abrités des surprises que dans un aimable palais d'été ouvert à tous les vents. On ne laisserait sur place que le personnel nécessaire à l'entretien d'Anet.

En un instant, tout fut en révolution. Il s'agissait de préparer les deux départs, le second beaucoup plus important que le premier puisqu'il s'agissait d'un vrai déménagement. Valets et chambrières s'activèrent après que l'on eut expédié, au grand soulagement de l'évêque à moitié mort de faim et de fatigue, un souper que l'on avait failli oublier...

Pendant ce temps, Perceval de Raguenel galopait, à la tête d'une dizaine d'hommes armés, vers le petit château de La Ferrière qu'il connaissait bien. C'était, en lisière de la grande forêt de Dreux, un joli domaine de tout temps vassal de la principauté d'Anet. Les barons de Valaines le tenaient depuis qu'Hughes avait suivi Simon d'Aneth, entraîné à la croisade par la parole ardente de Bohémond d'Antioche, venu à Chartres épouser Constance, fille du roi Philippe Ier. Depuis, ses descendants demeuraient fidèles à la Couronne d'abord, à leurs suzerains ensuite quels qu'ils fussent...

Henri IV n'avait eu aucune peine à se les rallier et Jean, le père de Sylvie, combattit vaillamment à Ivry et ailleurs. Ce qui lui valut d'épouser une jeune cousine de Marie de Médicis, appelée par la reine mère auprès d'elle afin de l'établir. Chiara Albizzi avait vingt ans, Valaines en comptait vingt de plus. Elle était ravissante ; il n'était pas très beau mais le mariage, béni au lendemain de l'assassinat de Concini, n'en fut pas moins paisible et harmonieux. Trois enfants vinrent le compléter. D'abord une fille, Claire, née en 1618, un fils, Bertrand, né l'année suivante, et enfin la petite Sylvie, apparue à l'automne de 1622 mais que son père n'eut guère le temps de connaître : quelques semaines après la naissance, une pierre lancée par une fronde inconnue le frappait en plein front et le couchait au tombeau. On ne sut jamais qui était l'assassin. Il ne restait plus à Chiara de Valaines que ses beaux yeux pour pleurer un époux qu'elle aimait, ses enfants, des biens fort convenables et quelques amis au nombre desquels se comptait Perceval de Raguenel, peut-être le plus discret de tous parce que follement amoureux de la jeune femme sans avoir jamais osé le lui dire.

Lui-même était d'origine bretonne. À dix ans, il devenait page de la duchesse de Mercœur, mère de Mme de Vendôme, puis il passa au rôle d'écuyer de sa fille, avec un vif plaisir car il adorait les chevaux. En outre, cette charge le dispensait d'être mêlé au vacarme des armées toujours en train de courir sus à un ennemi qui, par ces temps troublés, changeait fréquemment. Ce qui ne veut pas dire qu'il était peureux. Il maniait l'épée en artiste mais lui préférait de beaucoup la plume, aimant surtout l'étude, l'histoire, la géographie, l'astronomie, les belles-lettres et la musique : il jouait du luth mais aussi de la guitare que lui avait apprise un transfuge espagnol. D'esprit volontiers caustique, c'était un garçon de haute taille dont l'air endormi et les paupières volontiers tombantes cachaient un regard singulièrement vif.

Sa première rencontre avec Chiara remontait à huit ans. Il en avait alors dix-neuf, n'avait jamais éprouvé la passion mais fut foudroyé par cette exquise statuette d'ivoire couronnée d'une masse de cheveux noirs et brillants, aux yeux sombres si grands qu'ils avaient l'air d'un masque posé sur le délicat visage. C'était au cours d'une fête à Anet, et par la suite, il rendit souvent visite aux Valaines sans en informer la duchesse. Il était toujours reçu à La Ferrière en ami fraternel, surtout après la mort du baron. Aussi, lorsque, tout à l'heure, il avait vu la petite Sylvie en si triste état, son cœur s'était affolé. L'ordre de Mme de Vendôme l'expédiant aux nouvelles était venu très vite, sinon il se fût précipité chez Chiara sans demander la permission.

Quand, avec son valet Corentin Bellec et sa petite troupe, il déboucha devant l'antique pont-levis baissé, la nuit était fort obscure, et le silence total. Même les grenouilles des douves se taisaient. Pas une lumière, pas un feu dans le château, ni aux cuisines ni dans le gracieux logis Renaissance que Perceval connaissait bien ! Pourtant, à la lumière des torches que l'on avait apportées, Raguenel distingua vite le corps d'une femme que les pieds de son cheval avaient manqué fouler. Sautant à terre, il se jeta à genoux près d'elle et reconnut Richarde, la nourrice de Sylvie. Une large blessure s'étalait dans son dos et, en la retournant, Perceval trouva entre ses doigts un petit ruban bleu semblable à celui qu'il avait vu accroché dans les boucles emmêlées de la petite fille. Richarde avait dû mourir en protégeant l'enfant qui, ensuite, s'était glissée hors de ses bras pour s'en aller à l'aventure avec sa poupée.

Cependant, les hommes s'étaient répandus dans la demeure. L'un d'eux, son valet, revint vers lui en courant :

— C'est affreux, monsieur ! Il n'y a plus âme qui vive dans la maison. Les domestiques, les enfants... tout le monde a été tué.

— Et Mme de Valaines ?

Corentin regarda son maître avec quelque chose qui ressemblait à de la pitié :

— Venez ! Mais, je vous préviens : il faut du courage !

En franchissant la porte basse si joliment fleuronnée du logis, Raguenel sentit l'odeur écœurante et fade du sang le prendre à la gorge et, de fait, il y en avait partout : une dizaine de corps, poignardés ou passés au fil de l'épée, gisaient dans les différentes pièces mais l'horreur absolue se trouvait dans la chambre de la châtelaine. C'était si affreux que, d'abord, il eut un mouvement de recul, épouvanté par le spectacle : au milieu d'un chaos de meubles brisés, de coussins et de matelas éventrés, Chiara gisait presque nue et la gorge tranchée. Ses vêtements retroussés et déchirés, ses jambes écartées disaient clairement qu'avant de la tuer, on l'avait violée. Les yeux de la jeune femme étaient encore grands ouverts sur le martyre qu'elle avait dû vivre. L'expression qu'ils emportaient dans l'éternité reflétait l'épouvante et la souffrance. Comble de l'horreur, on avait apposé sur son front, en signe de diabolique possession sans doute, un cachet de cire rouge sur lequel ne se lisait aucun chiffre sinon la lettre grecque omega.

Raguenel eut un ricanement sec, beaucoup plus triste qu'un sanglot :

— Regarde, Corentin, nous n'avons pas à faire à un quelconque bandit de grand chemin, à quelque reître habitué aux tueries en masse... C'est un homme cultivé que ce bourreau ! Il lit le grec, et même il l'écrit. Omega ! Pourquoi omega ? Est-ce une initiale présentée de façon galante ou bien la fin de quelque chose dans la grande tradition chrétienne : l'omega de je ne sais quel alpha ? Seulement, je ne veux pas qu'un ange emporte dans sa tombe ce signe d'infamie !

Il tira sa dague et, agenouillé sur les marches du lit, essaya de décoller le cachet, mais la cire tenait bien et ses mains tremblaient. Corentin intervint :

— Vous devriez me laisser faire, Monsieur. Ce n'est pas ainsi que l'on s'y prend pour décoller un cachet d'un parchemin : il faut une lame très fine, celle d'un rasoir que l'on chauffe. Puis, quand la cire s'amollit, on glisse doucement un crin de cheval. Tout doucement, afin de ne rien endommager.

— Où as-tu appris ça ?

— Chez les Bénédictins de Jugon. Quand vous m'avez engagé à votre service, je ne vous ai pas caché que je m'en étais sauvé. Là-bas, le père Anselme m'avait pris en amitié. Il avait la passion des manuscrits, des chartes et de toutes ces choses. C'est lui qui m'a appris à lire et à écrire. Il m'a aussi montré comment faire quand on ne veut pas briser un sceau. Autrement, on le casse...

— Ce serait la frapper, protesta Perceval, les yeux sur la jeune morte. Et puis je veux conserver ce morceau de cire. Il est le témoignage du martyre d'une innocente et me conduira peut-être à l'assassin. Celui-là, je veux l'envoyer aux enfers rejoindre ses pareils. Essaie d'enlever cette horreur sans la blesser, mon Corentin !

— Je ferai de mon mieux mais, de toute façon, il y a dessous la brûlure de la cire chaude...

— C'est évident. Il faudrait trouver un rasoir.

Il allait sortir quand parut l'un de ceux qui l'avaient accompagné.

— Que faisons-nous, monsieur le chevalier ? On ne peut pas laisser ces malheureux à la merci des bêtes sauvages. Et puis les jours chauds sont là et...

— Trouvez des draps, des couvertures, tout ce qui peut servir de linceul ! Faites porter les enfants ici, auprès de leur mère, et attendez-moi ! Je rentre au château instruire Mme la duchesse et prendre ses ordres. Je ramènerai ensuite un prêtre, le bailli de la principauté et ce qu'il faut pour que ces pauvres gens soient enterrés chrétiennement.

Avant de sortir, Raguenel laissa ses yeux se poser une dernière fois sur celle qu'il avait tant aimée et qui emportait avec elle le plus tendre de sa jeunesse. Eût-il été plus haut personnage qu'il lui eût offert, sans doute, de l'épouser, mais il n'avait rien à lui offrir qu'un grand amour et un nom sans tache. Si jeune qu'il fût, à ce jour il savait qu'aucune femme ne pourrait lui faire oublier son sourire, son regard de velours, la grâce de sa personne comme de ses moindres gestes. Il lui restait le souvenir et l'amère soif de vengeance. Rien ne le détournerait de sa quête : dût-il aller aux confins de la terre et de la mer, il chercherait l'omega meurtrier et, quand il l'aurait trouvé, aucune puissance humaine n'arrêterait son bras. Ensuite, il songerait à faire sa paix avec Dieu puisqu'il est dit que la vengeance n'appartient qu'à Lui seul : les monastères ne manquaient pas où il pourrait s'ensevelir... En attendant, il allait falloir réfléchir, chercher, fouiller le passé si mince du lis florentin écrasé dans les pires conditions... Et, soudain, il crut entendre, au fond de lui-même, une voix faible et douce qui implorait :

— Ma fille... ma petite Sylvie ! Pense à elle ! Veille sur elle...

Alors, une dernière fois, il s'approcha du lit, se pencha sur l'une des mains menues, si blanches et si froides à présent, y posa ses lèvres.

— Sur mon honneur et le salut de mon âme, je vous le jure, Chiara. Dormez en paix !...

Sans plus se soucier des deux hommes témoins de cette courte scène, il s'élança hors de la chambre, descendit l'escalier en courant, détacha son cheval, l'enfourcha en voltige et partit au grand galop à travers la forêt nocturne qu'il traversait naguère au pas et en laissant la bride sur le cou lorsqu'il revenait de La Ferrière, pour se donner le temps de rêver et d'entendre encore l'écho d'un luth pincé par de jolies mains blanches. Mais cette nuit-là, Perceval de Raguenel, ce jeune homme toujours si calme, parfois jusqu'à la nonchalance, éprouvait le besoin d'un exercice violent. Une chouette, oiseau de la sagesse, lança son cri par trois fois dans l'épaisseur des arbres mais il ne l'entendit pas. Ses oreilles étaient pleines d'un vent d'orage...

Après vingt minutes d'une course folle, il entrait

dans Anet à un train d'enfer, sautait à terre dans la cour éclairée par des pots à feu, jetait sa bride à un palefrenier sorti de nulle part et se précipitait vers les appartements de la duchesse.

Au pied de l'escalier, il rencontra le jeune Ranay, l'un des pages de la maison, qui le regarda avec étonnement :

— Que vous arrive-t-il, monsieur le chevalier ? On dirait que vous pleurez ?

— Moi ? Jamais de la vie ! Vous rêvez, mon garçon.

Mais, avant de frapper chez Mme de Vendôme, il essuya ses yeux à sa manchette de dentelle...

CHAPITRE 2

UNE INCROYABLE MÉMOIRE

Debout devant une fenêtre ouverte sur la douceur de la nuit, indifférente au va-et-vient de ses femmes traînant des coffres de cuir ou transportant des piles de vêtements, Françoise de Vendôme essayait de maîtriser l'angoisse qui s'était emparée d'elle dès l'instant où elle avait su son époux prisonnier. César sous les verrous, enchaîné peut-être ! Impensable !

La décision de voler à son secours lui était venue tout naturellement. Pourtant, depuis un moment, elle se demandait si son intervention aboutirait à autre chose qu'à la placer, elle, sous les feux conjugués de la colère du Roi et des rancunes de son ministre. Or, elle restait la seule adulte de la famille — sa turbulente belle-sœur Catherine, duchesse d'Elbeuf, méritait à peine ce titre ! — encore libre de ses mouvements. Qu'on l'arrête elle aussi, et ses enfants, si jeunes, n'auraient plus d'autre rempart que leur entourage. Des serviteurs dévoués sans doute, des officiers à l'honneur éprouvé, mais des étrangers malgré tout dont on ignorait comment ils réagiraient devant les menaces que l'on pouvait faire peser sur eux. Sauraient-ils défendre contre d'inavouables convoitises leur fabuleux patrimoine : le Vendômois et la forte ville d'où il tirait son nom, des châteaux quasi royaux qui avaient nom Anet, Chenonceau, Verneuil, Ancenis, La Ferté-Alais, le grand hôtel de Vendôme à Paris et tant d'autres biens ?

Se laissant tomber dans l'un des fauteuils tendus de soie bleue galonnée d'argent, la duchesse posa sa tête lasse sur le coussin d'appui et contempla le plafond dont le thème était la Nuit et le principal personnage la déesse Diane, que venaient éveiller le génie de la chasse et ses lévriers favoris. Cette chambre avait été un lieu d'amour, comme le marquait à travers le château la double initiale H et D entrelacés, presque confondus, rappelant avec orgueil qu'ici régnait une femme qui, sa vie durant et jusqu'au coup de lance des Tournelles, avait tenu captif un amant couronné de vingt ans plus jeune qu'elle. Il est vrai qu'elle était si belle !

Françoise souhaitait depuis toujours une autre chambre que ce temple des caresses, mais elle était la mieux ornée, la chambre désignée de la châtelaine, et César tenait à ce qu'elle soit celle de sa femme.

— Pourquoi donc ne vous irait-elle pas, ma mie ? disait-il en riant. Vous êtes charmante, vous aussi, encore qu'un peu prude, mais tellement plus jeune !

César ! Comme s'il ne connaissait pas le pouvoir de son charme sur l'altière princesse lorraine qu'il avait eu tant de mal à épouser ! Leur mariage, décidé dans la plus stricte tradition des unions princières, s'était révélé, tout compte fait, une drôle d'histoire. Dès 1598, Henri IV avait obtenu pour son fils César, alors âgé de quatre ans, la main de Mlle de Mercœur-Lorraine qui en avait six. Non sans peine : le duc de Mercœur renâclait d'autant plus à donner sa fille qu'on lui demandait en outre de reverser sur son gendre le gouvernement de la Bretagne qu'il avait tenu si longtemps. Mais le jeune César était légitimé, reconnu en tant qu'héritier, et l'on annonçait déjà que le roi Henri allait épouser sa mère, la rayonnante Gabrielle d'Estrées devenue duchesse de Beaufort. Ce n'était donc pas une mauvaise affaire que de marier sa fille à un futur roi... Hélas, à quelques jours du mariage et du couronnement, la belle Gabrielle mourait d'une crise d'éclampsie que plus d'un jugea providentielle. Et César retomba de son rang d'héritier à celui de simple bâtard.

Mercœur étant allé se faire tuer dans la guerre contre les Turcs sous la bannière de l'empereur Rodolphe II, Henri IV pensa que la veuve du héros, venue vivre à Paris où elle construisait un énorme hôtel et, tout contre, un vaste couvent pour des Capucines, serait trop occupée par ses prières et ses bonnes œuvres pour se dresser contre lui et remettre en cause le mariage. C'était bien mal connaître la Luxembourgeoise [1]. Mme de Mercœur était une maîtresse femme, la plus

1. Née Marie de Luxembourg.

dévote de France peut-être mais peut-être aussi la plus riche, et sa fille devait apporter une dot considérable avec, entre autres, le duché de Penthièvre, c'est-à-dire un sixième environ de la Bretagne, sans compter les biens qu'elle hériterait de sa mère. Aussi la duchesse fit-elle entendre que ledit mariage ne lui semblait plus souhaitable, d'autant que sa fille parlait de se retirer aux Capucines plutôt que de consentir à devenir Mme de Vendôme, proposant même d'envoyer au Roi cent mille écus de dédit.

Henri IV prit cela pour une mauvaise excuse mais, en fait, c'était vrai : Françoise qui se serait vue reine de France avec un certain plaisir ne voulait plus entendre parler de César de Vendôme, un gamin de quatorze ans (alors qu'elle en avait seize) que l'on disait turbulent, brutal et surtout préférant de beaucoup la compagnie des garçons à celle des jeunes filles. Cette période lui avait été pénible, pour la simple raison que l'orgueil de Françoise était entré en lutte avec son cœur. Il était charmant, César, avec ses cheveux blonds, ses yeux bleus et ses traits déjà majestueux. Il promettait d'être un homme superbe et plus d'une femme le regardait fort doucement. Ce charme, Françoise l'avait subi, mais elle avait une juste conscience de ce qu'elle était elle-même : une princesse appartenant à l'une des plus nobles maisons d'Europe, nièce d'une reine de France [1], jolie de surcroît, fort riche et surtout élevée dans les

1. Louise de Vaudémont, épouse d'Henri III.

principes rigoureux que l'on sait et qui ne toléraient pas le vice de Sodome...

Elle s'y fût résignée, peut-être, comme la douce et pieuse tante Louise s'était résignée aux mignons de son époux, mais la couronne et le manteau royal confèrent bien du courage à qui est digne de les porter et il ne pouvait plus être question que le fils de Gabrielle montât jamais sur le trône. Et pourtant, la rebelle fut obligée de s'incliner. Non devant un ordre du Roi — Henri IV savait qu'il n'avait aucun moyen de contraindre Mlle de Mercœur à épouser son fils bâtard — mais devant la volonté du duc de Lorraine, le chef de famille. Celui-ci, Henri II le Bon, veuf en premières noces de Catherine de Bourbon, sœur d'Henri IV, entendait garder de bonnes relations avec son beau-frère. Il fit entendre que le mariage lui convenait et il fallut bien que les deux rebelles, mère et fille, s'inclinassent. Et, pour un beau mariage, ce fut un beau mariage !

En l'évoquant, Françoise ne pouvait s'empêcher de sourire. Elle revoyait la chapelle du château de Fontainebleau, tout embaumée de fleurs, brasillante de cierges et scintillante de parures en cette nuit du 5 juillet 1609. Elle revoyait César, déjà plus grand qu'elle, rayonnant et magnifique dans son pourpoint de satin blanc lorsqu'à minuit il avait pris place auprès d'elle pour lui jurer amour et fidélité. Il lui avait souri en prenant sa main. Il est vrai qu'elle aussi était belle mais, à travers elle, c'était à la Bretagne qu'il souriait, la Bretagne qu'on lui avait présentée l'année précédente et qui avait pris une partie de son cœur. Il était heureux, César, ce soir-là, et Françoise l'était aussi. Il y avait bien eu un moment d'affolement quand on avait mis le jeune couple au lit et que le Béarnais, sa grande bouche fendue d'une oreille à l'autre en un large sourire, avait saisi un siège pour s'installer au chevet. Pensait-il vraiment rester là ? La jeune épousée avait levé sur sa mère en larmes un regard épouvanté : elle ignorait tout de ce qui allait suivre, Mme de Mercœur s'étant contentée de lui conseiller de se soumettre en tout à ce qu'on lui demanderait, si étrange que cela lui parût. Le Roi, lui, riait franchement.

— Séchez donc vos larmes, ma cousine ! dit-il à la duchesse, j'ai fait instruire mon fils de bonne main et nous devrions avoir toute satisfaction.

César aussi s'était mis à rire en se tournant vers sa jeune épouse plus morte que vive :

— Allons, madame, il faut faire plaisir au Roi... et à nous-mêmes ! dit-il gaiement. Et, sans plus se soucier de l'observateur, il l'avait prise dans ses bras. À sa grande surprise, Françoise elle aussi avait oublié l'indiscret qui, d'ailleurs, s'était retiré sur la pointe des pieds en fermant les rideaux du lit...

Ils avaient fait l'amour à trois reprises sur un ton de gaieté qui lui donnait l'apparence d'un jeu. Françoise, alors très mince et peu fournie en avantages féminins, découvrit que son jeune mari ne souhaitait pas qu'elle fût autrement. Il détestait les femmes plantureuses plus encore que les autres et il valait mieux, pour lui plaire, posséder son corps légèrement garçonnier. De cette nuit de noces célébrée par plusieurs semaines de réjouissances et de fêtes, sortit un couple uni par une complicité, une estime et une affection qui ne devaient jamais se démentir. Françoise, soutenue par sa foi profonde, eut la sagesse de s'en contenter. Le cœur de son époux, elle le découvrit, ne pourrait jamais battre pour une autre femme : César avait trop aimé sa mère, l'éclatante Gabrielle, et en demeurait à jamais ébloui. Quant aux jeunes hommes dont il aimait à s'entourer, il ne permit pas que sa femme eût seulement à s'en inquiéter. Il l'aimait à sa manière, et surtout il adorait les trois superbes enfants qu'elle lui avait donnés et qui consolidèrent une union plus réussie que l'on pouvait s'y attendre. La gaieté de César, son goût du faste, sa folle bravoure en faisaient un compagnon d'autant plus attachant qu'il était capable d'apprécier le caractère plus grave d'une femme qu'il appelait « ma chère Sagesse ».

L'idée de son arrestation bouleversait Françoise. Il était l'homme des grands espaces, des tempêtes, des courses dans le vent, des batailles aussi et des grandes frairies entre bons compagnons au retour de la chasse. S'il aimait tant la Bretagne, c'est parce qu'il y avait découvert un terroir selon son cœur : sauvage, fier et grandiose. Comment imaginer un tel homme entre les quatre murs d'un cachot, attendant Dieu sait quel jugement inspiré par la haine et la partialité, car jamais — Françoise l'eût juré sur la mémoire de sa mère —

César n'avait seulement songé à s'attaquer au Roi son frère dans sa vie ou seulement sa santé. L'homme qu'il haïssait c'était Richelieu, et Richelieu le lui rendait avec usure. Malheureusement, le Cardinal-ministre était le plus fort.

— Il faut que je le sorte de ce mauvais pas, se répétait la duchesse. Mais comment ? Par quel moyen ? Encore qu'elle n'imaginât pas l'homme à la simarre pourpre pourvu d'assez d'audace pour demander la tête d'un prince du sang, elle n'était pas loin de se voir, elle et ses enfants, tout de noir vêtus, allant s'agenouiller dans le cabinet du ministre pour implorer sa clémence. Une image contre laquelle son orgueil de race et sa fierté de femme se révoltaient. Elle savait pourtant que pour sauver son César, elle serait capable d'aller jusque-là.

L'entrée d'une de ses femmes annonçant le retour de son écuyer la tira d'une rêverie qui s'en allait vers le morbide et la rendit à elle-même. À elle aussi, il fallait de l'action...

— Eh bien ? dit-elle quand Raguenel, encore sous le coup de l'émotion, s'inclina devant elle.

— Ah ! madame, c'est pire encore que nous pouvions l'imaginer. Mme de Valaines, ses enfants et ses serviteurs ont été massacrés.

— Massacrés ?

— C'est le mot qui convient. Il y a des cadavres et du sang partout. Et je n'arrive pas à comprendre par quel miracle la petite Sylvie a pu échapper aux assassins. Sa nourrice qui tentait de fuir en l'emportant a été frappée au milieu de la cour. Elle a dû tomber sur l'enfant qu'elle tenait et que son corps a protégée. La petite a dû réussir à se dégager plus tard.

— Mais enfin qui a pu faire cela ? Et pourquoi ?

— C'est ce qu'avec votre permission j'essaierai de savoir dès demain. Pour l'heure présente, il conviendrait de procéder à l'ensevelissement chrétien de tous ces malheureux sans attendre que les bêtes s'en chargent ou que la chaleur du jour les attaque...

— Certes, certes... et je vais vous en donner les moyens, mais songez-vous que demain... oh ! Dieu, c'est vrai : vous étiez en route lorsque j'ai arrêté ma décision. Au lever du jour, nous devons partir pour Blois avec Mgr de Cospéan, cependant que M. d'Estrades et le père Gilles conduiront les enfants à Vendôme où ils seront en sûreté. Il faudrait charger notre bailli d'Anet d'enquêter sur cette terrible aventure...

Elle s'interrompit : Perceval venait de mettre genou en terre devant elle :

— Par grâce, madame la duchesse, accordez-moi de rester ici. Je voudrais tenter de faire la lumière moi-même sur cette tragédie. Le défunt baron de Valaines me donnait part à son amitié et...

— ... et vous êtes resté l'ami de sa veuve, rien de plus naturel ! acheva Mme de Vendôme avec la franchise à la fois abrupte et naïve qui faisait partie de son charme, même si c'était parfois un peu difficile à supporter.

— Euh... oui, madame !

— Eh bien, restez, mon ami ! soupira-t-elle en s'appuyant des deux mains aux bras de son siège pour se relever. Après tout, le carrosse du cher évêque n'est pas si grand et je n'ai pas besoin d'un écuyer pour cette expédition. Surtout si, moi aussi, on me jette en prison ! Faites ce que vous pourrez et rendez-vous ensuite à Vendôme. Si la disgrâce royale s'abat sur nous comme tout le laisse supposer, mes enfants n'auront jamais trop de défenseurs. Au pire, ils pourraient trouver refuge en Lorraine si les choses tournaient vraiment mal, mais je pense que notre forte ville de Vendôme saura faire son devoir...

— Et la petite Sylvie, madame la duchesse ? Que va-t-elle devenir ?

— Je l'ignore mais il va de soi que nous allons la garder. Pauvre petite ! Que ferait-elle, si jeune, si nous l'abandonnions ? J'ai pensé d'abord à un couvent, mais ma fille Élisabeth s'est entichée d'elle et l'a prise sous sa protection. Elle a l'impression d'avoir une poupée de plus et elle est ravie.

— C'est une bonne chose. Dans votre maison, elle ne craindra rien. Ce qui ne serait peut-être pas le cas d'un couvent...

Mme de Vendôme leva les sourcils :

— Que voulez-vous qu'elle craigne ? C'est encore un bébé.

— Veuillez me pardonner, madame la duchesse, mais je la crois en très grand danger. Les gens qui ont assassiné tous les habitants de La Ferrière devaient avoir l'ordre de ne laisser âme qui vive et tous ont été tués... sauf elle.

— Que pourrait-elle avoir à redouter ?

— Ce sont les meurtriers qui peuvent penser à la craindre. Elle est encore bien petite puisqu'elle n'a pas quatre ans mais, même à cet âge, on a des yeux, une mémoire, et Sylvie montre déjà une intelligence éveillée. Comme sa mère...

— Dommage qu'elle ne soit pas aussi jolie qu'elle ! La pauvre baronne était ravissante. Il est à craindre que l'enfant tienne du père qui l'était moins... À présent, allez jusqu'à la maison canoniale de notre chapelle et priez les bons pères de vous assister dans votre triste tâche.

Comme il allait sortir, elle le retint :

— Perceval !

— Oui, madame la duchesse, fit-il, surpris d'être appelé par son prénom — il en conclut qu'elle était très émue.

— Je forme des vœux pour que nous nous revoyions bientôt. Priez Dieu pour moi et pour le duc César !

— Et aussi pour M. le Grand Prieur ?

— Oh ! celui-là ! Ce sont ses idées folles qui nous ont conduits en cette impasse... Néanmoins, vous avez raison : il faut prier aussi pour lui. M. de Sales, notre cher évêque de Genève, n'a-t-il pas écrit : « Entre les exercices des vertus, nous devons préférer celui qui est plus conforme à notre devoir et non pas celui qui est plus conforme à notre goût » ? Allez, chevalier ! Je vais à présent voir mes enfants.

Tandis que Perceval se dirigeait vers son pieux devoir, la duchesse se rendit dans l'appartement de sa fille où un curieux spectacle l'attendait : son fils cadet, assis auprès du lit où l'on avait, avec bien du mal, réussi à coucher la petite rescapée, tenait dans la sienne une de ses menottes, le pouce de l'autre étant fermement logé dans la petite bouche. L'enfant que l'on avait lavée et changée, nourrie aussi d'un bol de lait et de quelques biscuits, avait perdu son aspect de chaton sauvage et dormait, sa poupée auprès d'elle. À quelques pas, Élisabeth, assise sur un tabouret, les coudes sur les genoux et le menton dans ses mains, considérait le tableau d'un œil perplexe. Mme de Vendôme intervint :

— Eh bien, mais que faites-vous à cette heure, François, dans l'appartement de votre sœur ? Ce n'est pas votre place. Laissez cette petite et rentrez chez vous ! Vous voyez bien qu'elle dort.

Pour toute réponse, le jeune garçon retira doucement sa main et aussitôt s'ouvrirent en même temps les yeux et la bouche d'où sortit un long hurlement.

— Et voilà ! soupira Élisabeth. Tant que nous nous sommes occupés d'elle, Sylvie n'a cessé d'appeler sa mère que pour réclamer mon frère qu'elle appelle « monsieur Ange ». J'ai mis un certain temps à comprendre que c'était de lui qu'il s'agissait, mais finalement je l'ai envoyé chercher...

— De toute façon, ma mère, j'avais promis de venir la voir avant d'aller dormir.

— Tout cela est ridicule ! Rentrez chez vous et laissez-la crier. Elle finira par s'arrêter.

— Oui, mais quand ? demanda sa fille. Je voudrais bien dormir, moi aussi.

— Je le conçois. Avez-vous dit vos prières ?

— Pas encore. Le moyen de prier avec ce vacarme ?

— Laissez-moi faire ! Nous allons prier tous ensemble. Vous aussi, François, puisque vous êtes là...

Et, se penchant sur le lit, elle en enleva la petite fille, toujours hurlante, et alla vers l'oratoire disposé dans un coin de la chambre. Là, elle la fit agenouiller avec elle sur un coussin de velours bleu disposé devant une statue de la Vierge et obligea les petites mains à se joindre. Surprise par ce traitement inattendu, Sylvie se tut enfin, levant sur cette grande dame magnifique et sévère dans ses taffetas couleur prune un regard inquiet et même un peu terrifié. C'était là, de toute évidence, une puissance avec laquelle il convenait de compter... mais qui, tout de même, lui sourit en l'enveloppant de ses deux bras pour maintenir les doigts joints :

— Voilà qui est mieux ! Et maintenant, le signe de croix, ajouta-t-elle en guidant le geste de l'enfant, après quoi elle entama la prière : « Ave Maria, gratia plena, Dominus tecum... »

De toute évidence, la bambine n'était pas encore rompue à l'exercice du latin. Sa nourrice ou sa mère devaient la prendre sur leurs genoux pour lui faire réciter une prière facile à l'usage des tout-petits. Cependant, ce charabia lui parut amusant et elle se lança dans une improvisation gazouillée qui mit à rude épreuve le sérieux d'Élisabeth, de François et des chambrières agenouillés derrière la duchesse.

La prière terminée, Mme de Vendôme recoucha elle-même Sylvie, lui mit sa poupée dans les bras, l'embrassa :

— Maintenant, il faut dormir, petite ! Demain, vous ferez une belle promenade en voiture avec... monsieur Ange.

Docilement, Sylvie mit son pouce dans sa bouche, ferma les yeux et fut aussitôt emportée par le sommeil. La duchesse tira les rideaux et revint à ses enfants :

— Elle partira avec vous pour Vendôme demain matin. Cette pauvre petite n'a plus personne au monde. Que je sache tout au moins. Elle n'a échappé que par miracle à un massacre général et, d'après le chevalier de Raguenel, il se peut qu'elle soit encore en danger. Vous veillerez sur elle jusqu'à ce que je revienne vers vous. Quittons-nous, à présent ! Mgr de Cospéan et moi partons dans une heure. Vous au lever du jour. Nous ne nous reverrons... que si Dieu le veut...

— Mère, s'écria François alarmé, si vous devez courir de si grands dangers, je veux aller avec vous !

— Non, car si je me dois à mon seigneur votre père, vous vous devez, vous, au nom que vous portez. Nous venons de voir, ce soir, comment en quelques instants on peut éteindre une famille entière. Il ne faut pas courir semblable péril. Souvenez-vous que vous êtes du sang de France... et embrassez-moi pour me donner du courage ! ajouta-t-elle, soudain en larmes, échappant au personnage qu'elle s'efforçait d'assumer depuis l'arrivée de l'évêque pour n'être plus qu'une épouse et une mère ravagée d'inquiétude. Il n'y avait qu'avec ces deux-là qu'elle pouvait se laisser aller : déjà imbu de sa dignité d'aîné, Mercœur n'aurait peut-être pas compris... ou pas admis.

Ils restèrent un instant serrés l'un contre l'autre, pleurant ensemble puis, aussi brusquement qu'elle avait fondu, Françoise s'arracha et sortit en clamant :

— Madame de Bure, vous veillerez à donner purgation à notre fille dès que vous serez arrivés. Je lui trouve le teint un peu brouillé. Le printemps est d'ailleurs la meilleure saison pour clarifier...

Le reste du discours se perdit dans les profondeurs du château. Sans que la gouvernante en fût troublée. Tout le monde ici savait que la duchesse cultivait volontiers le coq-à-l'âne. Volontairement parfois : n'était-ce pas la meilleure façon de rompre les chiens quand une émotion risquait de devenir envahissante ?

Tandis que l'orpheline dormait sa première nuit loin d'un domaine qu'elle ne reverrait pas avant longtemps, le ballet des départs successifs commençait. Ce fut d'abord Perceval de Raguenel, escortant le chariot où avaient pris place le prieur du chapitre de l'église princière et un acolyte, puis, une heure après, l'équipage de Philippe de Cospéan emportant Mme de Vendôme et Mlle de Lichecourt, la fille suivante qu'elle préférait en raison de son grand bon sens, de son calme imperturbable et de sa profonde piété. Enfin, au lever du jour, on avança les carrosses qui allaient emmener les enfants de César à l'abri des murailles de sa ville capitale qui était aussi son séjour préféré.

La petite Sylvie, pour qui une chambrière avait travaillé toute la nuit à ajuster d'anciens vêtements d'Elisabeth à sa taille, semblait avoir oublié son chagrin et ouvrait de grands yeux sur les derniers préparatifs quand elle sortit du château dans la lumière du petit matin, bien assise sur le bras de Mme de Bure que sa fragilité et sa frimousse de chaton désolé avaient touchée au cœur. La journée promettait d'être superbe. L'air était pur comme du cristal. L'orage de la veille et ses grandes pluies avaient nettoyé les beaux toits d'ardoise, les marbres du château que l'aurore teintait de rose et tout le paysage. La forêt voisine sentait bon les feuilles lavées de frais, l'herbe neuve et la terre mouillée. Aux mains des cochers, les chevaux piaffaient d'impatience, pressés de galoper dans ce joli matin vers une destination qu'évidemment on n'atteindrait pas ce jour-là puisque, entre Anet et Vendôme, il fallait parcourir environ trente-trois lieues.

La gouvernante tendit son fardeau à un valet afin d'être plus libre de ses mouvements pour monter en voiture. Sylvie se mit à gigoter, à se tortiller avec tant de vigueur que les mains de l'homme, glissant sur la robe en gros de Naples couleur pensée — ce que l'on avait trouvé de plus proche du deuil — laissèrent échapper l'enfant qui, heureusement, se reçut sans mal. À peine sur pied, elle se mit à courir aussi vite que le permettaient ses jupons blancs et ses petites jambes en poussant des cris de joie : elle venait d'apercevoir « monsieur Ange » qui sortait à son tour du château en compagnie de son frère Louis, de leur gouverneur et de leur précepteur, le père Jacques Gilles, détaché au service des jeunes princes par le chapitre de l'église Saint-Georges desservant le château de Vendôme. C'était un majestueux personnage, fort ami de la bonne chère mais craignant les courants d'air, qui s'avançait d'un pas précautionneux, enveloppé dans une sorte de douillette de velours noir. En dehors du latin qu'il pratiquait en virtuose, il ne savait pas grand-chose mais chantait l'office avec une voix de basse superbe. Si l'enseignement qu'il dispensait ne risquait pas d'encombrer outre mesure l'esprit de ses élèves, le duc comme la duchesse s'en souciaient peu : leurs fils étaient destinés à devenir avant tout des soldats et de vrais chrétiens.

Le digne homme échappa de peu à la charge de Sylvie qui, le dépassant, atterrit dans les jambes de François en poussant des cris de joie. Le jeune garçon se baissa pour la ramasser et aussitôt, elle glissa ses bras autour de son cou pour lui planter sur la joue un gros baiser un peu mouillé.

— Peste, Martigues ! ricana Louis, on dirait que

vous avez fait une conquête ? Cette jeune personne vous adore.

— Il est zentil et ze l'aime, déclara fermement la petite que François, tout naturellement, avait prise dans ses bras pour lui rendre son baiser. Toi, tu es « messant » !...

— Eh bien, voilà qui est poli ! Cette enfant est mal élevée et elle n'est même pas jolie...

— Un peu d'indulgence, mon frère ! dit François en souriant. Songez au cauchemar d'où elle sort.

— Justement ! Notre mère ferait mieux de la remettre à un couvent. Ce qui s'est passé à La Ferrière montre que ces gens ont dû encourir la colère de quelque grand personnage. Du Roi, peut-être...

— Sachez, monsieur, que le Roi n'assassine pas ! coupa sévèrement M. d'Estrades. Et massacre encore moins. Son service comporte suffisamment de juges et de soldats pour qu'il puisse exercer sa justice sans recourir à de tels moyens.

Mercœur baissa pavillon aussitôt :

— Je le sais, monsieur, veuillez me pardonner ! Je voulais seulement dire qu'étant donné la situation dangereuse où se trouvent notre père et notre oncle, nous n'avons que faire de nous occuper des autres. Vous me permettrez de préférer leur salut à tout autre souci, ajouta Louis en réprimant un sanglot disant assez combien il était inquiet.

— Nous pensons tous comme vous, mais c'est quand le malheur frappe qu'il est méritoire de se soucier des autres...

Cependant, Mme de Bure et Élisabeth arrivaient

à la rescousse. En dépit de l'offre de massepains et de prunes confites, Sylvie ne voulut rien savoir : elle avait repris la main de François qu'elle n'entendait plus lâcher. Sans doute ne comprenait-elle pas pourquoi les hommes et les femmes devaient voyager dans des voitures différentes. Louis grogna, avec impatience :

— Faut-il vraiment différer notre départ jusqu'à ce soir pour le caprice d'une gamine entêtée ? Nous sommes pressés.

— Aussi allons-nous partir, fit François en riant. Le mieux est que j'aille avec les dames. Après tout, il est bon qu'elles aient un chevalier servant.

Et il entraîna la petite en courant vers le premier carrosse où il s'installa auprès d'elle. Un instant plus tard, les lourds véhicules suivis de chariots chargés de bagages franchissaient le portail d'entrée, alors que le grand cerf de bronze frappait sept coups et que l'angélus s'envolait des clochers d'alentour.

Au moment où le cortège escorté de serviteurs à cheval se dirigeait vers la route de Dreux, le chariot du chapelain déboucha sur l'esplanade avec les gens du bailli d'Anet et ceux que Raguenel avait emmenés avec lui. Tous semblaient recrus de fatigue. Les visages portaient les traces de l'affreuse besogne qu'il avait fallu accomplir. Ce que voyant, M. d'Estrades fit arrêter les voitures et descendit pour rejoindre le prieur qu'il salua avec respect :

— M. de Raguenel ne vous accompagne pas, mon père ?

Le vieil homme tourna vers lui un regard un peu égaré :

— Non. Maintenant que nous avons accompli notre tâche, M. le bailli et nous, il nous a pressés de rentrer prendre quelque repos. Fort nécessaire, mon fils, je vous l'assure. J'ai vu bien des choses dans ma vie mais peu d'horreurs comparables à celle-ci...

— Sait-on à présent qui a fait cela ?

— Qui aurait pu nous le dire ? Les gens du village voisin sont pétrifiés de terreur. Ils ont seulement parlé d'une troupe d'hommes armés, une douzaine de cavaliers vêtus de noir qui ressemblaient à des démons. Celui qui commandait portait un masque. M. le bailli n'a rien pu en tirer de plus et, honnêtement, je ne vois pas ce qu'ils auraient pu dire car ils n'ont eu qu'une idée : se cacher. Pour ce qui est de nous, vous pourrez dire à Mme la duchesse que les pauvres victimes ont été pieusement ensevelies et bénies. Quand il reviendra, Mgr César réussira peut-être à percer ce mystère... mais je n'y crois guère.

— Pourquoi le chevalier n'est-il pas revenu avec vous ?

Le prieur haussa les épaules et leva les mains vers le ciel :

— Parce que c'est un homme entêté et qu'il refuse d'accepter l'évidence. Il n'a gardé que son valet auprès de lui pour l'aider à « interroger le ciel et la terre », comme il dit. Les jeunes gens ne doutent de rien et croient toujours en savoir plus que les vieilles personnes. Enfin, il a dit qu'il se chargeait de fermer le château en attendant que Mgr le duc prenne les décisions nécessaires. Permettez-nous à présent de poursuivre notre route, mon fils. Nous avons grand besoin de prier !

Le gouverneur recula de deux pas et s'inclina en balayant l'herbe des plumes de son feutre. Les religieux continuèrent leur chemin et, un instant plus tard, les équipages s'ébranlaient de nouveau. Mme de Bure qui avait déjà trop chaud — des formes rebondies et une légère couperose dues à son trop bel appétit lui faisaient craindre les températures élevées — s'éventait avec son mouchoir :

— Si nous nous arrêtons à chaque instant, nous n'arriverons jamais ! D'ailleurs, nous aurions dû partir plus tôt ! En pleine nuit, même, pour profiter de la fraîcheur. Mme la duchesse a été bien avisée en nous précédant de beaucoup.

La bonne dame aurait volontiers bavardé, mais ses jeunes compagnons ne l'entendaient pas. Élisabeth s'était rendormie à peine installée dans le carrosse, François laissait sa pensée vagabonder du côté de Sorel. Ainsi, non seulement il s'éloignait sans être le moins du monde rassuré sur celle qui l'occupait tant, mais Dieu seul pouvait savoir quand il lui serait donné de la revoir, si même il le pourrait. D'ordinaire, il appréciait Vendôme mais, cette fois, il éprouvait l'impression de partir pour l'exil. Quant à son père, que cependant il aimait beaucoup, il n'arrivait pas à s'en inquiéter vraiment : le duc César était une telle force de la nature ! Il y avait en lui quelque chose d'indestructible dont tous les Richelieu de la terre ne pourraient jamais venir à bout !

Tout autres étaient les pensées de sa nouvelle amie. Assise auprès de lui, Sylvie goûtait un moment de félicité pure. Elle était trop petite pour s'être vraiment rendu compte du malheur qui la frappait. Elle savait seulement qu'on lui avait fait mal, qu'elle avait eu peur et que sa maman, si douce et toujours là quand elle en avait besoin, n'avait pas répondu quand elle l'avait appelée. Son univers douillet, tout à coup, avait éclaté. Nounou alors l'avait prise dans son lit et s'était mise à courir vite, vite ! Ça, c'était plutôt amusant, et puis, tout d'un coup, elle avait poussé un grand cri et elle était tombée sur elle si rudement que Sylvie ne se souvenait plus de ce qui s'était passé, en dehors de ce poids qui l'étouffait et auquel son instinct de petit animal l'avait aidée à échapper. Nounou ne bougeait plus et, comme maman ne répondait pas, ni personne, Sylvie était partie à leur recherche en compagnie de « Madame Jolie », sa poupée qui elle au moins ne l'avait pas abandonnée. Le chemin était difficile. Il y avait des pierres qui faisaient mal aux pieds, des épines, et Sylvie avait pleuré, de peur et de souffrance, jusqu'à ce qu'il y eût ce bruit effrayant ; tout de suite après, l'ange était apparu sur son cheval blanc. Dieu sait pourquoi, le cheval avait disparu mais l'ange était resté et il l'avait emportée dans cette belle maison toute dorée, toute pleine de couleurs où l'on s'était bien occupé d'elle... Maintenant, ils s'en allaient en promenade ensemble et il faisait si beau ! L'air sentait si bon !

En conclusion, l'enfant poussa un soupir de bonheur et appuya sa tête sur le bras de son merveilleux compagon. On était un peu secoués, mais elle avait sommeil tout à coup. François, alors, ôta doucement son bras pour l'en envelopper et l'installer contre lui. Elle n'entendit même pas le rire d'Élisabeth qui disait :

— Je suis bien sûre, François, que vous n'aviez jamais imaginé une carrière de nourrice sèche. Vous faites preuve, en tout cas, de remarquables dispositions...

— Il y a longtemps que vous n'aviez pas dit de sottises ! grogna l'interpellé. Cela devait vous manquer...

— Allons, ne vous fâchez pas ! Moi aussi, elle me touche, elle est bien mignonne...

— En dépit de son affreux caractère ?

— Elle n'a pas un affreux caractère. Elle sait ce qu'elle veut, voilà tout ! Et pour l'instant, ce qu'elle veut, c'est vous !

— Espérons que cela lui passera ! soupira François qui souhaitait surtout reprendre le cours de sa rêverie.

Et c'est ainsi que Sylvie de Valaines s'en alla vers une nouvelle vie.

Pendant ce temps, à La Ferrière, Perceval de Raguenel s'efforçait de reconstituer le drame qui venait de se produire. La tâche s'annonçait difficile. Les assassins étaient de ceux qui pratiquent la technique de la terre brûlée, ne laissant rien sur leur passage qui pût les désigner. Sinon peut-être le cachet de cire rouge, habilement détaché par Corentin et qui, plié dans son mouchoir, reposait maintenant contre la poitrine du jeune homme. Mais qui ne lui apprenait rien.

Assis près de l'âtre éteint dans la chambre de Chiara, ses longues jambes bottées de maroquin noir étendues devant lui, il contemplait le lit d'où l'on avait emporté la jeune femme. Il s'était chargé lui-même de la préparer, posant un mouchoir de dentelle sur la brûlure du front et enveloppant le corps qu'il avait rhabillé de son mieux dans la couverture de damas pourpre galonnée d'argent, puis il l'avait prise dans ses bras, pour la première et la dernière fois, afin de la déposer sur le brancard qui l'avait conduite jusqu'à la chapelle. Là, dans le dallage, on avait ouvert trois tombes. Ensuite, avec l'aide de Corentin, il s'était occupé des enfants qui reposaient maintenant à côté de leur mère, tous trois rejoignant Jean de Valaines pour l'éternité. Les corps des autres victimes avaient été enterrés dans un verger que les prêtres avaient béni. Et maintenant il n'y avait plus personne que Corentin, lui-même et leurs chevaux dont les sabots frappaient de temps en temps le pavé.

Ce silence, Perceval l'appréciait. Il en espérait une idée, la découverte d'un détail, mais rien ne venait. On avait brûlé, au-dehors, les draps, les couvertures et le matelas inondés de sang de Mme de Valaines. Ce dernier n'avait pas été épargné par les bandits et perdait son crin par plusieurs blessures. Même fouille brutale et destructrice pour le chevet, le baldaquin supportant les rideaux du lit et aussi les supports qui, aux quatre coins, maintenaient les panaches de plumes rouges et blanches :

— Si seulement je pouvais savoir ce que ces misérables sont venus chercher là ? marmotta le chevalier en se levant pour effectuer un nouveau tour dans la chambre. Mais, ne pouvant démolir les murs pour voir s'ils ne recelaient pas quelque cachette, il ne trouva rien qui n'eût été examiné en détail. Pourtant, en se baissant pour regarder encore sous le lit, il vit que du linge y traînait, oublié peut-être par une servante négligente, étendit le bras pour le saisir, n'y arriva pas, se servit de son épée pour obtenir plus de longueur et finalement ramena au jour une chemise qui devait être là depuis quelque temps car elle était plutôt poussiéreuse.

Un moment, il hésita sur ce qu'il devait faire, à genoux sur le parquet. Il n'avait pas besoin d'une relique supplémentaire : le cachet de cire rouge lui suffisait amplement. Se relevant, il jeta un coup d'œil dans la cour et vit que le feu qu'on y avait allumé était éteint.

Avisant alors la cheminée où une main gracieuse avait remplacé les provisions de bois par un bouquet de genêts, il ôta le pot de cuivre contenant les fleurs, trouva quelques bûches rangées là dans l'attente des jours froids et chercha de quoi allumer. Il restait encore, dans un coin, quelques livres déchirés. Il ramassa un paquet de feuilles, avisa sur le manteau de la cheminée un pot de faïence contenant des brins de roseaux secs enduits de soufre et la pierre destinée à les enflammer. Un moment plus tard, le feu flambait : le bois était bien sec mais quand il jeta la chemise dessus, une épaisse fumée se dégagea.

Durant quelques instants, il resta là à tisonner quand, soudain, il entendit tousser. Pas un petit raclement de gorge, mais la toux frénétique de quelqu'un qui étouffe. Il cherchait d'où cela pouvait venir quand une voix faible se fit entendre :

— S'il vous plaît... éteignez !... Je... je vais brûler...

En même temps, la plaque de cheminée s'abattait sur les bûches et Perceval, comprenant qu'il y avait quelqu'un là derrière, se hâta, à coups de bottes, d'éparpiller le feu puis jeta dessus l'eau des fleurs. Un instant plus tard, une forme indistincte rampait hors de la cheminée, toussant à fendre l'âme. Il l'aida à se relever pour distinguer enfin une gamine de treize ou quatorze ans, une jeune servante sans doute si l'on en jugeait à son costume roussi et couvert de suie. Il n'était même pas possible de se rendre compte de la couleur de ses cheveux. À peine relevée, elle se jeta à genoux pour supplier que l'on voulût bien l'épargner... De nouveau, Raguenel la releva :

— Je ne suis pas un bandit mais l'écuyer de

Mme la duchesse de Vendôme ! Et toi, qui es-tu ? Tu as compris ce que je viens de dire ?

— Oui... oui, monseigneur.

— On ne m'appelle pas monseigneur. Monsieur suffit ! Alors tu es qui ?

— Jeannette, monsieur, Jeannette Déan. Ma mère c'est Richarde, la nourrice de nos demoiselles. On m'avait donnée comme suivante à Mlle Claire et puis...

Elle éclata en sanglots convulsifs. Sans doute le souvenir de ce qu'elle avait vécu joint au soulagement de se voir sauvée par miracle. Et, en vérité, miracle était bien le mot qui convenait. Enfermée dans sa cachette — l'une de celles pratiquées dans les châteaux au siècle précédent, quand les guerres de religion faisaient rage, cachettes que, selon l'endroit où ils se trouvaient, catholiques et protestants aménageaient pour échapper aux reîtres du parti adverse — Jeannette avait dû entendre pas mal de choses, à défaut de voir.

Mais d'abord la calmer, la rassurer...

Avec patience, Raguenel attendit que l'orage passe. Petit à petit les sanglots s'espacèrent, le souffle s'apaisa. Quand on en fut aux reniflements, il tapota doucement l'épaule de la fillette :

— Tu dois avoir faim et soif. Allons à la cuisine ! Nous y trouverons bien quelque chose.

C'était faire preuve d'un grand optimisme : les assassins étaient aussi des voleurs et des pillards. Ce qu'ils n'avaient pas consommé sur place, ils l'avaient emporté : plus de pain dans la maie, plus de jambons aux solives où demeuraient tristement un ou deux chapelets d'oignons. Cependant, Jeannette, affamée, furetait partout :

— Il faudrait demander à ma mère, dit-elle enfin. Elle garde toujours sur elle la clef de l'armoire aux douceurs...

— C'est laquelle ?

— Celle-ci, fit Jeannette en désignant une sorte de placard dans un renfoncement sombre et qui, à cause de cela sans doute, semblait épargné. Mais il faut appeler ma mère...

Le chevalier prit l'enfant aux épaules et la fit asseoir sur un escabeau :

— Petite, je dois t'apprendre une chose horrible, affreuse : tu es la seule, de toute la maisonnée, à être encore vivante à l'exception de la petite Sylvie qui a pu s'enfuir. Tu la rejoindras plus tard mais pour l'instant...

Il s'interrompit : Jeannette recommençait à pleurer. À cet instant, Corentin Bellec, occupé depuis un moment à tenter de trouver quelque indice dans la librairie [1] du baron de Valaines installée en haut d'une tour et que les envahisseurs avaient mise au pillage, rejoignit son maître.

— Prends ton couteau et ouvre ça ! ordonna celui-ci. Il y aura peut-être dedans quelque chose à manger pour cette pauvre fille !

— D'où la sortez-vous, monsieur, pour être aussi noire ? Du pays d'Afrique ? demanda Corentin en s'exécutant.

— De la cheminée de la chambre où nous

1. On appelait ainsi la bibliothèque.

avons trouvé Mme de Valaines. Il y a là une cache que cette petite futée a réussi à utiliser. Elle y est enfermée depuis hier sans boire ni manger, bien sûr...

Le placard révéla des pots de confitures, des pains d'épice et des flacons de sirops variés. À l'aide d'un torchon mouillé, Raguenel débarbouilla Jeannette qui, un peu calmée par sa sollicitude et surtout rassurée, dévora à belles dents, ne s'interrompant que pour boire de grands coups d'eau. Rassasiée et suffisamment récurée pour que l'on pût constater qu'elle était blonde avec des yeux bleu faïence, la petite consentit enfin à répondre aux questions de son sauveur et, à force de patience, on parvint à reconstituer ce qui s'était passé à La Ferrière par un beau jour d'été.

Assise dans sa chambre devant un petit secrétaire, Mme de Valaines écrivait une lettre tandis que Jeannette achevait de disposer les fleurs dans le grand pot en cuivre quand, précédés du vacarme d'une lourde cavalcade, éclatèrent les premiers cris... Tout de suite, la baronne fut debout, courut à la fenêtre.

— On nous attaque ! Mais qui sont ces gens ? Mon Dieu, mes enfants !

Elle se précipita alors pour descendre, mais Jeannette, après avoir jeté elle aussi un coup d'œil au-dehors et vu tomber les premières victimes, ne la suivit pas. Elle connaissait bien la cachette de la cheminée que les jeunes maîtres lui avaient montrée, un jour, en s'amusant. Poussée par une folle terreur, elle n'hésita pas, fit jouer le mécanisme et s'introduisit dans l'étroit espace prenant air par une dérivation de conduit de cheminée, s'y assit, referma le tout et se tint coite. Il était temps : quelques secondes plus tard, elle entendit que l'on revenait dans la chambre : un ou plusieurs hommes ramenaient la châtelaine, très brutalement sans doute car elle l'entendit gémir. Et il y eut ensuite un bruit comme si on la jetait sur son lit. Aussitôt, une voix dure, sèche, métallique, lançait :

— Inutile de vous défendre ! Personne ne viendra à votre secours. Et sachez que je ne sortirai d'ici qu'après avoir obtenu ce que je veux.

— Et que voulez-vous donc ? Ce n'est plus moi, j'imagine ? Le temps en est passé...

L'homme s'était mis à rire, mais ce n'était pas plus agréable à entendre : « Le diable devait rire comme ça », précisa Jeannette.

— Pour vous peut-être. Pas pour moi et vous êtes plus belle encore qu'autrefois. En outre, vous êtes veuve, donc libre et telle que je vous voulais. Pourquoi ne seriez-vous pas à moi ?

— Jamais ! Si le temps n'a pas compté pour vous, en cette circonstance, il n'a pas compté davantage pour moi. Vous me faisiez peur... et horreur. Rien n'a changé...

Un instant, Raguenel interrompit le récit de Jeannette, stupéfait de sa facilité à restituer un dialogue, et cela en dépit de la terreur qu'elle devait éprouver :

— Ma parole, on dirait que vous n'avez pas oublié un mot ?

— J'ai une très bonne mémoire, monsieur. Il suffit que l'on me fasse lire quelque chose une seule fois pour que je m'en souvienne et que je le répète sans rien changer. Même si c'est difficile et si je ne comprends pas bien...

Certes, le phénomène pouvait surprendre à première vue ou plutôt à première audition, d'autant plus que Jeannette mettait toutes les phrases bout à bout, sans intonations et presque sans respirer, comme elle eût récité, sans doute, une page de latin. À titre d'encouragement, Perceval offrit à la fillette un nouveau verre de sirop étendu d'eau :

— Le Ciel t'a fait là un don précieux, remarqua-t-il. J'espère que tu le garderas en vieillissant. Reprenons, à présent. Madame a dit à cet homme qu'il lui faisait horreur et que rien n'avait changé.

— Il a dit alors que ça pouvait attendre et que ce qu'il voulait, c'étaient les lettres. « Quelles lettres ? » a dit madame.

Et Jeannette, les yeux au plafond comme si les phrases qu'elle allait dire s'y trouvaient écrites, se lança dans la suite de sa relation :

— Ne faites pas celle qui ne comprend pas. Je veux les lettres de la reine Marie de Médicis à la marquise de Verneuil. Une bien dangereuse correspondance pour la mère de notre roi actuel, puisqu'elle expose tout le complot qui a mené à l'assassinat d'Henri IV, complot où la Reine donnait la main. Ces lettres, les Concini les avaient achetées à prix d'or afin de renforcer leur influence sur la Médicis au cas où elle viendrait à faiblir.

— Un moment ! coupa Perceval effrayé de ce qu'il entendait. Est-ce que tu te rends compte de ce que tu dis ?

— Non. J'ai entendu des mots, des noms, et ils restent dans ma tête mais il faut que je les répète comme ils sont venus...

— Que veut dire influence ?

Redescendus du plafond, les yeux bleus le contemplèrent d'un air de reproche :

— Je ne sais pas... Je vous ai dit...

— Vous n'auriez pas dû l'interrompre, monsieur le chevalier, intervint Corentin. Elle risque de perdre le fil.

En effet, la petite servante eut quelque peine à le retrouver. Perceval finit tout de même par apprendre que le jour où le jeune Louis XIII avait fait abattre Concini, la reine Marie avait envoyé Chiara fouiller chez sa femme, Leonora, qui devait détenir ces lettres dans son appartement du Louvre. Dès lors, la relation de Jeannette devint chaotique. Mme de Valaines jurait à son bourreau ne pas les avoir trouvées et celui-ci s'entêtait à les croire en sa possession. La suite fut terrible : du fond de sa cachette, Jeannette, à demi morte de peur, entendit les cris de sa maîtresse que l'homme torturait pour obtenir ce qu'il voulait. Il essaya tout, allant jusqu'à exécuter ses enfants devant elle. La malheureuse avait eu un cri :

— Croyez-vous que je permettrais que l'on fît le moindre mal à mes petits si j'avais ces maudites lettres ? Épargnez-les, par pitié...

Cela n'avait servi de rien. Claire et Bertrand

avaient été tués. Leur mère les avait rejoints dans la mort après que l'assassin eut assouvi sur elle le monstrueux amour qu'il prétendait éprouver...

Lorsque Jeannette eut fini, elle se remit à pleurer, autant au souvenir de sa terreur qu'à celui du martyre dont elle avait été l'invisible témoin. Ensuite, ne sachant pas s'ils étaient encore là, elle était restée des heures sans oser bouger.

Les deux hommes la laissèrent pleurer à son aise, comprenant qu'il fallait lui permettre de se vider une bonne fois de tout ce qu'elle avait subi. Même lorsque Corentin voulut poser une question, Raguenel l'en empêcha du geste : il allait falloir essayer d'ôter de l'incroyable mémoire de cette petite paysanne ces images et ces sons, ces mots dont elle ne comprenait pas la moitié mais qui représentaient un danger réel. Inutile donc d'en rajouter. On causerait plus tard...

Au bout d'un moment, Jeannette se calma puis, laissant tomber ses bras et sa tête sur la table au milieu des reliefs de son petit repas, elle s'endormit d'un seul coup, vaincue par l'émotion et la fatigue de ces dernières vingt-quatre heures. Le chevalier la regarda dormir, caressa la tête blonde encore passablement sale :

— Il y a un lit de repos dans le grand salon, dit-il à son valet. Va l'y étendre, puis reviens ! Bien entendu, nous l'emmènerons avec nous lorsque nous partirons mais, quand tu l'auras installée, va faire un tour dans la basse-cour pour voir si les poules n'auraient pas pondu. J'avoue que j'ai faim. Pas toi ?

— Oh ! si ! Et nous n'aimons ni l'un ni l'autre les sucreries !

Un moment plus tard, les deux hommes s'attablaient devant une grosse omelette au lard confectionnée par Perceval en personne. Il avait découvert un saloir auquel personne n'avait touché et, dans le cellier, un tonneau de clairet contenant un vin encore vert qui n'avait rien d'un nectar mais dont la fraîcheur les désaltéra. Ils mangèrent un moment en silence, puis le chevalier repoussa son écuelle et, tirant de son pourpoint une pipe qu'il bourra de « petun masle », fit signe à Corentin d'en faire autant en poussant vers lui son sac à tabac.

Maître et valet fumèrent un moment en silence. Cette scène intimiste qui eût choqué plus d'un haut seigneur était naturelle entre le gentilhomme sans fortune et ce compagnon fidèle qui partageait avec lui depuis une dizaine d'années le bon et le mauvais de la vie quotidienne. C'était le plus souvent à la fin du jour qu'on allumait les pipes en passant en revue les événements de la journée. Raguenel appréciait l'esprit vif, l'intelligence et le dévouement de ce compatriote de trois ans plus âgé que lui, et Corentin de son côté n'eût pas échangé un maître qu'il aimait contre le plus riche et le plus fastueux des princes.

Comme souvent, ce fut Perceval qui ouvrit le feu :

— Nous savons à présent pourquoi et comment Mme de Valaines a été tuée, mais nous ignorons toujours par qui. Du fond de sa cheminée, Jeannette a entendu mais elle n'a rien vu.

— De toute façon, si l'homme était masqué cela ne nous aurait pas avancés...

— Masqué ou pas, la malheureuse Chiara savait qui était en face d'elle. Le dommage est qu'elle n'ait pas prononcé une seule fois son nom. Il va falloir se pencher sur le temps où elle était fille d'honneur de Marie de Médicis, essayer de savoir qui tournait autour d'elle à l'époque, qui était amoureux d'elle en dehors de Valaines.

— Vous êtes souvent venu ici, monsieur, et vous étiez de ses amis : ne vous a-t-elle jamais rien confié qui puisse nous mettre sur la voie ?

— Rien, sinon qu'elle a été mariée au Louvre par le chapelain de la reine mère, deux jours après la mort de Concini, et que son époux l'a emmenée aussitôt. Jusqu'à aujourd'hui, je n'avais pas compris les raisons de cette hâte, mais cette histoire de lettres apporte un éclairage nouveau : Valaines a voulu mettre celle qu'il aimait à l'abri.

— De quoi, si elle n'a pas trouvé les lettres ?

— De la colère de la reine mère, peut-être ?

— C'est elle qui l'a mariée. Moi j'y verrais plutôt de la prudence. Récapitulons ! Le 24 avril 1617, Louis XIII fait abattre Concini, le favori de sa mère, de plusieurs coups de pistolet, devant le Louvre. La femme de l'aventurier, Leonora, est arrachée à son appartement, conduite à la Bastille d'où elle ne sortira que pour l'échafaud. De ce moment, Louis XIII est vraiment roi et sa mère, grâce à qui les deux Florentins ont pu confisquer le pouvoir, n'est plus en sécurité. Plus ou moins prisonnière dans ses appartements, elle peut craindre l'exil, peut-être même la prison si les fameuses lettres où se trouve la preuve de sa complicité dans le meurtre du feu Roi sont découvertes. Elle envoie donc Chiara fouiller les chambres de Leonora. Or, Chiara ne trouve rien et on peut la croire : que n'aurait-elle pas fait pour sauver la vie de ses enfants ?

— On sait aussi par Jeannette que son bourreau avait fouillé lui aussi chez la Galigaï. Est-ce que cela ne fait pas beaucoup de monde au courant d'une correspondance si dangereuse ?

— Quand on sait quel ramassis de truands et d'aventuriers composaient l'entourage des Concini, ce n'est pas très étonnant. Mais revenons à la reine mère. Elle n'a pas retrouvé ses lettres mais, si peu intelligente qu'elle soit, elle doit connaître suffisamment Chiara pour lui accorder toute confiance et ne pas imaginer qu'elle ait pu les conserver par-devers elle. En revanche, la jeune fille doit être écartée de la cour : elle en sait trop. D'où le mariage expéditif avec Valaines et le départ pour la province. La suite, nous la connaissons : Marie de Médicis était plus ou moins en disgrâce ainsi que Richelieu, alors évêque de Luçon et son conseiller le plus intime. Que le Roi détestait. Aujourd'hui, les choses ont changé : Richelieu est ministre et la reine mère semble avoir repris toute son influence.

— Si la situation leur est favorable, pourquoi faire ressurgir cette affaire de lettres qui ont peut-être été détruites quand les appartements de Leonora Galigaï ont été mis à sac ?

— Le plus obtus des imbéciles ne détruirait pas une telle arme si elle lui tombait sous la main. Elles doivent exister encore quelque part, bien cachées peut-être ? Quant à celui qui est venu les chercher jusqu'ici, tu peux être certain qu'il en connaît la valeur et voudrait s'en servir. Contre la reine mère, sans doute : elle gêne pas mal de monde depuis qu'elle a repris du poil de la bête... à commencer par le Cardinal...

— Le Cardinal ? Vous plaisantez, monsieur le chevalier, marmotta Corentin. C'est tout à fait impossible !

— Pourquoi ? Parce qu'il a été la créature de la reine mère ? Ils ne sont plus si bien ensemble, crois-moi ! Elle doit même le gêner depuis qu'elle a repris sa vieille marotte d'alliance espagnole qui va à l'encontre des vues de Richelieu. Seulement, si implacable qu'il soit, je ne le crois pas capable d'ordonner un tel massacre et dans de telles conditions. C'est tout de même un homme de Dieu !

— Homme de Dieu, homme de Dieu ! Quand on a le pouvoir et qu'on veut le garder...

— De toute façon, quels que soient les ordres reçus par l'assassin, en admettant qu'il en ait reçu, il les a outrepassés pour assouvir sa propre vengeance. Il a dû aimer Chiara Albizzi mais elle l'a dédaigné pour épouser Valaines et, comme il connaissait l'existence des lettres, il a fait d'une pierre deux coups. Et ce qui me frappe encore plus dans ce drame, c'est que l'on ait attendu l'arrestation des Vendôme, suzerains et protecteurs des Valaines, pour le perpétrer.

— C'est vrai, ça ! Et nous sommes là à discuter sans savoir le moins du monde de quel côté chercher les massacreurs... Si nous retournions interroger les gens du hameau ? Il faut trouver du monde pour nettoyer la maison avant de la fermer, en attendant que Mme la duchesse prenne une décision... Allons faire un tour !

Les pipes étaient éteintes. Ils sortirent dans la cour où la chaleur les enveloppa. Le soleil au zénith tapait d'aplomb, générant un silence peuplé du bourdonnement des mouches et des guêpes. Afin que Jeannette ne soit pas dérangée dans son sommeil pendant leur courte absence, Perceval ferma la porte du logis et mit la clef dans sa poche. Le village, si petit qu'il méritait à peine ce nom et que dissimulait un pli de terrain, devait dormir à cette heure annonçant déjà les canicules de l'été. Pourtant, en franchissant le pont dormant, le chevalier aperçut trois hommes qui rôdaient aux alentours et tentèrent de se dissimuler dans les arbres quand il les appela.

— Venez un peu par ici, vous autres ! Je suis venu au nom de Mgr le duc de Vendôme et je n'ai pas l'intention de vous manger. Allons, approchez !

En dépit de cette assurance, les deux plus jeunes s'enfuirent de toute la vitesse de leurs jambes, empruntant chacun une direction différente. Seul le troisième, un homme âgé pourvu d'une barbe grise et emmêlée, sortit de son refuge et vint à pas lents vers Perceval et son écuyer en triturant le chapeau informe qu'il venait d'ôter de sa tête. Pas vraiment rassuré...

— Eh bien, l'interpella le chevalier, pourquoi vous cachez-vous et pourquoi ces deux-là ont-ils pris la clef des champs ? Vous vouliez entrer au château ?

— Non !... oh ! non, mon gentilhomme ! On voulait seulement voir...

— Voir quoi ? Il n'y a plus personne que la fille de la nourrice. Elle devait venir de chez vous et peut-être qu'elle y a encore de la famille ?

— Non. La Richarde venait de Moussel. Son homme est mort et la p'tite n'a plus personne.

— Bon. On s'en occupera mais ce qu'il nous faudrait, c'est du monde pour faire le ménage et tout ranger.

L'homme eut un mouvement de recul et un geste des deux mains qui repoussait.

— Au château ? Oh ! non, monsieur ! Sauf votre respect, vous ne trouverez personne. On a tous bien trop peur !

— Peur de quoi ? Les bandits sont partis et ne reviendront pas. Ils n'ont plus rien à faire ici ?

— Ça vous plaît à dire, mon gentilhomme, mais c'est pas sûr du tout. Je les ai vus partir, moi qui vous cause : j'étais là derrière ce rocher. Il y en a un qui a dit : « Puisqu'on a rien trouvé pourquoi est-ce qu'on a pas mis le feu ? » Un autre a répondu que c'était pas les ordres et que, de toute façon, on pourrait revenir pour chercher encore...

— Ils ont dit ça ? Revenir après ce qu'ils ont fait ? Ils doivent bien se douter que le duc César fera au moins garder le château. Et puis revenir d'où ? À moins que ce ne soit une bande de ces malandrins qui hantent la forêt de Dreux...

— Des malandrins bien montés, bien équipés, tous vêtus de noir avec la plume au chapeau ? ironisa Corentin. Ça ne vit pas dans des huttes de branchages ou dans des grottes, ces bêtes-là !

— Tu as raison, approuva Raguenel, mais cela ne dit pas d'où ils venaient ?

— Ça, j'peux peut-être vous l'dire. Ils avaient beaucoup bu, c'est sûr, et même que ça les avait mis en gaieté et qu'ils parlaient fort. J'en ai entendu un qui disait que Limours c'est pas si loin.

Perceval eut un tressaillement :

— Limours ? Tu es sûr ?

— À peu près... Oui, il m'semble bien que c'est ça.

— Alors, surtout ne le répète à personne si tu tiens à ta vie. Quant au château, n'y pense plus !

— Oh ! y a pas d'crainte que j'y aille ! soupira l'homme en se signant. Y a trop de sang là-dedans ! Ça porte malheur.

Perceval en avait assez entendu. Il fit demi-tour et rentra au château, Corentin sur ses talons, mais, cette fois, au lieu d'entrer dans le logis il alla vers la vieille tour où Jean de Valaines avait son cabinet de travail, sa « librairie ».

— Il faut au moins essayer de retrouver le chartrier des Valaines pour établir les droits de la petite Sylvie. Et puis ranger un peu les livres. Le baron les aimait tant !

Le travail ne manquait pas dans la vaste pièce ronde. On avait jeté à terre le contenu des grandes armoires dont plusieurs montaient jusqu'aux poutres, peintes et ornées de devises, du plafond. Un amas de livres couvrait le carrelage et la grande table carrée à pieds torses disparaissait sous des feuillets. On avait même éventré le vieux fauteuil de cuir usé et, dans un coin, le chartrier vomissait des rouleaux de parchemin dont les sceaux pendaient à des rubans déteints. Une épaisse odeur de poussière remuée prenait à la gorge.

On se mit à l'ouvrage. Corentin empilait les volumes à même le sol sans chercher à les trier tandis que son maître s'occupait des papiers. Il y mettait une sorte de rage froide qui le faisait trembler, rendant ses gestes moins sûrs, plus maladroits. Corentin qui l'observait du coin de l'œil finit par l'interroger :

— Depuis qu'on est montés ici vous êtes tout agité. Et d'abord, pourquoi avez-vous dit au bonhomme de se taire s'il voulait vivre ?

— Parce que, s'il a bien compris le lieu d'où venaient ces démons, le danger est pour tout le monde.

— Qu'est-ce que Limours ?

— Un château appartenant au Cardinal, et je

sais qu'il y était ces jours-ci ! Cependant, j'ai toujours peine à croire qu'il ait pu ordonner cela !

Tout se tenait, pourtant. Rien de plus normal que le ministre ait voulu récupérer une correspondance mettant en cause son ancienne patronne devenue presque son ennemie. La grosse Florentine, en effet, lui reprochait de reprendre la politique d'Henri IV, bien meilleure pour le royaume, au lieu de l'aider à imposer la sienne au Roi. Vindicative et sotte, elle devenait de plus en plus encombrante mais, avec les lettres en sa possession, le Cardinal possèderait une arme terrible devant laquelle il faudrait bien qu'elle s'incline. En même temps, il procédait à l'élimination progressive de ses ennemis les plus acharnés. Dès lors, tout devenait possible et même que le chef des assassins ait détourné une mission qui aurait pu, qui aurait dû se borner à une simple fouille de La Ferrière en se contentant d'intimider la baronne et ses gens, pour faire d'une pierre deux coups et assouvir une vengeance recuite sans en informer le ministre...

— C'est du côté du Cardinal qu'il faut chercher, conclut-il, achevant tout haut sa pensée. J'ai bien envie d'aller voir ce qui se passe à Limours.

— C'est loin ?

— Non. Une douzaine de lieues.

— Parfait ! On finit le travail, on ferme et on y va !

— Doucement ! Tu oublies celle qui est toujours en train de dormir sur son sofa. On va la ramener à Anet pour qu'elle y passe une bonne nuit et demain matin tu l'emmèneras à Vendôme rejoindre sa petite maîtresse. Tu n'auras qu'à la remettre à Mlle Élisabeth en lui expliquant où on l'a trouvée.

— Eh bien ! Me voilà nounou ! grogna Corentin peu satisfait de la mission. Et après, qu'est-ce que je fais ?

— Rien. Tu m'attendras. En rentrant à Anet, tu me prépares mon portemanteau et tu me fais seller un cheval frais. J'ai l'intention d'aller voir là-bas ce qui se passe.

— Et d'attaquer les gardes du Cardinal à vous tout seul ?

— Ne dis pas de sottises ! J'y vais... en observateur, après quoi je rejoindrai Vendôme. Il faut que je puisse faire un rapport très complet à Mme la duchesse quand elle reviendra.

— Si elle revient...

Quand la librairie eut retrouvé un semblant d'ordre, Perceval rassembla quelques parchemins qui lui semblaient importants touchant les titres de noblesse des Valaines et leurs droits sur les domaines. Puis, il alla s'incliner une dernière fois dans la petite chapelle où reposaient pour l'éternité Chiara et ses enfants. Ensuite, aidé de Corentin, il ferma portes et volets, rassembla les clefs en un lourd trousseau qu'il fixa à l'arçon de sa selle. Enfin, après avoir installé Jeannette toujours somnolente en croupe de Corentin, bien amarrée à son cavalier par une corde, tout le monde quitta La Ferrière, à petite allure. Perceval tournait la tête sans cesse afin d'apercevoir le château meurtri aussi longtemps que possible. Enfin les poivrières bleues disparurent dans les arbres. Alors, quand il n'y eut plus rien à voir, il prit le galop.

CHAPITRE 3

UNE SI HAUTE TOUR !

À considérer le château de Limours, on pouvait se demander pour quelle raison le cardinal de Richelieu avait acheté, trois ans plus tôt, cette vaste demeure quelque peu ruinée qui avait appartenu à la duchesse d'Étampes, favorite de François Ier, alors qu'à cette époque sa fortune était médiocre et qu'il n'avait pas encore vaincu l'aversion que lui portait le roi Louis XIII. On disait que pour acquérir Limours il avait dû aliéner sa terre familiale d'Aussac et vendre sa charge d'aumônier de la reine mère. Le Cardinal avait expliqué qu'il souhaitait accueillir un jour celle-ci dans un cadre digne d'elle, mais l'aspect du château donnait à penser. Ce n'était guère une demeure plaisante, propre à séduire une dame. En revanche, ce pouvait être un asile sûr.

En effet, passé la première enceinte et l'avant-cour, on se trouvait devant un imposant bâtiment conservant encore bien des caractères d'une forteresse médiévale : quatre ailes flanquées de grosses tours rondes formant un solide quadrilatère autour d'une cour carrée ; le tout isolé par de profondes douves remplies d'eau qu'enjambait un pont léger, très facile à faire sauter. En résumé, un ensemble plus puissant que gracieux...

— ... et qui pourrait constituer une sûreté pour un avenir incertain, soupira Perceval qui pensait volontiers tout haut quand il était seul. Il est vrai que depuis, il s'est offert le charmant château de Rueil et le joli manoir de Fleury !

Bien assis sur son cheval arrêté au flanc du vallon où s'étirait Limours, il considérait le château du Cardinal en se demandant ce qu'il venait faire là. Emporté par la douleur et le chagrin, il avait suivi son instinct sans savoir ce qu'il venait chercher puisque, n'ayant jamais vu les assassins, il n'avait aucune chance de les reconnaître. Il risquait surtout de se créer des ennuis qu'on ne manquerait pas d'étendre aux Vendôme, lesquels n'avaient guère besoin de ce surcroît de problèmes. Cependant, rien sur sa personne ne laissait supposer son appartenance à cette illustre maison : son pourpoint de daim sans ornements, ses bottes et son feutre orné d'une plume, tout était d'un gris neutre et pratique. Il serait un gentilhomme en voyage, un point c'est tout.

— Puisque nous y voilà, commençons par chercher un logis afin d'y prendre un peu de repos et de respirer l'air du temps. La chance nous sourira peut-être...

Ayant ainsi décidé, il mit son cheval au petit trot, dévala la pente du coteau et atteignit les premières maisons au milieu desquelles brillait, entre église et château, l'enseigne de la Salamandre d'Or, indiquant qu'il y avait là une auberge. Il y entra après avoir recommandé sa monture à un garçon d'écurie, demanda une chambre et un repas. On lui octroya l'une dans l'instant et on lui promit l'autre d'ici une petite heure. Aussi, rafraîchi et débarrassé de sa poussière au moyen d'une grande cuvette d'eau froide, il choisit d'aller s'installer, en attendant son souper, dans le jardin où quelques tables étaient disposées sous une treille et s'y fit servir un pichet de vin de Longjumeau. Dans la salle, où un marmiton rouge vif rôtissait un quartier de veau, il faisait beaucoup trop chaud !

À sa vive surprise, étant donné le caractère paisible du village, il régnait dans cette auberge une grande agitation. Cela tenait, d'après le maître de céans, aux travaux importants que le cardinal de Richelieu faisait exécuter dans son domaine :

— On aménage certains appartements et aussi l'irrigation des jardins. Chaque semaine nous voyons arriver des charrois apportant des marbres et des antiques pour la décoration. Oh ! quand l'ouvrage sera fini, nous aurons là un fort beau domaine...

— Et monseigneur est sans doute absent, avec tout ce tohu-bohu ?

— Lui ? En aucune façon. Il vient d'être souffrant mais il est là et surveille en personne tous ces embellissements. Cela me vaut la clientèle de MM. les gardes qui s'ennuient un peu lorsqu'ils ne sont pas de service.

En effet, plusieurs casaques rouges fleurissaient

sous les larges feuilles de vigne, mais leurs possesseurs offraient des mines plutôt joviales n'évoquant guère les coupe-jarrets sans entrailles dont avait été victime la famille de Valaines. On jouait aux dés, on se racontait quelques fredaines en riant à gorge déployée. Sans grand intérêt ! D'autres buveurs étaient attablés, pourpoints dégrafés ou retirés, chemises ouvertes pour mieux profiter de la fin apaisée d'un jour brûlant. L'endroit était plaisant et portait à la détente...

Soudain, l'œil vif de Perceval qui restait vigilant tant qu'il n'était pas fermé accrocha un détail. Installés au fond de la terrasse près du tronc de la vigne, deux hommes à l'habit noir souillé de poussière trinquaient avec l'un des gardes du Cardinal. Celui-ci, après avoir bu, tira de sous sa casaque rouge frappée d'une croix grecque une bourse assez rebondie qu'il remit à l'un de ses compagnons, mais son geste fit tomber de sa poche un objet qu'il se hâta de ramasser. Pas assez vite cependant pour que Raguenel n'ait eu le temps de l'identifier : c'était un masque noir.

Perceval vida son gobelet d'un coup, le remplit de nouveau puis, plantant ses coudes sur la table et tirant son chapeau sur ses yeux comme si le soleil couchant le gênait, il entreprit d'examiner plus attentivement les trois hommes. Son instinct lui soufflait que c'était là une partie de la bande, venue sans doute chercher la paye. Il observa surtout le garde. Était-il le chef, celui qui avait poursuivi Chiara d'un amour si féroce ? Difficile à croire ! C'était un homme grand et fort, roux comme une carotte, avec un visage sans relief, mais qui eût fait un lansquenet très présentable, amateur de bière et de coups d'épée, et qui devait tout ignorer de l'alphabet grec. En outre, il ne devait pas avoir plus de vingt ans et le bourreau de Chiara lui avait reproché son refus de l'épouser. Sans doute s'agissait-il de l'officier payeur de l'expédition, à laquelle il avait dû prendre part.

Enfin l'homme à la casaque rouge se leva, se coiffa de son feutre, fit un geste d'adieu négligent et quitta l'auberge en se dirigeant vers le château. Perceval se contenta de le suivre des yeux. Les deux autres étaient beaucoup plus intéressants et Perceval décida de s'attacher à leurs pas où qu'ils aillent. Pour ce soir-là, il n'eut pas à aller bien loin. Bien pourvus d'argent et visiblement de très bonne humeur, les deux compères réclamèrent à boire et demandèrent une chambre. Avant de se livrer aux joies d'une agréable soirée, l'un d'eux se leva et alla chercher les chevaux restés attachés sous l'auvent pour les remettre au garçon d'écurie... que Perceval, après un moment, alla trouver à son tour. Une pièce d'argent apparue soudain au bout de ses doigts rendit le garçon attentif :

— Les propriétaires de ces chevaux, dit-il en désignant les bêtes que l'on venait d'amener. Il me semble que je les connais ?

— Oh ! c'est possible, mon gentilhomme ! Ils viennent parfois ici pour s'assurer du bon état de leurs livraisons. Ce sont des marchands parisiens...

Les sourcils de Perceval se relevèrent jusqu'au milieu du front :

— Des marchands ? — il n'ajouta pas « Avec ces têtes-là ? » mais c'était le fond de sa pensée. Et que vendent-ils ?

— De la passementerie. Ils ne couchent pas toujours à l'auberge, mais cette fois ils ne repartiront que demain à la première heure.

— Pour Paris ?

— Ben... oui !

— C'est naturel. Eh bien, j'ai été trompé par une ressemblance. Je ne les connais pas du tout. Mais, pendant que j'y pense, moi aussi je pars de bonne heure demain matin.

— À vos ordres, mon gentilhomme. Votre cheval sera prêt. Oh ! c'est une bien belle bête !

Tout en retournant vers sa table où, à présent, une servante mettait le couvert — on souperait dehors pour profiter de la fraîcheur du soir — Perceval, les yeux sur les « marchands », pensait qu'en fait de passementerie il les verrait plutôt dans le commerce de cordes pour le bourreau. Il y avait surtout leurs moustaches — ils se ressemblaient tellement qu'ils devaient être frères ! — relevées en crocs, que l'on ne devait pas rencontrer souvent derrière un comptoir...

Le soleil venait de se coucher quand les grilles du château s'ouvrirent devant une nombreuse cavalcade : précédés d'un officier, les gardes à la casaque rouge impeccablement alignés par quatre sur plusieurs rangs enveloppaient l'un de ces carrosses de voyage assez grands pour que l'on pût y voyager couché. Son occupant ne faisait aucun doute ; peint en écarlate relevé de filets d'or, le lourd véhicule affichait sur ses portières de grandes armoiries surmontées du rituel chapeau rouge. Derrière les soldats venaient les mules et le charroi des bagages...

Le respect avait plié en deux tous les occupants de la Salamandre d'Or. Au passage, Raguenel eut cependant le temps d'apercevoir un pâle et hautain visage allongé d'une courte barbe en pointe et, lui faisant face, une figure de religieux en bure grise : Armand-Jean du Plessis, cardinal-duc de Richelieu, et son plus fidèle conseiller, le père Joseph du Tremblay que l'on surnommait déjà l'Éminence grise, partaient en voyage.

Lorsque le cortège se fut éloigné en direction du sud, Perceval appela l'aubergiste :

— Le Cardinal s'en va ? À cette heure ? N'est-ce pas un peu étonnant ?

— Pas du tout, monsieur ! Son Éminence, dont la santé n'est pas des meilleures, supporte mal la forte chaleur. La route, ainsi, lui sera moins pénible.

— C'est donc une habitude ?

— Pas vraiment. Seulement pour les longs trajets et en été. Son Éminence, dit-on, va rejoindre le Roi sur la Loire. Quand celui-ci appelle, il convient de se hâter !

Le chevalier remercia d'un geste et l'homme s'éloigna sans imaginer quelle inquiétude ce brusque départ soulevait chez son client, impressionné par cet appareil guerrier déployé sous la flamme des torches. Les uniformes rouges, la silhouette rouge et jusqu'au capuchon gris du moine, tout cela lui semblait menaçant. Sachant les Vendôme prisonniers, Richelieu se hâtait-il vers un dénouement que sa haine ne voulait manquer à aucun prix ? Allait-il les écraser comme avaient été écrasés, peut-être sur son ordre, les innocents de La Ferrière ?

En dépit des sombres pensées qui l'habitaient, Perceval réussit à dormir quelques heures mais quand le coq chanta, il était déjà prêt à prendre la route. Cependant, il freina son ardeur et, lorsque les « passementiers » quittèrent l'auberge, il était en train d'absorber un petit déjeuner de pain, de beurre et de jambon arrosé d'un vin blanc sec comme pierre à fusil. Son écot était déjà payé et son cheval, sellé, attendait devant la porte.

En bon limier, il laissa son gibier prendre assez d'avance pour n'être pas repéré. Mieux monté qu'eux, il savait pouvoir les rattraper sans difficulté. Il suffisait donc de suivre de loin jusqu'aux approches de la capitale puis, lorsque la route serait plus encombrée, de diminuer l'écart jusqu'à la garde à vue.

Malheureusement, les deux compères n'étaient pas pressés. Le beau temps les incitait à la flânerie et Perceval qui espérait les voir filer droit sur Paris eut la désagréable surprise, en arrivant à Bièvres, de les apercevoir installés sous l'auvent d'une auberge et picorant un panier de fraises

— la spécialité du pays — en buvant un pichet de vin. Ils semblaient de très bonne humeur !

Raguenel qui avait soif les aurait volontiers imités, mais c'eût été de la dernière imprudence. Aussi choisit-il de changer sa tactique : au lieu de suivre, il précéderait. Et, dépassant Bièvres en faisant un détour pour n'être pas remarqué, il fonça droit sur la porte Saint-Jacques, à Paris, qui était l'aboutissement normal de la route. Il y connaissait, près du couvent des Jacobins, un petit cabaret tout aussi accueillant que celui de Bièvres où il pourrait se désaltérer en attendant tranquillement.

Quelque chose l'intriguait. Les villageois de La Ferrière avaient parlé d'une douzaine d'hommes en noir. Or il n'y en avait que deux à Limours, trois en comptant celui qui était venu les payer. Avec le mystérieux tourmenteur, cela faisait quatre. Où pouvaient être les huit autres ? En train de galoper aux portières du Cardinal, éparpillés dans la nature ou bien attendant à Paris le paiement que rapportaient les « passementiers » ?

Arrivé au début de l'après-midi, notre voyageur s'installa dans la petite auberge, s'y restaura d'un quartier d'oie relevé d'une sauce au verjus, de gaufres craquantes et de quelques rasades d'un vin blanc d'Aunis qui n'était pas sans mérites, mais il dut lutter ensuite contre la somnolence pour ne pas risquer de manquer son gibier.

Il attendit longtemps. Au point qu'il se demandait si les deux bonshommes n'étaient pas restés à Bièvres pour une sieste prolongée. Enfin, il les vit venir. On cornait déjà la fermeture des portes, tandis que les clochers de la ville sonnaient l'angélus. Raguenel eut tôt fait de se remettre en selle. Cette fois, il ne fallait pas perdre la trace en dépit de l'affluence qui se produisait toujours à l'heure de la fermeture, avec le flux contraire de gens qui entraient et de ceux qui sortaient. Par chance, les deux chapeaux ornés de plumes noires identiques étaient faciles à surveiller.

Passé la voûte de la porte à la forte odeur d'urine et d'huile rance et les deux soldats nonchalants censés surveiller les allées et venues, on descendit la montagne Sainte-Geneviève, « lieu de sapience et de clergie », fief toujours plus ou moins agité des étudiants, entre une double file de collèges à la mine vénérable. Mais, au lieu de se diriger vers la Seine ainsi que le supposait Raguenel, les deux hommes prirent à main droite. Le temps s'était subitement couvert depuis l'entrée dans Paris. De lourds nuages noirs venus du nord s'étalaient, avançant la chute du jour. Le vent annonciateur d'un orage faisait lever une poussière âcre, mais la pluie ne tombait pas encore.

Les deux hommes passèrent devant le collège de France et contournèrent l'antique hôtel des abbés de Cluny où, depuis le début du siècle, logeaient les nonces du pape. En débouchant sur le triangle de la place Maubert, Raguenel s'aperçut qu'il ne suivait plus qu'un seul homme : l'autre avait disparu comme si quelque bourrasque l'avait emporté. Ne sachant où il était passé, le chevalier se résolut à continuer derrière celui qui lui restait.

Ils traversèrent ainsi, à distance respectueuse, le large espace patibulaire où la prévôté entretenait en permanence deux potences prêtes à servir. Ce qui n'empêchait pas que l'endroit fût assez mal famé.

Enfin, le dernier voyageur descendit de cheval à l'angle d'une ruelle étroite, prit la bride et continua à pied. Perceval sourit : il s'agissait d'une impasse connue sous le nom de cul-de-sac d'Amboise où, en dehors du noble hôtel d'où elle tirait son nom, il n'y avait que deux maisons. L'une d'elles abritait une taverne d'assez mauvaise mine où se rendaient volontiers les « escholiers » désargentés en quête d'une bonne affaire ou d'un mauvais coup. C'est là, évidemment, qu'entra l'inconnu.

Sûr qu'il ne lui échapperait pas, Perceval chercha des yeux un endroit où attacher son cheval, le trouva près de la chapelle Notre-Dame de la Recouvrance des Carmes et y abrita sa monture dans un renfoncement. Après quoi, s'assurant que son épée jouait bien dans le fourreau, il se dirigea vers la porte basse au-dessus de laquelle une enseigne, illisible à force de crasse et de vétusté, grinçait doucement à la brise du soir. Il n'entra pas, se contentant d'essuyer avec son mouchoir mouillé de salive un coin de la plus proche fenêtre. Il vit alors, assis de part et d'autre d'une table où brûlait une chandelle, son « passementier » et un gros homme à la tignasse grise et hirsute vêtu d'une chemise douteuse qui devait être le cabaretier. Personne d'autre n'était en vue, il était encore tôt pour la clientèle habituelle de ce genre d'endroit.

Soudain, le cœur de Perceval manqua un battement : entre les mains de l'homme en noir venait d'apparaître un collier d'or, de perles et de petits rubis qu'il avait vu bien souvent au cou de Chiara de Valaines. Il convenait à merveille à sa beauté brune et, le sachant, elle l'aimait particulièrement et le portait volontiers. Cette fois, le doute — en admettant qu'il en subsistât le moindre — n'était plus possible...

Il chercha à son côté la poignée de son épée, la tira et, sans plus réfléchir, dévala les deux marches de l'entrée et repoussa la porte d'un pied brutal. Arrivé comme un boulet sur les deux complices, il commença par arracher le collier des gros doigts du tavernier.

— Où as-tu pris cela ? demanda-t-il en pointant sa rapière sur la gorge du malandrin.

— Mais je...

— Ne te fatigue pas à chercher un mensonge, je le sais. Tu étais de ces misérables qui ont assassiné, il y a deux jours, Mme de Valaines et ses enfants dans leur château de La Ferrière. Et je ne te conseille pas de nier, sinon je t'embroche sur l'heure ! ajouta-t-il en fourrant le bijou dans sa poche.

— Je n'ai tué personne, grogna l'autre, et ces perles, je les ai trouvées...

— Je n'en doute pas et je peux te dire où : dans le cabinet florentin de la chambre.

— Et après ? J'avais des ordres et quand on me paie bien, je fais toujours ce qu'on me commande.

Le patron, lui, n'avait pas bougé. Il avait même retiré ses mains de la table comme s'il craignait de toucher à nouveau le collier, mais il devait être d'une force peu commune et Perceval n'entendait pas qu'il se mêle de sa discussion avec le bandit.

— On va sortir d'ici pour aller en parler dehors, dit-il en empoignant l'homme par le col de son pourpoint. Et toi, le tavernier, tu ne bouges pas si tu veux être encore vivant demain matin.

— Je vais appeler le guet ! émit l'homme, les yeux en dessous. On ne vient pas comme ça m'enlever mes clients...

— C'est bien de prendre leur défense mais ça ne t'avancera à rien. Appelle le guet si tu veux, je saurai quoi lui dire. Allez, toi ! debout ! reprit-il en obligeant sa prise à quitter le banc. Et toi, le tenancier, ne bouge pas sinon je l'embroche, j'appelle à l'aide et c'est toi qu'on pendra !

Ayant dit, il traîna son captif vers la porte qu'il lui fit franchir rudement, puis vers les deux gibets dont l'approche arracha au misérable un gargouillis d'horreur.

— Vous n'allez pas ?

— Te pendre ? Ça dépend uniquement de toi, répondit Perceval qui, encouragé par ce premier succès, se sentait la force du géant Atlas. Si tu réponds à mes questions, je te laisserai peut-être aller ton chemin.

Il le jeta contre l'échafaud en maçonnerie qui servait à entasser bûches et fagots quand on brûlait quelqu'un, et l'y maintint adossé de la pointe de son épée.

— À présent, causons ! Et d'abord, quel est ton nom ?

— Je ne suis pas sûr d'en avoir encore un. On m'appelle Mâchefer.

Raguenel se mit à rire.

— Tu peux toujours te faire les dents sur celui-là, mais je serais étonné que tu le digères. Maintenant, qui vous a recrutés, toi et ton frère... parce que je suppose que ton double qui a disparu tout à l'heure est ton frère ?

— Oui.

— Bien. Alors, qui était l'homme qui vous commandait dans l'affaire de La Ferrière ?

— Ça, je ne sais pas !

— Vraiment ?

La pointe de l'épée piqua la gorge de l'homme qui gémit :

— Je vous jure que je ne le sais pas ! Aucun de ceux qui étaient avec nous ne le savait. Quelqu'un nous a recrutés, moi et mon frère, à la Truie-qui-file, les autres je ne les connais pas.

— Et le garde qui est venu vous payer, à l'auberge de Limours, vous ne le connaissez pas non plus ?

Une goutte de sang perla.

— Si... C'est lui qui est venu au cabaret. Il... il s'appelle La Ferrière, et il était avec nous.

— La Ferrière ? répéta Perceval abasourdi. Mais d'où sort-il ce nom-là ?

— Je... je ne sais pas. Il a seulement dit que les

gens du petit château lui avaient volé son héritage et qu'il espérait le récupérer maintenant qu'il n'y avait plus personne de vivant.

Le chevalier remit à plus tard l'examen de cette étrange prétention.

— Et le chef ? Tu es bien sûr que ce n'était pas lui ?

— Oui, sûr ! Le chef, il nous a rejoints seulement le matin même et aucun de nous n'a vu son visage. Tout ce que je peux dire, c'est que La Ferrière lui parlait avec considération. Quand tout a été terminé, il a disparu. Au sec...

Raguenel ne vit pas venir l'attaque. Il eut seulement l'impression d'un coup de poing dans le dos et, d'un geste automatique, son épée s'enfonça dans la gorge de Mâchefer. Son cri d'agonie fut la dernière chose qu'il entendit avant de sombrer dans les ténèbres.

Si Raguenel n'alla pas rejoindre ses ancêtres cette nuit-là, il le dut certainement à son ange gardien, mais surtout à la passion bibliophile d'un maréchal de France qui était l'un des rares hommes de guerre amis de la culture à une époque où les grands seigneurs prisaient davantage l'art de manier une épée que celui de manier une plume. François, baron de Bestein, de Haroué, de Remonville, de Baudricourt et d'Ormes, au nom francisé en Bassompierre par Henri IV lorsque, à dix-neuf ans, on l'avait produit à sa cour, était cette rareté. Il entendait le latin et le grec, parlait quatre langues — le français, l'allemand, l'italien et l'espagnol — avec une égale facilité et possédait une magnifique bibliothèque à laquelle il donnait tous ses soins.

Grand séducteur au demeurant, ayant toujours une aventure féminine au feu, il s'était rendu ce soir-là chez un libraire du Puits-Certain fréquenté par tous les beaux esprits de la montagne Sainte-Geneviève pour y admirer et sans doute acheter une édition des *Commentaires* de César imprimée à Venise par Alde Manuce [1]. Et aussi pour y rencontrer la nièce dudit libraire à laquelle il faisait une cour assidue depuis quelques semaines. La jolie Marguerite était la principale raison qui l'avait poussé à sortir de chez lui en dépit de l'orage menaçant, à traverser la Seine et à gravir la docte montagne. Or, si les *Commentaires* étaient bien au rendez-vous, ce n'était pas le cas de Marguerite, partie pour Suresnes dans la journée.

Déçu, le maréchal ne s'attarda pas autant qu'il l'espérait et, nanti de ses *Commentaires*, voulut rentrer chez lui. C'est en approchant de la place Maubert avec ses laquais porteurs de torches — les rues de Paris n'offraient à cette époque d'autre éclairage que les lampes à huile allumées à certains carrefours devant les statues de la Vierge ou des saints — qu'il avait entendu un cri et s'était porté tout naturellement vers l'endroit d'où il venait : à défaut de tendres roucoulades, une bonne bagarre lui souriait assez.

1. Alde Manuce, fort célèbre, est l'inventeur des caractères italiques.

La soirée, décidément, ne lui était pas favorable car l'approche de ses gens avait mis les malandrins en fuite et il n'avait pu trouver sur place que deux corps inanimés : l'un, de mine suspecte, tout à fait mort, et l'autre, dont la tournure de gentilhomme était indéniable, respirant encore. En outre, le visage de celui-ci lui disait quelque chose : il avait l'impression de l'avoir déjà rencontré.

Sous le poing autoritaire de ses valets, des portes s'ouvrirent. On réussit à dénicher un brancard sur lequel le blessé inconscient fut déposé et emporté jusqu'à l'hôtel du maréchal, situé non loin de l'Arsenal. Le ciel compatissant ayant consenti à ne crever ses nuages qu'au moment où l'on arrivait à destination, le petit cortège y parvint à sec, mais ce ne fut pas le cas du médecin que le maréchal envoya quérir sur l'heure. Quant à Perceval qui avait perdu pas mal de sang, il était inconscient de ce qui lui arrivait et devait le rester pendant plusieurs jours, aux prises avec une forte fièvre.

Aussi, lorsqu'il émergea de nouveau à la claire conscience, fut-il surpris de se trouver dans une chambre inconnue. Une belle chambre, avec des meubles en bois sculpté, une tapisserie à personnages et un plafond à caissons peints, sculptés et dorés. Il devait faire nuit car une veilleuse brûlait au chevet et un laquais endormi dans un fauteuil ronflait avec application, le nez sur les boutons de sa livrée rouge et argent. C'était ce bruit qui avait éveillé Perceval, mais il regretta vite sa précédente inconscience : il ne se sentait pas bien et avait peine à respirer. En outre, il avait soif. Apercevant près de sa tête une carafe et un verre, il voulut se servir mais la douleur dans sa poitrine fut si vive qu'il ne put retenir un gémissement. Aussitôt, le laquais fut debout et se pencha sur lui, bien éveillé :

— Monsieur est réveillé ?

— Oui... je voudrais boire...

— Un instant. Je vais chercher le médecin !

Celui-ci ne devait pas être loin. Il apparut presque aussitôt et fit montre d'une grande satisfaction en trouvant son patient les yeux ouverts. Il prit son pouls, tâta son front et ses membres :

— La fièvre est encore présente, déclara-t-il, mais, grâce à Dieu, elle a baissé et vous ne délirez plus.

— Déliré ?... Ai-je déliré longtemps ?

— Une grande semaine. Tellement que nous avons cru, à certains moments, que nous ne pourrions vous sauver. Votre blessure est profonde, le poumon a été atteint mais vous êtes jeune, de belle constitution et la nature chez vous reprendra le dessus. Du moins, je l'espère... si vous vous montrez raisonnable.

À cet instant, la porte de la chambre se rouvrit sous la main d'un laquais pour livrer passage au maître de céans, drapé dans une robe de chambre à ramages bruns et or.

— J'apprends que notre invité va mieux ? s'écria-t-il. C'est en vérité une bonne chose et nous allons peut-être apprendre enfin de lui qui il est ?

— Doucement, monsieur le maréchal, doucement ! plaida le médecin. Il peut parler, certes, mais il est encore bien faible.

Le blessé tentait de se soulever dans son lit pour mieux considérer le magnifique seigneur et le reconnut tout de suite. Quiconque avait jamais vu l'ancien colonel général des suisses de Sa Majesté ne l'oubliait plus. Avec ses six pieds et quelques pouces de haut, il possédait en effet la carrure en rapport avec la fonction. En outre, bien qu'il eût atteint quarante-six ans, Bassompierre demeurait fort séduisant avec ses beaux yeux bleus toujours rieurs, ses cheveux blonds, soyeux et bouclés où n'entraient que peu de fils argentés, son visage à la fois énergique et affable, et sa barbiche soyeuse toujours parfumée d'un mélange de musc et d'ambre.

— Monsieur le maréchal, murmura le blessé, vous me voyez confus de vous encombrer de la sorte. Me direz-vous par quel miracle je vous dois la vie ?

— Oh ! c'est tout simple, fit Bassompierre en s'installant dans le fauteuil déserté par le veilleur ; je passais par là avec mes gens, nous avons entendu crier, nous avons vu et...

— ... et vous avez vaincu ! En outre, si je comprends bien, vous avez pris soin de moi.

— La moindre des choses, mon ami, la moindre des choses ! Mais si, à présent, vous me disiez qui vous êtes ?

— Un fidèle serviteur de la maison de Vendôme, monsieur le maréchal, dit Perceval qui, sachant les liens d'amitié qui unissaient Bassompierre au duc César, ne risquait pas de se tromper. J'ai nom Perceval de Raguenel, chevalier, et suis l'écuyer de Mme la duchesse...

Le résultat fut immédiat :

— Considérez-vous comme chez vous !... Cependant, je comprends mal ce que vous faites à Paris ? Votre maîtresse y est-elle revenue ?

— Mme la duchesse, à cette heure, doit être à Blois où elle s'est rendue pour implorer la clémence du Roi.

— La clémence du Roi ? Que me baillez-vous là ?

— La vérité, hélas : le duc César et M. le Grand Prieur de France ont été arrêtés par ordre de Sa Majesté et conduits aux prisons d'Amboise. Ne le saviez-vous pas ? demanda timidement Perceval qui connaissait les liens d'amitié unissant la duchesse d'Elbeuf, sœur des deux captifs, à la princesse de Conti dont on chuchotait sous le manteau qu'elle était l'épouse secrète de Bassompierre.

— Pardieu non ! murmura celui-ci dont la figure s'était rembrunie. C'est étrange, même ! Il faut que cela soit encore secret puisque le bruit n'en est pas venu jusqu'ici. Mais, j'y pense, ne devriez-vous pas être à Blois aux côtés de votre dame ?

— Sans doute... Mais j'ai dû m'occuper, avec sa permission, d'une affaire grave...

— Vraiment ? Contez-moi cela !

Le médecin intervint :

— Pardonnez-moi, monsieur le maréchal, mais

ce jeune homme sort tout juste d'un évanouissement prolongé. Il ne faut pas le fatiguer et vous remarquerez que la parole lui devient pénible...

— C'est trop juste ! Dormez, mon garçon ! Mangez, buvez, reprenez des forces. Nous poursuivrons cette conversation demain... si toutefois vous souhaitez la poursuivre ?

— Ce sera avec joie, monsieur le maréchal. Merci !

Et Bassompierre sortit après avoir recommandé au médecin de ne pas s'« amuser à saigner ce malheureux garçon comme vous en avez trop l'habitude ! Il a perdu assez de sang comme cela ! ».

L'homme de l'art essaya bien d'objecter que c'était la seule manière de « faire sortir les humeurs néfastes qui peuvent demeurer dans le corps d'un patient et que le débarrasser d'un sang sans aucun doute vicié après tant de jours d'inconscience ne saurait lui faire que du bien », Bassompierre ne voulut rien entendre :

— Du sang, on lui en redonnera à l'aide de bonnes viandes et de bons vins de Bourgogne auxquels l'humeur la plus chagrine ne saurait résister. Vous faites ce que je dis et rien d'autre, sinon j'envoie un messager au Roi pour lui demander de me prêter M. Bouvard pour un mien parent !

Ainsi menacé, le médecin fit le dos rond et se contenta d'appliquer à son patient des méthodes douces : un peu de miel et une tisane apaisante qui lui valurent de terminer dans un bon sommeil une nuit commencée dans les dernières luttes de la fièvre. Mais avant de s'y plonger il se promit de tout révéler à ce sauveur qu'un Dieu providentiel avait placé sur son chemin. Quel meilleur confident, quel meilleur conseiller pourrait-il trouver que cet homme courageux, intelligent, courtisan habile quand il le fallait, doué pour la diplomatie, qui avait été l'un des proches de la belle Gabrielle tout en sachant conserver l'amitié d'un roi facilement jaloux ? C'est lui qui avait eu pour mission d'escorter la future reine de Fontainebleau à Paris. On sait comment le voyage s'était terminé : par un enfant mort et une horrible crise d'éclampsie mais, loin d'en tenir rigueur à Bassompierre, le Béarnais s'était enfermé avec lui durant une grande semaine pour parler de la disparue et pleurer son trépas. Puis, quand Henri IV, peu de temps après, chercha des consolations auprès de la belle mais dangereuse Henriette d'Entragues qu'il créa marquise de Verneuil, François de Bassompierre crut de son devoir de s'intéresser à la sœur cadette d'Henriette, l'attirante Marie-Charlotte, à laquelle il fit un enfant. Depuis quinze ans, celle-ci lui intentait procès sur procès en prétendant qu'il lui avait signé une promesse de mariage que ledit Bassompierre niait de toutes ses forces, mais qui ne lui empoisonnait pas moins l'existence. Heureusement, il avait su se conserver des appuis importants et, après la mort du Roi, réussi à s'attirer les bonnes grâces de la régente. La grosse Marie de Médicis se pâmait à ses reparties plutôt gauloises. Ainsi, un jour où il assurait qu'il existait peu de femmes qui ne fussent des catins, la sotte avait jugé spirituel de lui demander : « Eh bien, et moi ? » Et Bassompierre de répondre avec un grand salut et un beau sourire : « Vous, Madame, vous êtes la Reine... » Et de rire. En même temps, il se faisait volontiers le protecteur des jeunes princes bâtards et, après le mariage de César avec Françoise de Mercœur, on le vit à plusieurs reprises sous les ombrages d'Anet ou dans les jardins de Chenonceau.

Sachant chez qui le sort l'avait conduit, Perceval attendit avec confiance le moment des explications. Il vint dans l'après-midi du lendemain. Dès l'entrée du maréchal dans sa chambre, le blessé comprit que tout n'allait pas au mieux.

— Vous aviez raison, les choses vont au plus mal ! soupira-t-il. J'étais tout à l'heure chez Mme la princesse de Conti où était Mme la duchesse d'Elbeuf qui pleurait comme toutes les fontaines de Paris et j'avoue qu'il y a de quoi. Le Roi, la Cour et, bien entendu, le Cardinal se sont transportés à Nantes où le jeune prince de Chalais a été arrêté et jeté dans les prisons du château. Notre Sire et Richelieu ont interrogé Monsieur au sujet du complot qui avait pour but d'empêcher son mariage, d'assassiner le Cardinal et, si le Roi était destitué, de conclure un mariage entre la jeune reine et Monsieur. Et que croyez-vous qu'a répondu notre bon prince ?

— Quand on le connaît, ce n'est pas difficile à deviner, fit Raguenel qui digérait un excellent repas, adossé à une pile d'oreillers. Il a commencé par demander pardon en jurant qu'il n'y était pour rien et il a trahi tout le monde !

— Gagné ! Il a commencé, bien sûr, par ceux sur lesquels le Roi avait déjà mis la main. Il a chargé ces MM. de Vendôme autant qu'il était possible, assurant que le duc César rassemblait une armée en Bretagne pour envahir la France et en chasser le Roi.

— C'est abominable ! Mgr le duc souhaitait seulement se fortifier dans son gouvernement pour faire face à toute éventualité : il sait trop que le Cardinal le déteste.

— Et ce n'est pas tout ! Le jeune Chalais, une fois en prison, a fait de même, mais pour une tout autre raison : il est éperdument amoureux de Mme de Chevreuse qui aurait eu des bontés pour le Grand Prieur Alexandre. Alors, lui aussi essaie de se décharger sur eux, sans se priver d'ailleurs d'accuser celle qu'il aime.

— Miséricorde ! Et que s'est-il passé ?

— Le gouvernement de Bretagne a été retiré à M. de Vendôme et le Roi a donné ordre de faire raser les fortifications de ses châteaux : Ancenis, Lamballe, Blavet, etc.

— Vendôme ?

— Non. Il n'a été question que de la Bretagne. Et puis Vendôme est une grosse ville, fort attachée à son duc. Tant qu'il n'est pas condamné, on n'y touchera point et, pour l'instant, les deux frères sont toujours à Amboise.

— Et Mme la duchesse ?

— Aucune nouvelle ! Mme d'Elbeuf ignore ce

qu'il advient de sa belle-sœur. Naturellement, elle se tourmente. Tout le monde se tourmente... Et puisque nous en sommes là, racontez-moi votre histoire.

Raguenel raconta donc, sans rien cacher, sans rien oublier. Son amitié avec la famille de Valaines, le drame qui l'avait anéantie, le chagrin qu'il en éprouvait, comment on avait trouvé Jeannette dans la cheminée et le récit qu'elle avait fait. Ensuite, sa décision à lui de suivre la piste encore chaude des assassins, l'auberge de Limours et enfin l'aventure qui l'avait conduit dans ce lit avec un poumon perforé. Pour finir, il demanda que l'on veuille bien apporter son pourpoint où il prit le cachet de cire rouge détaché du front de Chiara et le collier qu'il avait arraché à Mâchefer...

Bien que fort bavard, le maréchal avait écouté son récit sans mot dire. Quand il eut fini, Bassompierre prit d'abord le collier qu'il caressa du bout des doigts.

— J'ai connu la signorina degli Albizzi lorsqu'elle est entrée au service de la reine mère. Une bien jolie fille... et sage ! Vous ne m'en voudrez pas, j'espère, si je vous confie que j'ai essayé sans succès d'obtenir ses faveurs. Quand on l'a mariée, elle était pure et lumineuse comme un beau lis. Personne, d'ailleurs, n'a compris pourquoi elle épousait cet homme tellement plus âgé qu'elle.

— Mais qui a su la rendre heureuse. En remerciement, elle lui avait donné trois enfants dont il ne reste qu'une petite Sylvie, présentement confiée aux soins de Mme de Vendôme. Mais, monsieur le maréchal, puisque vous la connaissiez, sauriez-vous dire si, en dehors de Jean de Valaines, un autre homme briguait sa main ?

— Celui-là ? fit Bassompierre en prenant le cachet entre deux doigts. En vérité, je l'ignore. Quand une dame me dit non, je ne me donne pas la peine d'insister et je porte mes vœux ailleurs. Tout de même, cette empreinte est bizarre ! Omega !... « Je suis l'alpha et l'omega, le premier et le dernier, le commencement et la fin », dit l'Apocalypse. S'il a choisi ce symbole, cet homme se veut-il la fin pour d'autres hommes ?

— Cela conviendrait à un bourreau.

— Mais à un bourreau lettré, et je ne crois pas qu'il en existe.

— Un juge, alors ? Beaucoup sont cultivés.

— Sans doute. Pour ce que j'en sais, ce ne sont pas gens à se salir les mains et, d'après le récit de la petite servante, il les a noyées dans le sang, ses mains. Je gage qu'il ne sera pas facile à trouver et, dans l'état actuel des choses, je ne saurais vous engager à chercher plus loin.

— Pourtant, j'ai juré de venger Mme de Valaines et ses enfants. Il est vrai que ma seule piste, à présent, est ce garde nommé La Ferrière. Celui-là ne sera pas bien difficile à débusquer et je...

Se penchant brusquement, Bassompierre posa sa main sur celle du blessé.

— Je ne vous le conseille pas, et même, si vous voulez m'en croire, vous cesserez à l'avenir toute recherche. À moins que vous ne souhaitiez aggraver les malheurs de la maison de Vendôme... et peut-être mettre en danger la petite fille qui a échappé au carnage.

— Moi ? À Dieu ne plaise ! Cependant, je ne vois pas en quoi...

— Les deux affaires se touchent. Comme par hasard l'attaque du château a eu lieu dès que le Cardinal se fût assuré de la personne des princes, car, ne vous y trompez pas, c'est lui qui les a fait saisir : il lui a suffi pour cela de lâcher le mot « complot ». Vous êtes pieds et poings liés, mon ami !

— Ne puis-je rien faire ? gémit Raguenel au bord des larmes.

— Si : attendre !

— Attendre quoi ? La mort du Cardinal ?

— Elle viendra bien un jour. Sa santé n'est pas florissante, tant s'en faut et, depuis qu'il détient le pouvoir, il s'aiguise plus de poignards, en France, qu'au temps de la reine Catherine et des guerres protestantes. L'attente ne sera peut-être pas longue ?

— La chance le protège. Et puis, le croyez-vous capable d'avoir ordonné un tel massacre dirigé contre une femme et des enfants ? Il faudrait qu'il soit un monstre...

— Je ne le connais pas assez pour en juger. Je ne l'aime pas et j'y suis même opposé de toutes mes forces, mais ma tête m'est chère et j'aimerais en jouir encore quelque temps.

— Vous êtes un ami du Roi, un maréchal de France. Il n'oserait.

— Il a bien osé jeter en prison les frères du Roi ! Et aussi le prince de Chalais qui accuse tout le monde pour qu'on lui fasse grâce. On dit qu'il a avoué avoir voulu tuer Richelieu. Il sera sûrement jugé en premier et nous verrons ce qu'il adviendra de lui. Quel âge a la petite fille que le jeune Martigues a sauvée ?

— Pas tout à fait quatre ans.

— Pauvre enfant ! Quoi qu'il en soit, elle a le droit de vivre...

— J'ai juré à la mémoire de sa mère de la protéger. Et la meilleure façon de le faire, c'est encore d'abattre ses ennemis...

Bassompierre hocha la tête d'un air découragé :

— Vous êtes breton n'est-ce pas ?

— En effet et j'en suis fier. Pourquoi ?

— Tête dure ! Je me tue à vous expliquer qu'il faut vous tenir en repos. Que Richelieu ait ordonné lui-même le massacre — ce qu'à Dieu ne plaise et que je refuse de croire — ou que l'homme chargé de récupérer les lettres de cette reine stupide en ait profité pour régler ses propres comptes, de toute façon la simarre pourpre se profile derrière cette horrible histoire. Et maintenant, acceptez un conseil : pour commencer, vous allez achever votre guérison ici. Je vais, moi, rejoindre le Roi à Nantes, mais j'essaierai de savoir ce qu'il est advenu de la duchesse Françoise et en quoi je peux la servir. En partant, je passerai par Vendôme où je préviendrai de ce qui vous est arrivé. Je vous enverrai même votre valet afin que vous ne soyez pas seul quand vous reprendrez les grands chemins. Cela vous va-t-il ?

— Grande est ma gratitude, monsieur le maréchal ! Je ne sais si...

— N'essayez pas de vous expliquer plus avant. Contentez-vous de me donner votre parole d'agir suivant mon conseil et ne rien faire qui puisse porter atteinte au salut de la maison de Vendôme ! Puis-je y compter ?

— J'espère, monsieur le maréchal, que vous n'en doutez pas ? murmura Raguenel vaincu. Vous avez ma parole : je saurai attendre... aussi longtemps qu'il faudra.

Bassompierre lui offrit un grand sourire satisfait et, faute de pouvoir lui taper dans le dos, tapota sa tête d'une main prudente.

— Voilà qui est bien ! De mon côté, je fréquente assez le bel air et les gens de plume pour arriver peut-être à savoir qui est le personnage qui ose se prendre pour l'Ange exterminateur et sème des omega sur ses cachets. À vous revoir, mon garçon !

Et, ramassant le feutre emplumé de bleu qu'il avait jeté négligemment sur un coffre en entrant, le maréchal opéra l'une de ces sorties tumultueuses qu'il affectionnait, laissant son hôte forcé prendre enfin la sage résolution de se rétablir aussi vite que possible afin de pouvoir rejoindre son poste dès que Corentin pointerait sa figure de renard rusé sous les lambris dorés de sa chambre.

À Vendôme, cependant, la petite Sylvie commençait à oublier ce qui, pour elle, ressemblait davantage à un cauchemar qu'à une réalité. L'ange était arrivé pour l'emmener dans un endroit magnifique plein de belles dames et de beaux messieurs. Depuis, elle avait appris certaines choses bien agréables. Par exemple, qu'il n'y avait aucune crainte à garder au sujet du séjour terrestre de monsieur Ange : il s'appelait François et il était adorable avec elle ; il l'installait sur son cheval pour l'emmener promener le long de la rivière sans s'occuper des récriminations de son frère aîné, il courait avec elle dans les prés, il lui racontait des histoires et puis, en lui disant bonsoir, il plaquait de gros baisers sur ses joues en disant qu'elle sentait la pomme et l'herbe fraîche. Deux choses qu'ils appréciaient autant l'un que l'autre. Vraiment, elle l'aimait beaucoup, et tous les jours un peu plus car auprès de lui elle se sentait protégée.

Sylvie aimait bien aussi Élisabeth qui jouait avec elle comme avec une poupée en se donnant des airs de petite maman. Elle lui apprenait à manger sans se salir, elle lui essayait des robes de son invention qu'une femme de chambre ne cessait de coudre aux dimensions du petit corps potelé et passait de longs moments, armée d'une brosse, à tenter de lisser les boucles brunes, drues et facilement rebelles. À d'autres moments, elle lui apprenait à lire dans un grand livre avec de belles images en couleurs qui fascinaient la petite et puis, bien sûr, elle l'emmenait deux fois par jour à la chapelle afin d'y prier pour tous les absents, surtout pour deux personnages mystérieux portant des noms trop compliqués pour la mémoire de Sylvie. On priait encore pour sa mère dont on lui avait dit qu'elle était partie pour un long voyage. Il y avait aussi de la belle musique et cela compensait un peu la longueur des stations qu'il fallait faire à genoux sur les dalles, les mains jointes... Enfin, un beau soir, Jeannette était arrivée au château et Sylvie en avait éprouvé un vif plaisir parce que c'était la fille de Nounou et qu'elle jouait souvent avec elle quand son service — assez léger il faut le dire ! — lui en laissait le temps.

Cette nouvelle arrivée mit un comble aux angoisses de Mme de Bure qui faisait un peu office de maîtresse de maison en l'absence de Mme de Vendôme. Est-ce que celle-ci, dont ladite absence se prolongeait de façon inquiétante, approuverait que l'on recueille ainsi tous les échappés de La Ferrière ? Il est vrai que sa charité était inépuisable et qu'il ne s'agissait, après tout, que d'une petite servante que l'on trouverait toujours à employer au service d'Élisabeth.

De leur côté, François et sa sœur s'attachaient à leur protégée. Son babil et ses réflexions enfantines, l'affection qu'elle leur montrait les distrayaient un peu de l'anxiété où les plongeait, chaque jour davantage, l'absence de nouvelles. Même leur mère ne donnait aucun signe de vie et, comble de bizarrerie, le chevalier de Raguenel semblait s'être dissous dans la nature. Tout ce qu'avait pu dire son valet en ramenant Jeannette, c'était qu'il était parti en direction de Paris sans préciser où il allait, se contentant d'indiquer qu'il rejoindrait à Vendôme. Or on l'attendait toujours...

L'inquiétude commune rapprochait les deux cadets de leur frère aîné dont ils savaient qu'en cas de malheur il deviendrait le chef de famille. Une lourde charge lorsque l'on n'a que quatorze ans ! Louis n'envisageait pas sans frémir de recevoir sur les épaules un aussi lourd héritage. Qu'il faudrait peut-être défendre, de surcroît, et contre qui ? S'il s'agissait du Roi et de son redoutable ministre la partie était perdue d'avance, se disait l'adolescent avec désespoir, même si la ville de Vendôme se massait tout entière derrière son duc. Ce qu'il fallait espérer car, sans cela, le jeune Mercœur s'imaginait mal retranché dans l'immense château demeuré résolument féodal en dépit du logis, à peine plus aimable, construit au siècle précédent par son aïeule paternelle Jeanne d'Albret, et de celui, nettement plus riant, que le duc César faisait bâtir mais qui sortait seulement de terre. Évidemment, il était possible d'y tenir longtemps car la prévoyance du duc César avait rempli les magasins de victuailles, d'armes, de munitions, et les souterrains donnaient accès à une source abondante située au niveau de la vallée. Mais s'il voulait frapper son demi-frère au cœur plus sûrement encore qu'en lui enlevant la Bretagne, le Roi ne manquerait pas de s'en prendre à Vendôme, symbole du titre ducal et plus chère à César que tout le reste. Il aimait sa ville, et

Dieu sait pourtant que s'y faire admettre n'avait pas été facile !

Même trente-sept ans après, Vendôme n'oubliait pas le traitement que lui avait fait subir, en novembre 1589, l'héritier choisi du roi Henri III mort assassiné le 1er août précédent. Henri IV, encore protestant à cette époque, s'était emparé de la ville qui lui appartenait par droit d'héritage mais qu'avaient prise les ligueurs du duc de Mayenne. Et Vendôme s'était battue pour l'usurpateur, grave faute dont le Roi l'avait punie en la livrant au pillage, y compris les églises et les couvents. Le gouverneur Maillé de Benehart fut décapité et, Dieu sait pourquoi, le portier du couvent des Cordeliers pendu.

Dégrisé — la guerre est une terrible drogue ! — le Béarnais eut des regrets d'autant plus vifs que les tanneurs qui faisaient la richesse de Vendôme s'étaient enfuis pour trouver refuge à Château-Renault qu'ils refusèrent ensuite de quitter.

Pensant arranger les choses, le Roi fit don du duché à son fils premier-né, César, alors âgé de quatre ans. Tant que l'on crut l'enfant destiné à devenir roi de France, les Vendômois n'eurent rien à redire mais, à la mort de Gabrielle et surtout quand Henri épousa Marie de Médicis, un vent de révolte souffla. Jusque-là ville royale appartenant aux Bourbons et où les huguenots étaient nombreux, Vendôme n'apprécia pas d'avoir pour maître un demi-Bourbon, autrement dit un bâtard, jusqu'à ce que le mariage du jeune duc avec Mlle de Mercœur fît virer le vent. La haute naissance de la nouvelle duchesse, sa profonde piété et son inépuisable charité, jointes au charme de César et à sa générosité, ramenèrent bien des cœurs. On fonda de nouveaux couvents et surtout une étonnante maison de secours aux infirmes, installée au faubourg Chartrain, que vint inaugurer monsieur Vincent. Quant aux protestants à l'origine des troubles, on les expulsa.

Oui, tout allait bien maintenant entre le château et la ville mais, méfiant de nature, le jeune Mercœur n'arrivait pas à se persuader qu'en cas d'attaque royale le peuple le soutiendrait. Il devait certainement rester quelques mécontents capables d'entraîner les autres ? Et quand il entendait M. d'Estrades causer avec M. de Preaulx, le nouveau gouverneur, et son lieutenant M. d'Argy, Louis ne pouvait s'empêcher de trembler : ces trois-là n'étaient guère optimistes !

François, lui, ne rêvait que plaies et bosses. Il priait chaque jour, avec la belle inconscience de son âge, pour qu'il lui soit donné de se battre pour un père qu'il adorait et de faire montre du courage qu'il sentait bouillonner en lui. Un bon siège, avec son vacarme, sa violence, eût fait beaucoup mieux son affaire que le calme d'un été étouffant vécu dans une vieille forteresse accrochée au flanc abrupt d'un coteau dont le Loir mouillait le pied et où il ne se passait rien.

Les trois jeunes Vendôme prirent l'habitude de monter chaque soir sur le couronnement de la tour de Poitiers, si haute et si forte qu'on lui donnait le nom de donjon, bien qu'il n'en fût rien. De là, ils regardaient le soleil disparaître dans une gloire incandescente mais ils avaient surtout l'espoir, toujours déçu, d'apercevoir un nuage de poussière signalant un carrosse ou au moins un cavalier. Rien ne venait. M. d'Estrades, aussi soucieux que ses élèves, faisait cependant de son mieux pour les réconforter en leur expliquant qu'il fallait cultiver la vertu de patience, qu'il était fort rare que l'on mît quelqu'un en prison pour l'en ressortir le lendemain, mais que l'on pouvait accorder pleine confiance à Mme la duchesse pour remuer ciel et terre en faveur de son époux. Si elle ne revenait pas, c'est peut-être parce qu'elle n'avait pas encore réussi à obtenir l'oreille du Roi...

Ces ascensions vespérales désolaient Sylvie qui suivait François comme un jeune chien toutes les fois que c'était possible. Et là, c'était impossible sans aide : les marches du « donjon » étaient trop hautes et trop raides pour ses petites jambes. Elle entreprit bien d'en escalader deux ou trois mais réussit uniquement à écorcher ses menottes sur les pierres irrégulières. La seule solution était qu'on la porte, mais c'était très haut et personne ne s'en sentait le courage. Et puis Louis, dès la première fois, avait fait entendre sa volonté :

— Il y a là une occasion d'être seuls, tous les trois. Je ne veux pas que quiconque vienne se mettre en tiers.

— Elle est si petite ! plaida Élisabeth.

— Justement, nous n'avons que faire d'un bébé. Et puis, François, vous devriez cesser de la traîner continuellement après vous. Bientôt viendra le temps où vous rejoindrez Malte pour y faire vos caravanes. Vous ne pensez pas l'emmener, j'imagine ?

L'interpellé s'était mis à rire.

— Bien sûr que non ! En revanche, j'aimerais bien l'emmener à Belle-Isle comme nous avons fait l'année dernière pour les vacances chez M. le duc de Retz. C'est un bon petit compagnon : elle n'a peur de rien.

— C'est certain, fit Élisabeth, mais cette année, nous ne sommes pas en vacances et tout ce que l'on peut faire, c'est prier le ciel que ces temps heureux reviennent. Pour cette fois, François, Louis a raison : il faut habituer Sylvie à se séparer de nous de temps en temps.

En dépit de ses larmes et de ses cris, la petite fille dut rester au bas de la tour tandis que son « ange » y montait comme il fût monté au ciel. Quand il redescendit elle était encore là, couchée sur une marche, pleurant doucement. Il s'assit près d'elle, la releva et la tint entre ses genoux pour essuyer de son mouchoir la frimousse barbouillée de poussière et de larmes.

— Quand vous serez plus grande, lui dit-il, vous monterez aussi jusqu'en haut mais pour l'instant c'est impossible.

Elle tendit alors ses petits bras :

— Porter ! dit-elle seulement, mais François arma son visage de gravité :

— Non. Une dame doit savoir apprendre à attendre. Notre père est prisonnier dans une grande tour et notre mère ne peut pas aller le rejoindre mais elle ne s'installe pas au pied de l'escalier pour pleurer et crier.

Sylvie porta à sa bouche un doigt sale, baissa le nez et dit seulement :

— Ah !

Dès lors, soir après soir, elle resta assise, sans protester, sur la dernière marche mais, peu à peu, la tour devint son ennemie et, dans son petit cerveau, un symbole : c'était comme si elle devait toujours rester en bas, dans l'ombre, tandis qu'il monterait vers la lumière. Il lui semblait que, même quand elle serait assez grande pour gravir toutes ces marches, elle ne rejoindrait jamais celui qu'elle aimait tant : il partirait plus loin, plus haut, toujours plus haut jusqu'à être hors d'atteinte. Alors, en attendant et pour profiter de lui le plus possible, elle se contentait de trottiner inlassablement sur ses talons, « Madame Jolie » bien serrée contre son cœur. Et François n'avait pas le courage de renvoyer celle que tout le monde, au château, avait surnommée le chaton.

Les choses n'allant jamais comme on l'imagine, les deux frères et leur gouverneur se baignaient dans la rivière, un après-midi d'août, quand ils virent soudain un grand carrosse poussiéreux, enveloppé de cavaliers, franchir le pont menant à la rampe d'accès du château.

Sortir de là, se sécher, se rhabiller et sauter à cheval pour rentrer ne leur demanda que peu de temps. Pourtant, quand ils arrivèrent dans la cour,

Corentin Bellec, le valet du chevalier de Raguenel, faisait ses préparatifs de départ. Rouge de joie, il leur lança :

— Mon maître est à Paris, chez M. le maréchal de Bassompierre qui vient de m'en donner la nouvelle. Il a été blessé mais il va mieux et je vais le rejoindre...

Ce soir-là, un peu d'espoir revint chez les jeunes habitants du château. La robuste santé morale de Bassompierre, son optimisme — qu'il forçait peut-être un peu pour ses jeunes hôtes — étaient communicatifs. Il promit de faire l'impossible pour plaider la cause de leur père et les rassura, avec une ferme conviction, sur le sort de leur mère.

— Si graves que soient les charges pesant sur MM. de Vendôme, Mme la duchesse ne saurait s'y trouver impliquée. La femme ne doit-elle pas suivre son époux où qu'il aille, et le Roi tient de son père en cela : il respecte les dames... même s'il les aime moins. Et puis, il faut y regarder à deux fois avant d'indisposer la maison de Lorraine. Croyez-moi, mes enfants, conclut-il en vidant avec une satisfaction évidente un grand verre de vouvray bien frais, vous retrouverez votre mère avant qu'il soit longtemps.

— Et notre père ? demanda François.

Les larges épaules soulevèrent le grand col en guipure de Venise étalé sur le pourpoint de toile des Flandres brodé d'argent, tandis que l'aimable visage se rembrunissait imperceptiblement :

— Il faut prier Dieu pour lui afin qu'il ne

souffre pas une trop longue détention, car en ce qui concerne sa vie, je refuse de croire qu'elle puisse être en danger : le Roi ne chargerait pas son âme d'un péché mortel en offrant sa tête au Cardinal.

— Le Cardinal est prêtre, lança Louis avec hargne. Il peut absoudre un péché mortel. Même royal !

Le maréchal repartit le lendemain dans la fraîcheur du petit matin et le soir même Louis, Élisabeth et François remontaient sur la tour de Poitiers. Enfin vint le moment où leur attente fut récompensée : ils virent d'abord arriver deux cavaliers. C'était avant le crépuscule, quelques jours après la Saint-Louis pour laquelle il y eut, à l'abbaye de la Trinité, une belle messe chantée en présence de toute la ville. En reconnaissant M. de Raguenel, ils éprouvèrent une véritable joie.

Le chevalier fut touché d'en recevoir le témoignage mais plus encore quand une boule de taffetas rose et de boucles brunes ébouriffées se jeta dans ses jambes en l'appelant « Bon Ami ». Que l'enfant eût gardé le souvenir de ce nom que lui donnait sa mère vint à bout de son flegme habituel : l'enlevant de terre, il la serra contre lui en cachant quelques larmes contre la petite joue satinée...

Raguenel aurait voulu reprendre la route dès le lendemain en direction de Nantes afin de rejoindre Mme de Vendôme, mais il dut affronter une véritable coalition composée des enfants, de leur gouverneur, de celui du château et de Mme de

Bure : il était encore beaucoup trop fatigué pour continuer à galoper dans la chaleur et la poussière au-devant d'une dame dont il ignorait si elle n'était pas sur le chemin du retour.

— Comme nous ne savons pas par quelle route elle reviendra vous risqueriez de la manquer, chevalier, dit Mme de Bure. Le mieux, à présent, est de l'attendre ici avec nous.

C'était la sagesse et Perceval se laissa faire une douce violence, heureux, au fond, de pouvoir prendre encore un peu de repos après une chevauchée qui lui avait été plus rude qu'il ne le pensait. Il y avait aussi Sylvie qui semblait vouloir s'attacher à lui comme si elle devinait qu'il était le dernier lien avec son monde disparu. Louis de Mercœur nota avec satisfaction qu'elle délaissait un peu François pour se promener avec son grand ami qui tenait bien ferme sa petite main.

Et puis, enfin, vint le soir bienheureux où le carrosse de l'évêque de Nantes — qui ne l'était plus ! — ramena celui-ci, Mme de Vendôme et Mlle de Lichecourt. L'une visiblement hors d'elle et l'autre toujours aussi imperturbable et malheureusement toujours aussi laide...

Les premiers mots de la duchesse quand elle sauta à terre et se fut débarrassée des nombreuses coiffes et mantelets destinés à protéger ses vêtements des projections de boue — il pleuvait à plein temps depuis deux jours — furent, avant même d'embrasser ses enfants, pour ordonner que l'on fasse les bagages et que l'on se prépare à regagner Paris.

— Paris, en ce moment ? protesta Louis. Il y fait plus chaud que partout ailleurs et la ville empeste !

— Je ne vous savais pas si délicat, Louis ! Eh bien, vous resterez à Anet avec votre sœur et votre frère mais moi, je vais là où se trouve votre père.

Et de s'engouffrer dans le logis à la recherche d'un bain et de vêtements frais sans vouloir en dire plus. Ce fut Philippe de Cospéan qui renseigna les enfants. Lui semblait beaucoup plus calme que la duchesse, mais il fut vite évident que ce calme était tissé de gros soucis.

— Les princes ne sont plus à Amboise, expliqua-t-il. On les emmène par voie d'eau au donjon de Vincennes. Non, fit-il d'un geste qui coupait la parole à François, n'allez pas, mon enfant, parler ici d'évasion. Elle est impossible. La barge qui les emmène est gardée, à l'intérieur et depuis les rives de la Loire, par les mousquetaires que commande M. de Tréville, leur lieutenant. Au cas où le bateau serait attaqué, ils ont ordre de le faire sauter !

— Est-ce que notre mère a vu le Roi ? demanda Louis.

— Oui. Il lui a montré beaucoup de bonté et lui a donné toutes assurances pour vous et pour elle-même. Aucun danger ne vous menace ni ne menace le duché. Encore moins les biens de la duchesse !

— Et pour notre père ? demanda François qui

avait peine à se contenir. A-t-il aussi donné des assurances ?

L'évêque détourna la tête :

— Aucune. Le duc et le Grand Prieur doivent être jugés par le Parlement.

— Et les autres ? demanda Raguenel. Nos seigneurs n'étaient pas seuls en cause dans cette conspiration : il y avait Monsieur, même s'il a jugé bon de trahir tout le monde, Mme de Chevreuse, le prince de Chalais dont nous avons su qu'il était emprisonné...

Le visage austère de Philippe de Cospéan exprima soudain une horreur absolue tandis qu'il frissonnait. Il se signa avant de murmurer :

— Pour celui-ci, il faut prier Dieu qu'il le prenne en pitié, car il a souffert un vrai martyre. Le 18 de ce mois, il a été décapité sur la place du Bouffay, à Nantes, en dépit des supplications de sa mère. Si l'on peut appeler décapitation la boucherie que nous avons vue de nos yeux !

Et de raconter à ces enfants terrifiés que, dans l'espoir de retarder au moins l'exécution, les amis du jeune prince — il n'avait que dix-huit ans — s'étaient emparés du bourreau, mais l'impitoyable justice du Cardinal avait trouvé la parade : à un misérable condamné à la corde, on promit sa grâce s'il se chargeait de l'exécution. N'ayant jamais manié la lourde épée du bourreau, l'apprenti, terrifié, se servit d'une doloire de tonnelier pour séparer la tête du corps en s'y reprenant à trente-six fois. Le condamné gémit jusqu'au vingtième coup...

Un silence de mort accueillit l'affreux récit. Mme de Bure avait emmené précipitamment Élisabeth, sur le point de s'évanouir. Puis François demanda d'une voix blanche :

— Et les autres ?

— Mme de Chevreuse est exilée dans son château de Dampierre, sous la garde de son époux. Quant aux conjurés, ceux dont le nom n'a pas été prononcé se tiennent cois, les autres ont pris le large depuis longtemps. Monsieur a épousé Mlle de Montpensier en petit comité et reçu pour la circonstance le titre de duc d'Orléans. Enfin, le Roi a pris un décret stipulant que quiconque attentera à la vie de Son Éminence sera poursuivi pour crime de lèse-majesté.

— Et tiré à quatre chevaux comme Salcède ou Ravaillac ? s'écria M. d'Estrades indigné. En vérité, Richelieu est plus roi que le Roi, à présent !

Le souper fut triste. Chacun restait sous le coup de la terrible histoire au héros de laquelle l'imagination substituait César et Alexandre. Le prince de Chalais était un trop grand seigneur pour que sa fin ne terrifie pas les Vendôme. D'autant que, dans cette délirante affaire de conspiration, il était surtout coupable d'avoir aimé jusqu'à la folie une jolie femme dont il n'avait été que l'instrument. Or Mme de Chevreuse, que le Roi haïssait cependant, s'en tirait avec un ordre d'exil sur les terres de son mari et sous la garde de celui-ci. Comme elle l'avait toujours mené à sa guise, il n'était pas difficile de deviner que les contraintes ne seraient pas lourdes...

— Le Roi a voulu faire un exemple ! avait conclu Philippe de Cospéan. Il faut seulement espérer que ce sera le seul.

En dépit de sa fatigue, Mme de Vendôme tint, le soir même à s'entretenir en privé avec son écuyer. Elle écouta avec attention le récit du drame de La Ferrière et de ce qui s'en était suivi.

— Vous avez couru de bien grands risques, mon ami, lui dit-elle quand ce fut fini. Je vous en remercie mais... je suppose que, du fond de votre lit, vous avez eu le temps de réfléchir à cette triste histoire. J'ai peine à croire que l'on ait pu vouloir la mort de cette famille si honorable. La vengeance est patente pour ce qui concerne le bourreau de Mme de Valaines, mais pourquoi tuer les enfants ?

— Pour qu'il n'y ait plus d'héritiers, madame. Je suppose que quelqu'un devait convoiter le château et les biens. Peut-être ce La Ferrière qui fut un des meurtriers et dont le nom est si curieusement semblable.

— Mais il y a une héritière, puisque mon fils a sauvé la petite Sylvie et vous les chartes du château. Et si ces gens n'ont pas trouvé les fameuses lettres...

— Cela nous n'en savons rien, madame la duchesse. En revanche, il est certain que la petite Sylvie courrait un vrai danger si l'un ou l'autre des assassins apprenait qu'elle est toujours vivante. Il faudrait la cacher.

La duchesse releva un sourcil interrogateur :

— Vous pensez à quoi ? À un couvent ? Dieu sait que je vénère les saintes filles qu'ils abritent, mais on ne sait jamais qui se cache sous l'habit de moniale et, surtout, qui est parente de qui. Cela peut être très dangereux.

— Inscrivez-la sous un faux nom ?

— Cela ne me tente guère. Certes, il semblerait que sa place y soit tout indiquée : elle est loin d'être aussi jolie que sa mère. Toutefois, elle est attachante, mignonne... et si petite. Il faut que je réfléchisse plus tranquillement à ce problème. Mais, à propos des lettres que cherchaient ces gens, n'est-il pas possible qu'elles aient été en possession du baron de Valaines et que sa femme l'ait ignoré ?

— Vous pensez qu'il aurait pu aller fouiller lui aussi chez la Galigaï après le passage de sa fiancée ? Chiara était jeune et sans doute un peu effrayée par le fatras de sorcière qui encombrait l'appartement de Leonora. Valaines, beaucoup plus calme et réfléchi, aurait mis la main dessus et, comprenant leur importance, il les aurait tout simplement gardées par-devers lui. Qu'en pensez-vous ?

— Qu'il aurait acquis là une bonne sûreté contre la versatilité et l'ingratitude de la reine Marie ! Il ne lui restait plus, ensuite, qu'à presser son mariage.

— Tout cela est possible, en effet... En attendant, puis-je demander si nous ferons halte à Anet en retournant vers Paris ?

— Oui, pourquoi ?

— Avec votre permission, madame la duchesse, j'aimerais retourner à La Ferrière afin d'y visiter de nouveau la librairie.

— Vous ferez comme bon vous semblera.

En quittant Poitiers, le lendemain matin, personne ne comprit pourquoi il était si difficile de faire tenir Sylvie tranquille. La petite fille, la moitié du corps passée par les ouvertures du carrosse [1], s'efforçait d'apercevoir aussi longtemps que possible la tour de Poitiers son ennemie, une ennemie qu'elle espérait vaincre un jour ou l'autre. Ce fut seulement quand tout eut disparu derrière l'épaulement d'une colline qu'elle se laissa retomber sur les coussins avec un soupir de satisfaction. Comme Élisabeth tentait d'obtenir une explication, elle lui sourit, ferma les yeux et, roulée en boule comme un petit chat, elle s'endormit le plus naturellement du monde.

Arrivé à Anet, Perceval de Raguenel se donna tout juste le temps de se rafraîchir un peu, chercha les clefs de La Ferrière, choisit un cheval frais, siffla Corentin sur le mode qu'ils avaient établi entre eux depuis longtemps — un long, un court, un long — et prit le chemin du petit château. On était au milieu de l'après-midi et il pensait avoir tout son temps pour explorer la bibliothèque, quitte à y passer la nuit.

Alors qu'ils s'attendaient à rompre le silence et

1. À l'époque, les voitures n'étaient pas vitrées. On utilisait des rideaux de cuir plus ou moins ornés.

la solitude qui suivent les grands drames, les deux hommes trouvèrent La Ferrière portes ouvertes et en pleine activité : de toute évidence, on faisait le ménage, on désherbait la cour, on aérait les literies dont plusieurs exemplaires occupaient les fenêtres.

Étant donné qu'il possédait les clefs, Raguenel s'élançait déjà pour demander des explications à deux hommes pareillement vêtus de gris, le pourpoint largement ouvert sur la chemise et qui se promenaient à pas lents en causant, quand Corentin le retint en saisissant la bride du cheval d'une main ferme : un troisième venait d'apparaître, venant du jardin. Celui-là n'était autre que le garde du Cardinal aperçu dans l'auberge de Limours où il venait payer les frères Mâchefer.

— Quelque chose me dit que vous allez commettre une imprudence, souffla le valet.

— Il faut pourtant que je sache, gronda Perceval qui avait pâli.

— On va essayer de se renseigner, mais faisons le moins de bruit possible. Mieux vaut ne pas attirer l'attention !

Ils tournèrent la tête de leurs chevaux vers le hameau mais ne firent guère plus de cinq pas dans cette direction : le vieil homme qui les avait déjà renseignés une fois était là, derrière le même arbre. Il devait avoir une bonne mémoire car il n'essaya pas de s'enfuir mais, au contraire, vint à la rencontre des cavaliers.

— Vous êtes encore là ? fit Raguenel. Ce n'est tout de même pas votre habitation ?

— Non, mais c'est un bon endroit pour voir des choses...

— Alors, vous allez peut-être pouvoir me renseigner : qui sont ces gens dans le château ?

— Le nouveau maître et des amis à lui...

— Comment cela, le nouveau maître ? Qui lui a permis d'entrer ?

— Notre sire le Roi, il paraît. C'est un M. de La Ferrière. Il a dit que le domaine appartenait jadis à ses ancêtres. Alors, maintenant qu'il n'y a plus personne, le Roi le lui a donné. Paraît qu'il est un peu cousin des malheureux qui ont été tués... et puis, il aurait à ce qu'il a dit rendu un très grand service à M. le Cardinal. Et comme M. le Cardinal et le Roi c'est tout un...

Perceval n'en demanda pas davantage. Il avait compris :

— Viens, Corentin ! On rentre. Merci à toi, l'ami ! ajouta-t-il en lançant une pièce d'argent.

— Mais enfin, ça veut dire quoi, tout ça ? demanda Corentin quand ils furent de nouveau dans la forêt.

— Oh ! c'est simple ! Cela veut dire que le massacre n'a pas été inutile, que l'on a trouvé les lettres et que le Cardinal n'est pas un ingrat.

Ce fut ce qu'il répéta à Mme de Vendôme dès son retour à Anet. La duchesse fit la grimace :

— Ainsi, Richelieu installe un de ses hommes à notre porte ? Je n'aime pas du tout cette idée. Elle pourrait signifier son désir d'empiéter peu à peu sur la principauté.

— Il faudra y veiller, mais ce qui m'inquiète le

plus c'est Sylvie. Qu'adviendra-t-il d'elle si ce La Ferrière apprend qu'il existe encore une Valaines ?

— J'y ai pensé. Le mieux est de changer son nom. Nous avons en Vendômois trois fiefs sans titulaire et mon époux ne verra certainement pas d'inconvénient, lorsqu'il nous sera rendu, à ce qu'on lui en donne un. Notre chancelier, à qui j'en parlerai, se chargera des écritures nécessaires.

— Et quel nom porterait Sylvie ?

— Nous allons choisir ensemble, puisqu'il y en a trois. Nous avons d'abord Cornevache...

— Oh ! madame la duchesse ! Vous n'y pensez pas ?

— Pas vraiment, fit Mme de Vendôme avec un sourire. Nous avons aussi Puits-Fondu et enfin L'Isle qui se trouve à Saint-Firmin.

— Je crois que je préfère le troisième.

— Moi aussi.

C'est ainsi que la petite fille aux pieds nus, rendue orpheline et dépouillée de tout par la barbarie des hommes, retrouva un château, des terres et un nouveau nom que l'on allait lui apprendre patiemment, jour après jour. Et c'est en tant que Mlle de L'Isle qu'elle fut élevée auprès d'Élisabeth dans les demeures des Vendôme. Le temps effaça les souvenirs de la petite enfance ou tout au moins réussit à les enfouir dans les plus secrètes profondeurs de sa mémoire.

Le duc César fut rendu à sa famille quatre ans plus tard, le 29 décembre 1630. Au mois de mars suivant, il quittait la France avec ses deux fils pour aller servir la Hollande. On lui avait redonné le titre de gouverneur de Bretagne, mais sans lui en accorder la fonction. Cette soudaine générosité du pouvoir, il la devait à la tragi-comédie qui s'était jouée le 10 novembre précédent et qui allait porter dans l'histoire le nom de journée des Dupes. Ce jour-là, Marie de Médicis, lancée dans une fureur homérique, chassa Richelieu de chez elle en présence du Roi et exigea qu'on le renvoie à son évêché de Luçon. Or, non seulement le Cardinal ne fut pas destitué mais, lorsqu'il quitta le lendemain le pavillon de chasse de Versailles où il avait rejoint le Roi pour un entretien secret, il était plus puissant que jamais et put tirer de ses ennemis une éclatante vengeance.

Ceux qui avaient soutenu la reine mère durant la journée des Dupes furent arrêtés, y compris le chancelier de Marillac et le maréchal son frère qui porta sa tête au bourreau. Y compris aussi l'aimable Bassompierre qui n'avait commis d'autre faute que de recevoir de Marie de Médicis une lettre compromettante. Mais c'était un sage : enfermé à la Bastille avec tout de même quelques égards, il entreprit d'y écrire ses mémoires. La reine mère elle-même fut exilée à Compiègne d'où, craignant pour sa vie, elle s'enfuit vers la Hollande. Tous événements qui donnèrent fort à penser à Perceval de Raguenel. Il fut, dès lors, évident pour lui qu'au moins l'un des assassins — sans doute le chef — avait bel et bien trouvé ce qu'il cherchait et que les fameuses lettres parvenues au Cardinal l'avaient puissamment aidé au moment de son combat sans merci avec la reine mère. Les avait-il remises au Roi ? C'était là un secret qui trouverait peut-être sa réponse quand celui-ci permettrait à sa mère de revenir à la Cour [1].

Le Grand Prieur Alexandre fut moins heureux que son frère. Après deux années de détention, il mourut au donjon de Vincennes, le 8 février 1629, d'une maladie dont certains pensèrent que le poison pouvait y être pour quelque chose. Peut-être parce qu'il occupait la chambre où était mort le maréchal d'Ornano, chambre dont Mme de Rambouillet disait qu'elle valait « son pesant d'arsenic »... Mme de Vendôme veilla à ce que le corps embaumé de son beau-frère fût inhumé dans la collégiale Saint-Georges desservant le château de Vendôme, avec tous les honneurs dus à son rang.

Ainsi s'étendit au fil des années le pouvoir du cardinal de Richelieu, soutenu par un roi conscient de sa valeur. La lourde main du ministre s'abattait sans pitié sur les plus grands dont les rébellions, les conspirations entraînaient souvent des provinces, quand ils ne pactisaient pas avec l'ennemi. Deux Montmorency périrent sur l'échafaud : le premier, bretteur impénitent, pour avoir nargué la sévère loi interdisant le duel (il s'était battu en pleine place Royale, en plein midi et devant l'édit affiché), le second, le duc Henri, à cause de l'une de ces éternelles machinations où

1. Elle ne revint jamais.

trempait Gaston d'Orléans, toujours lâche et toujours impuni. Mais l'ouvrage France se faisait. Les protestants étaient vaincus à La Rochelle et le duc de Buckingham, le fol amoureux d'Anne d'Autriche, assassiné par Felton, un huguenot fanatique, ne gênerait plus personne. Restait l'Espagne, l'ennemie acharnée en dépit des liens de famille, assise aux frontières du nord comme à celles du sud, l'Espagne que la reine de France soutenait en secret...

Cependant, François devenait un homme, un guerrier comme le souhaitaient les siens. Depuis longtemps il avait oublié la petite Louise Séguier, morte de la variole au château de Sorel. D'autres visages étaient venus remplacer celui de son premier émoi. Follement brave, follement séduisant, il accumulait faits d'armes et conquêtes féminines, blessures aussi, pour le plus grand chagrin de la petite fille aux pieds nus. Sylvie, en effet, grandissait elle aussi et l'amour qu'elle lui avait porté dès le premier regard grandissait avec elle...

Deuxième partie

LA TEMPÊTE
1637

CHAPITRE 4

LE CHEMIN DU LOUVRE

Depuis le début de l'année, Paris gelait sous un froid polaire. La Seine charriait des glaçons si énormes qu'ils avaient envoyé par le fond plusieurs bateaux chargés de blé et de denrées périssables. De longues stalactites s'accrochaient aux toits des maisons, dangereuses comme des glaives s'il leur prenait fantaisie de se décrocher. La boue hérissait les vieux pavés disjoints de vaguelettes de glace noire douloureuses pour les pieds et périlleuses pour les os. Aussi les passants marchaient-ils comme sur des œufs, l'échine courbe, la tête rentrée dans les épaules pour avoir plus chaud. Seuls, les gamins osaient exécuter de téméraires glissades dans les ruisseaux.

Ferrés à glace, les chevaux de Mme de Vendôme ignoraient les difficultés de la saison et marchaient d'un pas sûr. On venait de franchir la porte Saint-Honoré et l'on suivait, à l'allure sage qu'exigeait le temps, la longue rue du même nom qui, prolongée par la rue de la Ferronnerie, la rue des Lombards et la rue Saint-Antoine, traversait Paris d'ouest en est pour aboutir à la Bastille.

À l'intérieur du carrosse où des chaufferettes à braise entretenaient un peu de chaleur, la duchesse était seule en compagnie de Sylvie comme il arrivait parfois, mais il ne s'agissait pas, ce jour-là, de visites charitables, d'aller saluer monsieur Vincent à Saint-Lazare ou d'un pèlerinage à telle ou telle église : dans quelques instants, Mlle de L'Isle serait admise au nombre des filles d'honneur de la reine Anne d'Autriche : un grand honneur qu'elle ne s'expliquait pas très bien. Elle n'était pas sûre d'en être vraiment satisfaite. Cela voulait dire qu'elle troquait, ce jour-là, l'hôtel de Vendôme, magnifique et presque neuf, contre les tours noires du vieux Louvre et, aux beaux jours, les ravissants châteaux d'Anet ou de Chenonceau contre le palais de Saint-Germain ou Fontainebleau qu'elle ne connaissait pas encore. Un changement d'existence complet.

— La Reine est bonne, lui avait assuré Élisabeth en l'aidant à terminer ses bagages. Elle vous traitera d'autant mieux que c'est elle, vous le savez, qui vous réclame depuis que, chez nous, vous l'avez charmée en chantant accompagnée de la guitare. Et aussi parce que vous parlez l'espagnol. C'est une grande faveur et vous ne serez pas perdue : ma mère et moi y allons fréquemment. Quant à mes frères, ils y sont assez assidus...

C'était cela, la grande affaire : elle verrait peut-être François plus souvent. Ces dernières années, il se faisait rare, sauf quand il lui fallait soigner quelque blessure devant laquelle le cœur de Sylvie chavirait. Pourtant, elle était contente qu'il soit là.

En effet, après la sortie de prison de son père, il y avait eu ces deux années passées aux Pays-Bas pour y apprendre les armes : deux années mortelles ! Et puis, la guerre, la première action d'éclat sous Casale, dans le Piémont, où le jeune Vendôme s'était fait remarquer en chargeant l'ennemi à cheval et l'épée haute, seulement vêtu de ses chausses, de ses bottes et d'une chemise blanche largement ouverte, ses longs cheveux blonds toujours aussi raides flottant au vent de la course. Depuis, on ne comptait plus ses exploits ni, hélas, ses maîtresses, car il plaisait, et beaucoup plus que ne l'eût souhaité la petite fille à laquelle il prêtait de moins en moins d'attention...

— Il a l'air d'un prince viking, disait en riant M. de Raguenel. Il en a la stature et la réjouissante inculture ! Mais quel magnifique garçon !

C'est vrai qu'il était beau, ce François à qui son père avait conféré quatre ans plus tôt, à son retour d'un périple en Italie, le titre de duc de Beaufort porté jadis par la belle Gabrielle sa grand-mère. Plus de six pieds de haut, des épaules de lutteur, un corps qui aurait pu servir de modèle à une statue grecque recouvert d'une peau tannée par le soleil et les intempéries, au point de ne retrouver un peu de blancheur que lorsque son propriétaire était retenu dans son lit ou sur une chaise longue, un visage rieur portant comme un trophée le célèbre nez des Bourbons mais éclairé par des yeux d'un bleu transparent, de cette teinte particulière aux glaciers de haute montagne, et par des dents de carnassier blanches à faire frémir.

Résultat, la plupart des femmes en raffolaient et l'on chuchotait que la Reine, elle-même, le voyait avec plaisir. Sans compter les nombreuses fiancées qu'on lui prêtait. Bien entendu, il n'avait à aucun moment été question de partir pour Malte, ce que sa petite amoureuse n'était pas loin de regretter : au moins, avec les moines soldats et marins, il ne pouvait être question de mariage.

Car c'était cela qu'elle redoutait le plus ! Que François — elle l'appelait monseigneur à présent — se marie, et il serait à jamais perdu pour elle qui était de trop petite noblesse pour oser prétendre être digne de lui. Il était déjà bien beau que Mme de Vendôme et sa fille se soient prises d'assez d'affection pour ne l'avoir pas placée dans un couvent afin qu'elle s'y instruise. Cela tenait surtout au superbe dédain que les Vendôme en général vouaient aux études. Ils avaient pour principe qu'un homme du monde en savait toujours assez. Le latin, les armes, les Saintes Écritures, l'art de se bien tenir à la Cour qui comprenait la musique, la danse et, bien entendu, l'équitation, voilà ce qui convenait. On avait jugé inutile de farcir la cervelle des jeunes Vendôme d'histoire, de géographie, de mathématiques, de philosophie et autres fariboles. Et si Mlle de L'Isle en apprit plus que ses compagnons, elle le dut à celui qui était devenu son parrain et son tuteur. Fort cultivé lui-même, Perceval de Raguenel l'initia aux belles-lettres, lui apprit l'espagnol et l'italien, et, découvrant qu'elle avait une très jolie voix, douce et pure comme un cristal, l'art du chant, du luth et de la guitare. Et comme, au surplus, elle eut droit aux mêmes maîtres qu'Élisabeth, elle était à quinze ans une petite personne accomplie, dansant à ravir, sachant coudre, broder et tenir une maison qui n'aurait jamais la moindre chance d'être princière. En outre, elle était charmante. Pas très grande mais joliment tournée, plus gracieuse que belle. Vive et piquante aussi, elle avait un visage en forme de cœur qui restait enfantin comme le petit nez retroussé toujours prêt à se froncer dans le rire, ses taches de rousseur, ses joues rondes, ses dents blanches qu'un sourire malicieux découvrait souvent. Ses plus grandes beautés étaient ses yeux noisette claire, taillés en amande, et sa chevelure couleur de châtaigne à reflets blonds presque blancs. Coiffée à la dernière mode, celle-ci formait de chaque côté de la figure une épaisse grappe de boucles brillantes retenue par un ruban de soie, le reste se relevant en chignon au-dessus de la nuque. Ce jour-là, les rubans étaient de satin blanc et le reste de la tenue fort élégant.

Jeannette, qui était devenue sa femme de chambre et qui, de ce fait, allait la suivre dans ses nouvelles fonctions, l'avait revêtue d'une robe de velours vert foncé avec un grand collet et de hautes manchettes en guipure de Venise d'une éclatante blancheur, sous laquelle Sylvie portait de petites bottes fourrées. Des gants, une chaîne d'or et un ample manteau à capuchon doublé et ourlé de martre complétaient cette toilette car, même si, au contraire de son époux, Mme de Vendôme était plutôt économe, elle avait tenu à ce que sa protégée fît bonne figure dans une Cour célèbre pour son élégance. Aussi l'avait-elle pourvue d'un trousseau assez complet pour qu'elle parût à son avantage en toutes circonstances, même à la chasse. Elle lui avait donné un exemplaire de la *Vie des Saints* et l'un de ces gros missels apparus au début du siècle et que toute bonne chrétienne se devait de posséder. À condition, évidemment, de savoir lire.

Pour l'heure présente, assise dans le carrosse en face de la duchesse qui marmottait des prières, Sylvie regardait défiler les maisons grises, le ciel gris, les gens gris, et le cœur lui battait un peu en se demandant ce qui l'attendait au bout du chemin.

Soudain, le lourd véhicule s'arrêta et le cocher vint à la portière, chapeau bas :

— Par où passons-nous, madame la duchesse ? La rue d'Autriche est bouchée par une charrette de choux renversée...

— Eh ! je le vois bien, fit celle-ci que la récitation du rosaire n'empêchait pas de s'intéresser à ce qui se passait. Allez par la Croix-du-Trahoir, et voilà tout ! Cela ne nous retardera pas beaucoup.

— C'est que j'y aperçois beaucoup de monde. Nous aurons peut-être du mal à passer ?...

— Quelque exécution, sans doute ! Eh bien, nous attendrons en priant pour l'âme du malheureux qui s'en va par si triste temps !

C'était, en effet, une exécution. Elles étaient assez fréquentes sur cette petite place créée par le croisement de plusieurs rues. On y expédiait le menu fretin indigne des fastes de la place de Grève. Et ce jour-là, comme les occupants du carrosse purent s'en convaincre, on s'apprêtait à rouer un malandrin. En dépit du froid, il y avait foule autour de l'échafaud bas supportant une grande roue sur laquelle le bourreau étendrait son patient pour lui rompre les membres et la poitrine, puis le laisserait agoniser le temps qu'il plairait à Dieu... Mais si le cocher avait espéré pouvoir fendre la foule, il dut y renoncer : le bourreau était déjà à son poste et un tombereau à ordures environné d'archers de la prévôté amenait le condamné.

De l'endroit où le cocher avait réussi à glisser son attelage, presque au coin de la rue des Poulies, ses passagères purent voir d'assez près le funèbre cortège. L'homme, qu'assistait un moine frigorifié, était jeune, vigoureux, seulement vêtu d'une chemise, mais il ne semblait pas avoir peur. Il regardait approcher l'échafaud avec impassibilité et si, parfois, un frisson le secouait, le froid seul en était cause. Surtout, il n'essayait même pas de se détourner pour regarder l'enfant qui courait derrière le tombereau en criant et en pleurant. C'était un petit garçon d'une dizaine d'années pauvrement vêtu et qui semblait parvenu au dernier degré du désespoir. Une femme dit dans la foule :

— Pauvre gamin ! c'est pas de sa faute si son père est un voleur ! Il doit plus avoir personne au monde...

Mais l'enfant venait d'aviser un personnage vêtu de noir, en selle sur un gros cheval, qui surveillait l'événement. Il se précipita vers lui au risque de se faire fouler aux pieds :

— Grâce, monsieur, implora-t-il. Faites-lui grâce ! C'est mon père et je n'ai que lui... Par toutes les douleurs de Notre Seigneur, ayez pitié !

— Un voleur est un voleur. Il doit subir le châtiment qu'il mérite.

— Mais il n'a tué personne... gardez-le en prison mais ne le tuez pas !

— Ça suffit ! Va-t'en ! Tu agaces mon cheval.

Mais le garçon ne s'avouait pas vaincu. À présent, le condamné était debout sur l'échafaud, regardant la foule. On l'entendit crier :

— Tu perds ton temps, Pierrot ! Autant essayer d'apitoyer les murs du Châtelet. Va-t'en, mon fils ! C'est pas un spectacle pour toi !

Le petit cependant insistait, cramponné à l'étrier de l'homme en noir. Alors, levant sa cravache, celui-ci l'en frappa par deux fois, si cruellement que le malheureux roula dans la boue. Non content de cela, l'homme tournait son cheval dans l'intention évidente de passer sur le corps étendu. Ce fut plus que Sylvie n'en pouvait supporter. Ouvrir la portière, sauter à terre et se dresser devant le misérable ne lui demanda qu'un instant :

— Reculez ! cria-t-elle. Ce n'est qu'un enfant et vous voulez le tuer. Quelle sorte de monstre êtes-vous ?

Sans se soucier du dommage qu'elle causait à sa toilette, Sylvie s'accroupit pour relever le petit garçon tout en dardant sur l'homme un regard d'indignation. Le visage qu'elle découvrit sous le feutre à plumes noires lui sembla convenir tout à fait au personnage : large et épais avec un grand nez, une moustache et une barbiche grises et peu fournies. Les yeux surtout étaient effrayants : immobiles, d'un gris jaunâtre, aussi froids que ceux d'un serpent, soulignés de poches, ils ne cillaient pas plus que s'ils étaient de pierre.

— Tire-toi de là, la fille ! grinça-t-il, si tu ne veux pas recevoir le même traitement et si...

Un cri d'indignation lui coupa la parole. Mme de Vendôme et son cocher entraient en scène. Tandis que le second portait secours à Sylvie et à son protégé, la première apostrophait le vilain personnage, déjà soutenue par la foule qui apprécie toujours les beaux gestes :

— Je ne sais pas qui vous êtes, monsieur, mais vous n'êtes pas gentilhomme, cela se voit. On ne s'adresse pas ainsi à une noble dame. Mlle de L'Isle est fille d'honneur de Sa Majesté la Reine et moi, je suis la duchesse de Vendôme.

Cette fois, l'homme se découvrit, mais sans mettre pied à terre.

— Je suis le nouveau Lieutenant civil de Paris, madame la duchesse. Isaac de Laffemas pour vous servir... et vous donner un respectueux conseil : enlevez de là cette jeune fille ! Poursuivez votre chemin et laissez-moi faire mon office. Quant à ce garçon...

Sans doute celui-ci n'avait-il pas trop de mal car il se relevait, non sans poser, au passage, un baiser rapide sur le gant de Sylvie. Puis, vif comme une anguille, il se glissa dans la foule qui se referma sur lui, protectrice. Cependant, Mme de Vendôme et Sylvie remontaient en voiture, suivies par le regard immobile du Lieutenant civil qui fit faire place pour que le carrosse pût reprendre son chemin. C'est seulement une fois assise que Sylvie s'aperçut qu'on lui avait volé sa bourse. Elle en eut l'air si déconfit que la duchesse éclata de rire :

— Voilà ce que c'est, dit-elle, que d'exercer la charité sans discernement. Ce jeune bandit s'est trouvé de quoi survivre et nous voilà toutes deux crottées comme des ribaudes ! La belle entrée que nous allons faire chez la Reine !

Sylvie leva sur elle de grands yeux qui retrouvaient peu à peu leur gaieté, puis haussa les épaules en essayant de réparer avec son mouchoir le plus gros des dégâts subis par ses vêtements.

— Pardonnez-moi, madame, mais je ne regrette rien. Si les quelques pièces qu'il m'a prises peuvent aider ce petit à subsister, j'en remercierai Dieu !

— Ma parole, vous parlez comme monsieur Vincent lui-même s'il se trouvait en pareille circonstance, fit-elle en lui tapotant la joue. Je suis contente de vous : au milieu des tentations de la Cour vous saurez garder votre honneur et votre dignité. Et souvenez-vous bien : vous n'aurez là qu'une seule maîtresse : la Reine. À elle seule vous devez obéissance aveugle. Vous m'avez bien comprise ? Aveugle !

— Soyez assurée, madame la duchesse, que je n'oublierai pas.

Le détour n'avait pas beaucoup retardé les deux femmes. On longeait maintenant la rue des Fossés-Saint-Germain et, par-dessus les toits et tourelles de l'hôtel d'Alençon, on apercevait déjà les grandes tours du château royal. Mme de Vendôme se pencha pour poser une main rassurante sur celles de Sylvie.

— Courage, mon enfant, nous arrivons ! Vous verrez que les logis sont moins funèbres que les bâtiments d'entrée ne le laissent supposer. Quant elle est arrivée à Paris, peu après son mariage avec le roi Henri IV, la reine Marie — que Dieu veuille prendre en pitié dans le dénuement où son fils la laisse à Cologne ! — a rénové les appartements et y a porté beaucoup du faste florentin où elle était habituée...

La mise au point était la bienvenue. En effet, les abords étaient ceux d'une forteresse plutôt que d'un palais : les bâtiments enduits d'une crasse noirâtre, les tours massives, les fossés emplis d'une gelée bourbeuse, ce qui en neutralisait un peu l'odeur, le pont-levis et la première enceinte extérieure crénelée et jalonnée de tourelles n'avaient rien d'accueillant. Entre cette muraille et les fossés se trouvaient les deux jeux de paume à laquelle, de tout temps, les rois et leurs entours avaient aimé se livrer.

L'accès du Louvre étant libre pourvu que l'on fût convenablement vêtu et que l'on n'arborât pas une mine trop patibulaire, il y avait foule, un flot incessant qui franchissait le pont-levis dans les deux sens. En principe, seule la famille royale pouvait pénétrer dans la cour en carrosse et les princes de sang à cheval mais, quand le temps était mauvais, les princesses étaient autorisées à franchir en voiture le long passage noir et voûté donnant accès à la vaste cour. Ainsi du carrosse de Mme de Vendôme, princesse du sang de la main gauche mais princesse du sang tout de même.

— Mon Dieu, madame ! Y a-t-il toujours autant de monde ? s'écria Sylvie un peu effrayée en constatant que leur voiture voguait sur un flot humain.

— Toujours ! Même quand le Roi est absent comme aujourd'hui...

En effet, les gardes-françaises en habits bleus à parements rouges avaient fort à faire pour contenir un monde coloré et hétéroclite composé surtout d'hommes sur la tête desquels moutonnaient, en couleurs variées, des plumails qui avaient dû nécessiter la collaboration d'un troupeau d'autruches. On voyait là des élégants couverts de soie et de rubans, des financiers arborant de riches pelisses, des nouvellistes en quête de potins, des provinciaux venus dans l'espoir d'apercevoir le descendant de Saint Louis, des étrangers aussi et bien entendu des courtisans qui à défaut du Roi pouvaient se rabattre sur la Reine. Les gardes s'efforçaient d'en faire refluer la plupart vers la porte de Bourbon où les archers de la prévôté en hoqueton bleu chargés des portes refoulaient sans ménagements des visiteurs moins huppés. Les autres se voyaient confiés aux suisses puis, aux portes royales, aux gardes du corps.

La nouvelle venue fut surprise de constater qu'en fait, le gros appareil féodal du palais habillait surtout la façade d'entrée. En face et le long de la Seine, des bâtiments plus modernes avaient été construits par les rois Henri II, Charles IX, Henri III et Henri IV. Quant à l'aile nord, où l'on avait abattu la tour de la Librairie et celle de la Grande-Vis, elle n'était plus qu'un vaste chantier que la température mettait momentanément en sommeil. L'architecte Lemercier, qui venait d'achever le Palais-Cardinal[1], où logeait Richelieu, et d'entreprendre la construction de l'église de la Sorbonne en était chargé.

Évitant le Grand-Degré ou escalier Henri II menant à la Grande Salle et aux appartements du Roi, le carrosse de la duchesse choisit l'accès au Petit-Degré par où l'on montait chez la Reine. Au moment de descendre, Sylvie osa poser sa main sur celle de la duchesse :

— Pardonnez-moi, madame, mais je voudrais savoir...

— Et quoi donc ?...

— Je... j'ai un peu peur ! Je ne me sens pas digne d'un si grand honneur, n'étant ni très belle, ni très noble, ni très brillante, ni...

— Vous choisissez bien mal votre moment pour vous faire répéter ce qu'on vous a déjà dit. La

1. Aujourd'hui le Palais-Royal.

Reine vous veut à cause de votre voix et de votre facilité à parler l'espagnol. C'est trop faire la modeste : vous n'êtes ni laide, ni sotte et votre noblesse est bien suffisante ! Allons !

Elle n'ajouta pas que l'idée de voir Sylvie pourvue d'un brevet de fille d'honneur souriait beaucoup à son époux. Exilé dans ses terres depuis son retour de Hollande, donc interdit de séjour non seulement à la Cour mais aussi à Paris, le duc César souhaitait avoir une oreille innocente dans l'entourage de la Reine. Certes, ses fils, surtout Beaufort, étaient reçus avec faveur, mais ils n'apprendraient jamais rien de ces petits secrets d'une intimité royale si utiles à savoir quand on est mal vu. Non pour s'en servir contre Anne d'Autriche mais, gardant à la « Robe rouge » une haine farouche, César pensait qu'il était parfois possible de faire de grandes choses avec des petits détails apparemment sans importance.

En dépit de ce réconfort de dernière minute, le cœur de Sylvie lui battait fort en montant le bel escalier et en gagnant l'antichambre où veillaient des gardes armés de pertuisanes. Là, les deux femmes trouvèrent le portemanteau de la Reine, Pierre de La Porte, qui était aussi l'un de ses très rares confidents. C'était un homme jeune — trente-quatre ou trente-cinq ans peut-être —, un Normand solide pourvu d'une figure avenante animée par des yeux bleu faïence. Il sourit au jeune visage inquiet qui se levait vers lui, mais, en saluant la duchesse avec un grand respect, il ne put faire autrement que remarquer la boue qui maculait le bas de leurs habits :

— Aurait-on refusé l'entrée de la cour Carrée à votre carrosse, madame la duchesse ?

— Nullement, nullement, mais nous avons eu des aventures dont je garde la primeur pour l'oreille de Sa Majesté. Veuillez nous annoncer, monsieur de La Porte. Nous sommes déjà en retard.

Dans son grand cabinet réchauffé par un feu et les tapisseries tissées de soie et d'or qui en habillaient les murs, Anne d'Autriche se tenait au milieu de ses femmes : Mme de Senecey, première dame d'honneur, Mlle de Hautefort, dame d'atour que, de ce fait, on appelait « madame », l'épouse de son capitaine des gardes, Mme de Guitaut, Mlle de Pons, Mlle de Chémerault, Mlle de Chavigny, Mlle de La Fayette qui étaient de ses filles d'honneur et une visiteuse, la princesse de Guéménée, l'une des pires bavardes de Paris. À cet instant, Mlle de La Fayette lisait à haute voix dans un gros livre relié en rouge, mais il était évident que personne ne l'écoutait et que la Reine rêvait. Dans un coin, vêtue de noir dans le style des duègnes espagnoles, la vieille femme de chambre de la Reine, doña Estefania de Villaguiran, que l'on appelait Stéfanille, brodait sans lever de son ouvrage son long nez chaussé de besicles. C'était la plus âgée des suivantes, la seule rescapée du grand coup de balai donné par Louis XIII quand il avait réexpédié à son beau-père la suite espagnole de sa femme qu'il considérait, à juste titre, comme autant d'espions. Mais Stéfanille avait élevé l'Infante. Elle restait près de la Reine.

L'entrée tumultueuse de la duchesse et de Sylvie arrêta la lecture et amena un sourire sur le visage soucieux de la souveraine. Non sans raison : la guerre faisait toujours rage entre la France et l'Espagne, son cher pays. L'année précédente, tout le nord de la première avait été envahi et les troupes du Cardinal-Infant, frère d'Anne, s'étaient avancées jusqu'à Compiègne. Paris n'avait échappé que par un extraordinaire sursaut national qui avait lancé sa population mâle à la chasse aux Espagnols. Le danger était passé à présent mais on avait eu chaud. Tout le monde... sauf la reine de France qui ne souhaitait rien tant que la victoire de sa famille et s'efforçait de lui apporter toute l'aide possible par le truchement d'une correspondance secrète passant par la duchesse de Chevreuse, sa vieille amie, toujours exilée en Touraine, et par certains de ses « admirateurs ». À l'heure où Sylvie entrait chez elle, Anne commençait à sentir les effets de la peur : son mari ne l'aimait plus et se méfiait d'elle ; quant à Richelieu, il la détestait pour deux raisons : d'abord parce qu'il sentait en elle une ennemie de cette France qu'il voulait si grande et ensuite pour l'avoir peut-être trop aimée quelques années auparavant. Et peut-être encore maintenant...

Il est vrai qu'à trente-cinq ans Anne d'Autriche demeurait très belle et surtout lumineuse. Blonde aux yeux verts, à la chair pulpeuse, elle n'avait rien d'une Espagnole selon la tradition. Sa peau satinée, son teint éclatant étaient de ceux qui ne prennent pas les ombres. Sa bouche ressemblait à une cerise, petite et ronde, avec un léger débordement de la lèvre inférieure dénonçant le sang Habsbourg. Sans être grande, elle savait être majestueuse. Quant à son corps, ses bras et surtout ses mains, ils étaient la perfection même. Une très jolie femme qui, mariée depuis vingt ans, n'avait offert à son époux que des fausses couches...

Sylvie l'avait déjà vue, pourtant elle fut éblouie et pensa, tout de suite, qu'elle allait l'aimer. Peut-être à cause de cette voix douce qu'elle avait et du rire léger, un peu moqueur mais sans méchanceté, dont elle salua la révérence des deux arrivantes :

— Voici donc la jeune fille ! s'écria-t-elle. Mais où donc l'avez-vous emmenée, duchesse ? Patauger aux berges de la Seine pour secourir les miséreux ?

— C'est presque cela, ma sœur. En venant ici, nous avons dû passer, la rue d'Autriche étant impraticable, par la Croix-du-Trahoir où se faisait une exécution. L'homme que l'on allait rouer avait un fils, un enfant de dix ans qui pleurait et suppliait le Lieutenant civil de lui faire grâce. Celui-ci l'a traité fort brutalement et allait le laisser fouler aux pieds de son cheval quand Mlle de L'Isle s'est jetée à son secours et a reproché à ce vilain personnage sa cruauté. Voyant qu'elle risquait d'être maltraitée elle aussi, je m'en suis mêlée Votre Majesté en voit ici le piteux résultat.

— Et cet enfant ? demanda Mlle de La Fayette, une jolie brune aux yeux doux qui sourit à Sylvie, qu'est-il advenu de lui ?

— Il a fait la seule chose intelligente qu'il pouvait faire : il s'est glissé dans la foule, mais sans oublier d'emporter la bourse de sa bienfaitrice.

Le rire de la Reine résonna de nouveau, avec une gaieté un peu perdue depuis quelque temps :

— Voilà une charité bien mal payée, mais nous verrons à réparer ce petit dommage causé à l'une de nos filles puisque, désormais, vous êtes nôtre, Mlle de L'Isle, et vous m'en voyez fort heureuse : j'aime que l'on écoute avant tout son cœur. Vous me servirez bien, n'est-ce pas ?

Sylvie plongea de nouveau dans la révérence :

— Je suis tout entière au service de Votre Majesté, murmura-t-elle en rougissant, d'un ton de sincérité qui fit sourire la Reine.

— Voilà qui est agréable à entendre dit celle-ci en lui offrant sa main sur laquelle la jeune fille posa un baiser un peu tremblant. Vous nous montrerez demain comment vous touchez de la guitare. En attendant, vous serez menée tout à l'heure à l'appartement des filles d'honneur où votre place est préparée. Mais, ajouta-t-elle en se tournant vers Mme de Vendôme, parlez-moi un peu, ma chère Françoise, de ce nouveau Lieutenant civil !

— C'est que je n'en sais rien, Madame. Je le voyais pour la première fois...

— Moi je peux en parler, dit Mme de Senecey, mais il est étonnant que Votre Majesté n'ait jamais entendu prononcer le nom du sieur de Laffemas, l'une des pires créatures du Cardinal. Il est aussi laid que cruel.

— Là ! là ! ma chère Senecey, un peu de charité ! Même Son Éminence y a droit, dit la Reine avec un coup d'œil en direction du groupe des filles d'honneur auquel Sylvie venait de se joindre, conduite par Mlle de La Fayette qui faisait les présentations. L'une d'elles, Mlle de Chémerault, y avait été intégrée à la demande du Cardinal. Autant dire qu'elle avait été imposée.

— Je n'en dis pas de mal, Madame. Il est bien évident qu'un ministre doit être servi, mais il y a tout de même serviteurs et serviteurs. Savez-vous qu'on a surnommé celui-là le Bourreau du Cardinal ?

Le nom fit son effet : un frisson passa sur toutes ces femmes à l'évocation de l'homme rouge que l'on voyait un peu trop souvent ces temps-ci au bord des échafauds, croisant sur sa poitrine ses bras aux muscles épais. Même les plus courageuses — et la Reine était de celles-là — sentirent leur gorge se serrer.

— Mon Dieu, mais quelle horreur ! s'exclama Anne d'Autriche. D'où sort donc ce personnage ?

— D'une bonne famille du Dauphiné, Madame. Des huguenots anoblis par le feu roi Henri. Le père, qui fut son premier valet de chambre, n'était pas sans valeur. Il s'intéressait à l'économie du royaume. Il a favorisé le développement d'industries de luxe comme le cuir, les tapisseries et surtout la soie. Grâce à lui, on a planté des quantités de mûriers.

— Tout cela est champêtre en diable ! s'écria

Mme de Guéménée. Comment le fils en est-il venu à se faire pourvoyeur de gibets ?

— Le goût du sang, peut-être. C'est un robin qui se veut incorruptible et froid comme la mort : ces belles qualités ont dû séduire le Cardinal...

— Mais comment savez-vous tout cela, ma bonne ? demanda la Reine. Vous ne fréquentez tout de même pas cette sorte de gens ?

Mme de Senecey détourna la tête, soudain gênée :

— Un mien cousin a eu maille à partir avec lui... pas pour son bien, le malheureux. Il faut dire que ce Laffemas fut intendant de Champagne, de Picardie et des Trois-Évêchés [1]. Et, vous ne l'ignorez pas, mesdames, les révoltes sont fréquentes chez les paysans accablés d'impôts. Les répressions menées par cet homme sont impitoyables. Pires peut-être que celles de son collègue Laubardemont, l'intendant du Poitou qui, voici trois ans, fit périr le curé de Loudun, Urbain Grandier. Et maintenant, ce monstre, couvert par la robe rouge du Cardinal, tient Paris sous sa griffe... Que le Ciel lui vienne en aide ! ajouta la dame d'honneur en se signant précipitamment.

Tout à coup, l'atmosphère était devenue irrespirable. La Reine allait peut-être demander à Sylvie de donner un échantillon de son talent quand, peu après que la cloche de la Samaritaine, relayée par celle de Saint-Germain-l'Auxerrois, eut sonné quatre heures, un grand bruit de cavalcade,

1. Metz, Toul et Verdun.

d'ordres lancés et de claquements de hallebardes emplit le palais. Presque aussitôt, La Porte parut :

— Le Roi, Madame !

— Il rentre de Saint-Germain ? Déjà ?

Apparemment le temps ne pesait guère à la souveraine quand son époux était absent. La Porte haussa les épaules dans un geste d'ignorance :

— Il y paraît, Madame ! La chasse est pénible par ce temps et le Roi peut-être s'ennuyait...

Anne se contenta de sourire mais son regard vert glissa sur Louise de La Fayette dont chacun à la Cour savait qu'elle inspirait à Louis XIII un très grand amour et que, s'il s'ennuyait à Saint-Germain, c'était sans aucun doute parce que, sa femme ayant refusé de se déplacer par ce temps affreux, il avait été privé trois jours durant de la présence de l'aimée. La jeune fille, d'ailleurs, était devenue écarlate et s'écartait un peu de ses compagnes dont les mines confites ne pouvaient que lui déplaire.

Quelques instants plus tard, le Roi était là, le visage rougi par le froid, apportant dans ses vêtements l'odeur de la neige et du brouillard. La révérence étala en cercle sur les tapis les robes brillantes de toutes les dames. Sauf, bien sûr, celle de la Reine demeurée assise dans son fauteuil.

Il était entré d'un pas vif, précédant ses gentilshommes, vint baiser la main de sa femme et salua les dames à la ronde.

— Je gage, dit-il, que vous étiez toutes occupées de cette pièce que les comédiens du Marais ont donnée avant-hier pour la première fois et qui remporte un franc succès ?

— Pourquoi devrions-nous en être occupées à ce point, Sire ?

— Mais parce que c'est une pièce espagnole, Madame. Écrite par un Normand sans doute mais tout entière de votre pays. M. Corneille la nomme *Le Cid*. Il paraît que c'est admirable.

— Eh bien, fit la Reine mi-figue mi-raisin, on en apprend des choses à Saint-Germain !

— Monsieur le Cardinal dont vous savez la part qu'il prend à tout ce qui touche l'art théâtral m'a envoyé un courrier à ce sujet, ajoutant à ses louanges que vous auriez sans doute le plus grand plaisir à voir ce spectacle. Aussi comptais-je demander dans un jour proche au sieur Mondory de venir nous donner ici la comédie... Ah ! madame de Vendôme, je ne vous avais pas vue !

— Je reconnais bien volontiers, Sire, que je manque d'éclat alors que cette assemblée, elle, n'en manque pas.

— Ne soyez pas trop modeste. J'ai toujours plaisir à vous voir. Je suppose que vous êtes venue intéresser la Reine à l'une de vos charités ?

— Nullement, Sire. Je suis venue lui donner une nouvelle fille d'honneur. Approchez, Sylvie, et venez saluer votre roi : il le permet. J'ai l'honneur, Sire, de vous présenter Mlle de L'Isle. Elle est fort jeune, ainsi que Votre Majesté peut s'en rendre compte, mais elle a été élevée chez moi. C'est assez dire qu'elle est sage et pieuse...

— À merveille, à merveille ! Vous êtes charmante, mademoiselle.

— Le Roi est trop bon, balbutia Sylvie le nez à la hauteur des genoux du monarque, mais il s'éloignait déjà et, non sans surprise, la jeune fille le vit s'approcher de Mlle de La Fayette et l'entraîner dans l'embrasure d'une fenêtre pour lui parler de fort près. Le regard qu'elle leva sur Mme de Vendôme posait une question que ses lèvres n'osèrent formuler. La duchesse fronça le sourcil :

— Ici, mon enfant, vous ne devez rien voir, rien entendre, rien rapporter. Et surtout ne jamais formuler de questions ! murmura-t-elle.

— Dans ce cas, madame la duchesse, il aurait mieux valu la mettre au couvent. Je reconnais que la Cour n'est pas fort gaie ces jours-ci, mais il est possible d'y passer le temps assez agréablement.

Une jeune fille d'une vingtaine d'années, grande, très belle, avec de superbes cheveux blonds, de magnifiques yeux bleus et un teint éclatant, venait de se mêler à la conversation. Mme de Vendôme lui sourit :

— Vous êtes plus âgée que Sylvie, mademoiselle de Hautefort, plus avertie aussi des choses de la vie et de la Cour où vous évoluez comme un poisson dans l'eau. Celle-ci n'a pas encore quinze ans... Tout ce qu'elle souhaite, c'est servir la Reine de son mieux.

— En ce cas nous serons amies. Je la prends sous ma protection et lui apprendrai tout ce qu'il faut connaître. Vous savez mon dévouement à Sa Majesté, ajouta plus gravement Marie de

Hautefort. Puis, baissant la voix jusqu'au murmure : « Venant de chez vous, il m'étonnerait fort qu'elle ait appris son catéchisme chez M. le Cardinal. Et la Reine a besoin de serviteurs sûrs. Quand le Roi se sera retiré, je la conduirai dans l'appartement des filles. Vous savez que nous n'avons pas de surintendante depuis que Mme de Montmorency s'est retirée au couvent et je veille sur ce bataillon turbulent. Cette jeune fille est tout juste celle... »

Sylvie n'entendit pas la fin de la phrase. En effet, la dame d'atour avait tiré la duchesse un peu à l'écart. Elle n'essaya pas de les suivre et en profita pour observer le Roi.

Louis XIII n'était pas beau mais il possédait cet air de majesté naturelle que donne le port de la couronne. Grand et mince, de tournure élégante en dépit du fait qu'il appréciait surtout les habits de chasse et les tenues militaires, il avait un long visage maigre encadré de cheveux noirs descendant jusqu'aux épaules et partagés en deux sur le milieu d'un front intelligent. La bouche charnue s'ornait d'une belle moustache et d'une « royale », cependant que les yeux noirs, le grand nez bourbon composaient une physionomie que le Greco eût aimé peindre. Sa santé était mauvaise, en dépit du fait qu'il passait à cheval une bonne partie de son temps, car il souffrait d'entérite chronique. Timide avec les femmes, il n'en possédait pas moins un caractère indépendant, ne tolérant aucun empiètement sur ses prérogatives royales et, s'il accordait à présent pleine confiance au cardinal de Richelieu, c'est uniquement parce qu'il avait reconnu en lui un homme de gouvernement exceptionnel. Et, comme son ministre, Louis XIII savait se montrer impitoyable...

Cependant, en le regardant se pencher sur Louise de La Fayette pour lui murmurer des mots qui, visiblement, enchantaient la jeune fille, Sylvie pressentit le charme que pouvait dégager cet homme un peu terne au milieu de son entourage de magnifiques seigneurs. Quant à Louise, elle était fine, jolie sans doute, mais rien de comparable avec l'éclat d'une Chémerault — Sylvie devait apprendre bientôt qu'on l'appelait « la Belle Gueuse », ce qui était tout un programme, tandis que l'on surnommait Mlle de Hautefort « l'Aurore », ce qui était amplement mérité...

Tandis que cette dernière la conduisait vers l'appartement des filles d'honneur situé au rez-de-chaussée du palais, Sylvie, avec la franchise ingénue qui la caractérisait et sans plus se soucier des recommandations de Mme de Vendôme, osa remarquer :

— Comment se fait-il que le Roi soit occupé de Mlle de La Fayette alors qu'il y a tant de belles dames autour de lui ?

— C'est tout simple, ma chère : il l'aime et, surtout, elle l'aime. C'est une aventure qu'il n'a pas connue souvent...

— Mais enfin, la Reine ?

— Ils se sont aimés un temps, quand leur mariage est devenu réel, il y a une vingtaine d'années. Depuis, ils ont aimé ailleurs, l'un et l'autre, mais, ne vous y trompez pas, Louise de La Fayette n'est pas la maîtresse du Roi. Pas plus que je ne l'ai été...

— Il vous a aimée, vous aussi ? Voilà qui est moins étonnant. Vous êtes si belle !

Un compliment sincère fait toujours plaisir. Marie de Hautefort paya celui-là d'un éclatant sourire et, glissant son bras sous celui de la nouvelle venue :

— Oui, mais moi je l'ai mené à la baguette et je ne suis pas certaine qu'il n'en vienne pas à me détester. Sans doute parce que j'aime trop la Reine ! C'est une femme merveilleuse.

— Et Mlle de La Fayette l'aime, elle aussi ?

— Moins que le Roi, mais c'est une âme pure, fière et désintéressée, fort attirée par Dieu. Elle a beau aimer le Roi — de tout son cœur, j'en suis certaine —, elle n'acceptera jamais le rôle de favorite royale qui lui fait horreur. On dit qu'elle pourrait bientôt nous quitter pour le couvent. Le Cardinal l'y pousse d'ailleurs par le truchement de son confesseur...

— Le Cardinal ? En quoi est-ce que cela le regarde ?

— Oh ! en beaucoup de choses ! C'est du moins ce qu'il estime. Louise appartient à une grande famille d'Auvergne où l'on n'apprécie guère Son Éminence. Cependant, celle-ci ne désespérait pas de faire de Louise sa créature. Comme elle ne s'y est pas prêtée, Richelieu la fait pousser vers le couvent parce qu'il craint trop son emprise sur le Roi. Elle pourrait combattre la sienne.

Sylvie sentit une petite inquiétude lui coincer la gorge :

— Est-ce que Son Éminence a essayé aussi avec vous ?

— Au temps où le Roi me distinguait ? Bien sûr, mais je ne suis pas de celles qui se laissent mener par le bout du nez et je le lui ai bien fait comprendre. Si un jour le Roi s'occupe de vous, cela vous arrivera aussi, ajouta-t-elle en tirant l'une des boucles de la jeune fille.

— Dieu m'en préserve ! s'écria celle-ci d'un air si horrifié que sa compagne éclata de rire. Mais je suis tranquille, je ne suis pas assez belle...

— Vous êtes un charmant fruit vert pour l'instant. Mûrissez et nous verrons ce qu'il en sera. Vous voici chez vous, ajouta-t-elle en ouvrant la porte d'une petite chambre dans laquelle Jeannette, arrivée avec les bagages, s'occupait déjà à défaire les coffres. Pour ce premier soir installez-vous et, avant tout, débarrassez-vous de cette boue ! Vous souperez chez vous mais tenez-vous prête : je viendrai vous chercher pour le coucher de la Reine.

« L'Aurore » allait s'éloigner et Sylvie eut tout à coup l'impression qu'elle emportait avec elle toute la lumière de ce jour si triste et si froid. Elle eut un geste vers elle :

— Je voudrais vous dire merci. C'est si bon à vous de vous soucier de la petite provinciale que je suis !

— Provinciale ? Alors que vous avez été élevée chez les Vendôme ? Dites un peu au duc de

Beaufort qu'il est un provincial ? J'aimerais être là pour voir sa réaction...

Le nom de François prononcé sans que rien l'y eût préparée fit virer Sylvie au rouge brique. Elle perdit contenance et cela n'échappa pas à l'œil vif de sa compagne dont les beaux sourcils se relevèrent, tandis qu'elle éclatait de rire. Mais elle prit entre ses doigts fins le menton de Sylvie afin de scruter un regard soudain éperdu :

— Ma parole, vous aimez le beau François, petite personne ? Il n'y a là rien d'étrange puisque vous avez dû grandir dans ses entours et qu'il a tout ce qu'il faut pour séduire. Vous a-t-il déjà fait la cour ?

— Oh ! non, madame ! Je ne suis qu'une petite fille pour lui et, depuis son retour des Pays-Bas avec son frère et M. le duc, je ne l'ai guère vu : avec les voyages, les campagnes, la vie d'un jeune prince est fort éloignée de celle d'une orpheline élevée par charité. J'avais quatre ans quand Mme de Vendôme m'a recueillie après la mort de mes parents et l'incendie de notre château. Elle m'a gardée chez elle. Une autre m'aurait mise au couvent... et j'aurais été très malheureuse.

— On peut aimer Dieu et ne pas souhaiter grossir la troupe de ses épouses. Je suis, pour ma part, de ce sentiment-là. Mais revenons-en à M. de Beaufort : vous aurez ici le loisir de le rencontrer tout à votre aise.

Les beaux yeux noisette s'illuminèrent :

— Il vient souvent ?

— Très. Autant que vous l'appreniez maintenant, il est la coqueluche des dames et la Reine elle-même le voit avec un vif plaisir. Alors, gare à votre petit cœur ! Vous devriez lui choisir un héros moins sollicité.

— Heureuse êtes-vous s'il vous est possible d'ordonner à votre cœur, moi je ne puis. Mais, par grâce, madame, gardez-moi le secret...

— Il vous a échappé et je n'ai fait que l'attraper, je vous le rends. C'est à vous de le mieux garder. Voyez-vous, je puis être odieuse à qui me déplaît mais ce n'est pas votre cas. Je vous offre une amitié, Sylvie de L'Isle : ne la trahissez pas !

— C'est un mot que je ne connais pas. Je serai heureuse et fière d'être votre amie !

— Voilà qui est bien ! J'avais besoin de quelqu'un comme vous : nous ne serons pas trop de deux pour servir la Reine et l'aider dans les instants difficiles qu'elle passe en ce moment.

— Deux ? Mais les autres filles d'honneur...

— ... ne valent pas grand-chose hormis La Fayette, assez courageuse pour s'opposer ouvertement au Cardinal. Les autres, surtout la Chémerault, sont à sa solde ou trop sottes pour avoir même une opinion. Il y a aussi Suzanne de Pons, mais celle-là regarde vers la Lorraine et ne songe qu'à épouser le duc de Guise dont elle est la maîtresse...

En quittant Sylvie, Marie de Hautefort n'était pas loin de remercier le Ciel de lui avoir envoyé une aide, si petite fût-elle, mais fiable à n'en pas douter. Qu'elle fût la pupille de Mme de Vendôme était une garantie en soi, qu'elle fût en outre amoureuse de Beaufort était inespéré. Il y avait toujours tant de courrier secret à acheminer que La Porte et elle-même n'y suffisaient plus. Oui, la petite de L'Isle était la bienvenue. Sans compter qu'elle était charmante et, surtout, transparente !

De son côté, Sylvie entreprit d'aider Jeannette à ranger ses vêtements et à donner un tour plus aimable à leur minuscule appartement composé d'une chambre pas trop grande et d'un réduit où s'établirait sa suivante. Sa conversation avec « l'Aurore » l'avait réconfortée car elle s'était sentie un peu perdue quand Mme de Vendôme était repartie. Le Louvre antique, solennel, à la fois luxueux et réfrigérant lui avait fait regretter dès l'abord le vaste hôtel du faubourg Saint-Honoré, construit sous Charles IX sans doute mais remis au goût du jour et qui faisait partie de la dot de Mme de Vendôme lorsqu'elle avait épousé César. La vie n'y était pas très gaie puisque, depuis dix ans, le duc César n'avait pas obtenu la permission d'y remettre le pied et que l'on y entendait plus de prières et de chants religieux que d'ariettes. L'atmosphère ultra-pieuse tenait aussi au voisinage immédiat de l'austère couvent des Capucines, construit vers les années 1620 par la duchesse de Mercœur avec les fonds légués par sa belle-sœur, la reine Louise de Vaudémont-Lorraine, veuve d'Henri III. Un couvent qui entrait pour beaucoup dans la répugnance que Sylvie manifestait à ce genre d'établissements car c'était sans doute le plus sévère de France et de Navarre :

les nonnes y marchaient pieds nus, été comme hiver, ne mangeaient jamais de viande ni de poisson, faisaient pénitence à longueur d'année, et l'on disait que les premières filles entrées là pour l'inauguration y étaient arrivées en procession et couronnées d'épines.

Les relations étroites entre le couvent et l'hôtel de Vendôme n'égayaient pas l'atmosphère mais, pour Sylvie, c'était tout de même « la maison », l'endroit où vivaient les trois femmes qu'elle aimait le plus au monde : la chère Élisabeth, sérieuse et un peu grave mais si bonne, la duchesse et l'excellente Mme de Bure. Sans compter Jeannette qui allait maintenant, à elle seule, représenter tout ce monde !

Mlle de L'Isle devait à son jeune âge et au fait d'appartenir presque à une famille princière la faveur d'avoir auprès d'elle sa propre femme de chambre.

— Me voilà devenue duègne ! disait celle-ci en riant, mais pas autrement effrayée par l'idée de vivre désormais dans des châteaux royaux. À vingt-quatre ans, Jeannette était une grande fille solide au visage avenant et volontiers rieur. Elle n'avait rien perdu de sa prodigieuse mémoire sur laquelle les Vendôme comptaient un peu pour recueillir les bruits de couloir, les potins de palais dont la connaissance pouvait présenter une grande utilité. Une circonstance que Jeannette ignorait. Son devoir, aujourd'hui comme hier, était de veiller à la santé physique et morale de Mlle de L'Isle et, au milieu des tentations des résidences royales, de garder pure et sans tache la foi jurée à Corentin Bellec. Pour l'heure, vêtue de beau drap d'Usseau gris foncé avec manchettes, collet et coiffe en fine toile blanche lisérée d'une étroite bande de dentelle, Jeannette s'apprêtait à faire bonne figure parmi le peuple des serviteurs du Louvre.

Ce fut le lendemain de son arrivée que Sylvie revit François.

Comme la veille, Anne d'Autriche tenait cercle dans son grand cabinet et le temps était toujours aussi mauvais mais, le Roi étant rentré chez lui, les dames étaient plus nombreuses que la veille et plusieurs gentilshommes les accompagnaient.

Le grand sujet de conversation était *Le Cid* que beaucoup avaient déjà vu et portaient aux nues.

— C'est une merveille à nulle autre pareille, proclamait Mme de Guéménée qui, en dépit de ses quarante-cinq ans, vivait une vie amoureuse intense. Jamais on ne porta sur les tréteaux pareille noblesse de sentiments. J'ai cent fois cru mourir de tendresse et d'admiration.

— Mme de Rambouillet s'y est rendue hier avec sa fille et toute sa compagnie, renchérit le vieux duc de Bellegarde — soixante-quinze ans et toujours amoureux de la Reine —, et aujourd'hui, dans la Chambre bleue d'Arthénice [1] tout est au *Cid* !

— Sauf M. de Scudéry ! coupa la princesse de

1. Anagramme de Catherine, prénom de la marquise de Rambouillet qui était en quelque sorte la reine des Précieuses.

Conti. Il trouve la pièce mal construite, mal écrite et irrégulière. Hier, en sortant du théâtre du Marais, il clamait qu'il allait adresser à l'Académie ses observations ! À la surprise indignée de Mme de Rambouillet. Elle lui a dit qu'il n'y entendait rien et qu'elle ne l'aurait jamais cru à ce point privé de goût. Le pauvre homme en pleurait presque, d'autant que sa sœur, Mlle de Scudéry, se rangeait au parti de la marquise, mais il a tenu bon. Pour lui, la pièce ne vaut rien !

Mme de Guéménée éclata de rire :

— La bonne farce ! Le pauvre Scudéry, outre que ses œuvres n'obtiendront jamais pareil succès, craint surtout les nuages qui doivent s'amonceler du côté du Palais-Cardinal ! Son Éminence, auteur lui-même, ne goûte guère sans doute le triomphe d'un de ceux à qui il a fait l'honneur de les appeler à collaborer à ses propres pièces.

— Oh ! madame ! protesta Mme de Combalet, une jolie veuve qui était nièce de Richelieu et dont on prétendait même qu'elle était un peu plus, Son Éminence possède un trop bon jugement et un trop grand respect des belles-lettres pour ne pas s'incliner devant un tel talent, sanctionné d'ailleurs par les voix de la Renommée. Noblesse, bourgeoisie et peuple, tous se précipitent au théâtre du Marais et sortent éblouis.

— On voit bien, madame, que vous lui tenez de près. L'affection ne saurait discerner certaines faiblesses... et les plus grands hommes en ont.

La Reine intervint :

— Mesdames, mesdames ! Ne laissez pas la

passion vous emporter ainsi. J'ai, moi, les meilleures raisons de croire Mme de Combalet. C'est le Cardinal lui-même qui a averti le Roi, lorsqu'il était à Saint-Germain, de la valeur de cette pièce en lui conseillant de faire venir les comédiens ici pour nous la donner. C'est donc bien la preuve de sa satisfaction, dit-elle d'un ton las.

— Ou de son intelligence, reprit Mme de Guéménée. Il est difficile d'aller contre l'engouement de tout Paris. Même s'il pourrait alléguer qu'une pièce glorifiant un héros espagnol est mal venue quand nous sommes en guerre incessante avec l'Espagne...

— Mon oncle ne mélange jamais les arts et la politique. D'ailleurs, l'Espagne n'est-elle pas à la mode depuis quelque temps ? Manteaux, coiffures, chapeaux, romances, pavanes et autres danses. Nous aimons à nous inspirer de l'Espagne et c'est normal puisqu'il s'agit du pays de notre reine bien-aimée, conclut Mme de Combalet avec une révérence dont Anne d'Autriche ne lui parut pas beaucoup plus reconnaissante que de sa tirade. Elle eut un imperceptible haussement d'épaules et appela Sylvie auprès d'elle d'un signe de la main :

— Je serai sensible à tout cela quand la paix reviendra enfin entre nos deux pays. Pour le moment, la reine de France se plaît à entendre des chansons françaises et voici Mlle de L'Isle, tout nouvellement admise au nombre de mes filles d'honneur, qui va nous en chanter une...

— En s'accompagnant à la guitare, si je ne me

trompe, fit Mme de Combalet qui semblait tenir à avoir le dernier mot...

— Pourquoi non ? Mlle de L'Isle chante comme un ange et touche joliment de son instrument. Un symbole en quelque sorte ! L'accord parfait que nous souhaitons, le Roi et moi ! Prenez place, mon enfant, ajouta la Reine en désignant un coussin posé à ses pieds Qu'allons-nous entendre ?

— Ce qu'il plaira à Votre Majesté, murmura Sylvie en commençant à accorder son instrument.

Mais il était écrit qu'elle ne chanterait pas ce soir-là. L'huissier préposé à la porte lorsque la Reine recevait lança d'une voix forte :

— Madame la duchesse de Montbazon... Monsieur le duc de Beaufort !

La main de Sylvie comprima les vibrations de la guitare comme si elle voulait en même temps calmer celles de son cœur. Un cœur qui tout à coup se glaça tant était éclatant et merveilleusement assorti le couple qui s'avançait. François, à son habitude, était d'une grande élégance : pourpoint et chausses de velours noir brodé d'or avec des crevés de satin blanc et des doublures de satin écarlate, un grand col de dentelle étalé sur ses larges épaules et, sur le feutre qu'il tenait d'une main désinvolte, moussaient des plumes blanches fixées par un cordon de soie rouge. Son autre main qu'il levait haut tenait celle d'une dame extraordinairement belle : grande, brune avec un teint très blanc et de magnifiques yeux bleus, des lèvres rondes et charnues faites pour le baiser. Vêtue de brocart écarlate et de satin blanc, un collier de diamants et de rubis étalé sur une gorge ravissante, elle composait avec son compagnon un couple d'une rare élégance. Ils vinrent saluer la Reine, lui balayant le tapis de ses plumes blanches, elle y étalant sa robe comme une énorme fleur.

Le salut fut reçu diversement : Beaufort eut droit à un beau sourire qui se fit un peu plus mince pour la jeune femme.

— Où étiez-vous donc passé, mon cher duc ? dit la Reine en lui offrant sa main. Voilà des jours que l'on ne vous a vu.

— J'étais à Chenonceau, Madame, auprès de mon père dont la santé n'est pas des meilleures.

— Malade, le duc César ? C'est difficile à croire. On l'imagine mal dans cette situation.

— L'ennui le ronge, Madame. Au point que je me demande parfois s'il n'en pourrait pas mourir.

— On ne meurt pas à Chenonceau, ce serait extravagant ! Je connais peu de demeures aussi aimables. Sans compter que le temps y est plus doux qu'ici.

— Et pourtant, il préférerait cent fois Paris, ses boues, ses neiges, ses puanteurs et ses incommodités, puisqu'il pourrait s'y mettre au service de Votre Majesté !

— Ne soyez pas trop courtisan, mon ami : cela ne vous va pas. Puis, changeant de ton pour s'adresser à la jeune femme : « Et vous, duchesse, nous donnerez-vous des nouvelles de monsieur le gouverneur de Paris ? »

— Il a la goutte, Madame ! Une excellente occupation que je pourrais recommander à

M. de Vendôme contre les idées noires. Mon époux sacre, jure, explose à longueur de journée, bat ses domestiques mais ne s'ennuie pas un instant.

Le ton désinvolte indiquait assez que la belle dame ne se préoccupait guère de son époux. Mariée à dix-huit ans à Hercule de Rohan-Montbazon qui en comptait soixante et était pourvu de deux enfants, Marie d'Avaugour de Bretagne se souciait peu d'une fidélité qu'elle jugeait d'autant plus hors de saison qu'aucune des femmes de la famille ne la respectait. En effet, l'un des deux enfants d'Hercule n'était autre que la remuante duchesse de Chevreuse, qui se trouvait être plus âgée que sa belle-mère et qui continuait de collectionner les amants, l'autre étant le prince de Guéménée, l'un des esprits les plus vifs de son temps mais dont la femme, présente ce jour-là chez la Reine, en faisait tout autant. Certains esprits malins se demandaient si, entre ces trois femmes d'une même famille, il n'existait pas une compétition. En tout cas, on rapprochait, depuis quelque temps, les noms de Marie de Montbazon et de François de Beaufort sans que ni l'un ni l'autre fît rien pour démentir. Cela, Sylvie l'ignorait. Elle remarqua seulement que la Reine n'avait pas l'air d'aimer beaucoup la belle duchesse qu'elle laissa rejoindre sa belle-sœur Guéménée. Mais elle retint le jeune homme :

— Nous recueillons d'étranges bruits à votre sujet, François, dit-elle entre haut et bas. Vous songeriez à demander la main de la fille de Monsieur le Prince [1].

— Il faudra bien que je me marie un jour, Madame. Pourquoi pas elle ? Cette jeune fille a au moins l'avantage d'être belle, répondit le jeune homme avec un sourire que Sylvie, figée sur son coussin, jugea d'une odieuse fatuité.

— Monsieur le Prince ne voudra jamais de vous. Lui et votre père se détestent. Et puis, que dirait Mme de Montbazon ? ajouta la Reine avec une pointe d'aigreur qui fit pétiller les yeux de Beaufort.

— Il ne faut pas prêter l'oreille à tous les potins, Madame. La duchesse de Montbazon n'a d'autres droits sur moi que ceux de toute jolie femme sur un homme de goût...

— On dit pourtant que vous l'aimez ?

François se pencha et, cette fois, sa voix descendit au murmure.

— Mon cœur n'est à personne, Madame, sinon à vous. Comment regarder seulement une autre femme lorsque la Reine est là ? Si je suis arrivé avec Mme de Montbazon, c'est simplement parce que je l'ai rencontrée au bas du Grand-Degré...

Il se pencha davantage et, cette fois, Sylvie n'entendit plus rien en dépit de son oreille fine. Elle en avait assez entendu. Au bord des larmes, elle posa sa guitare puis, glissant de son coussin, réussit à se relever sans que les deux interlocuteurs s'aperçussent de son départ. D'ailleurs — et c'était cela qui la

1. On appelait ainsi le prince de Condé.

peinait, François n'avait même paru remarquer sa présence. Un meuble ! Voilà ce qu'elle était devenue pour lui, sans doute.

Décidée à regagner sa chambre, elle se dirigeait vers la porte quand elle se heurta à Mlle de Chémerault :

— Eh bien, fit celle-ci sèchement, où donc pensez-vous aller ?

— Chez moi, mademoiselle. La tête me tourne un peu : ce bruit, ce monde, ces parfums.

— Vous voilà bien délicate ! Croirait-on pas que vous êtes née dans quelque palais pour faire ainsi la difficile ? Retenez ceci : les filles d'honneur ne peuvent s'éloigner de la Reine que si elle le permet. Alors, retournez d'où vous venez et n'en bougez plus !

— Certainement pas ! protesta Sylvie. Sa Majesté s'entretient en aparté avec M. le duc de Beaufort. Mon devoir envers elle ne m'oblige pas à me montrer indiscrète. En outre, je n'ai pas d'ordres à recevoir de vous ! Laissez-moi passer !

— Mais voyez-moi l'insolente ! Ma petite, vous apprendrez qu'ici les fortes têtes n'ont pas leur place ! Obstinez-vous et j'informerai qui de droit de votre conduite. Vous pourriez bien ne pas faire long feu ici...

— Pensez-vous que cela m'importe ? Je n'ai qu'une envie, c'est de m'en aller... Ôtez-vous de là !

N'écoutant plus que sa colère et son chagrin, Sylvie allait foncer droit devant elle quand une main vigoureuse s'empara de son bras et la fit pivoter sur ses talons. Elle se retrouva alors nez à nez avec François qui riait de bon cœur :

— Eh bien ! On dirait que nous avons conservé nos bonnes manières d'entrer en fureur dès que l'on s'avise de nous contrarier ? Serviteur, mademoiselle de Chémerault ! Confiez-moi cette jeune rebelle ! Je la connais depuis longtemps et saurai bien la ramener à la raison.

— Je crains qu'il n'y ait fort à faire. A-t-on idée aussi d'introduire au Louvre une fille à demi sauvage ?

François offrit à la demoiselle un sourire narquois :

— À demi sauvage ? Mais soyez sûre qu'elle l'est tout à fait, mademoiselle. Comme d'ailleurs le plus grand nombre de ceux qui vivent ici où la civilisation se fait rare si j'en juge par ceux, ou celles, qui ne rêvent que de tordre le cou à leurs semblables.

Puis, sans attendre une quelconque réaction, il entraîna Sylvie dans l'embrasure d'une fenêtre et là redevint sérieux.

— Êtes-vous devenue folle, Sylvie ? Vous n'avez plus quatre ans, que je sache, et je croyais que l'on vous avait appris à vous conduire dans le monde ?

— Oh ! je sais me conduire ! Je n'en dirais pas autant de vous, monsieur le duc. Tout à l'heure j'étais assise aux pieds de la Reine et vous ne m'avez pas accordé plus d'attention que si j'étais un... un chat comme vous dites !

Devant la colère de la petite, François retrouva son sourire.

— Allons, chaton, ne miaulez pas si fort ! Savez-vous que la Reine vous appelle déjà « le petit chat » ?

— Elle vous a parlé de moi ?

— Eh oui, mais moi c'est d'elle que je veux vous parler. Vous l'ignorez sans doute, Sylvie, mais elle est en danger. Le Cardinal la hait et veut sa perte. Il l'entoure d'espions...

— Je sais. Mlle de Hautefort qui est si belle m'a déjà parlé.

— Oh ! celle-là, c'est la fidélité même ! Le Roi a été très épris d'elle sans jamais oser la moindre privauté. Je dois dire qu'elle menait un jeu cruel, ne cessant de se moquer de lui. Un jour où, ayant reçu un billet que le Roi voulait lire à tout prix, elle l'a glissé bien en évidence dans son décolleté en le mettant au défi de venir l'y prendre...

— Et il l'a pris ?

— Oui. Avec les pincettes de la cheminée ! La belle Marie ne lui a jamais pardonné. Et puis Mlle de La Fayette est arrivée et il n'a plus vu qu'elle. Au point que je soupçonne la Reine d'en être jalouse. Pourtant, elle sait bien que la pauvre fille n'acceptera jamais de servir le Cardinal à ses dépens. Comme elle aime sincèrement le Roi, on dit qu'elle songe au couvent pour n'être plus tentée de céder à l'un ou à l'autre. Ah ! voilà mon ami Fiesque ! Un charmant garçon ! Il faudra que je vous le présente...

Les coq-à-l'âne de Beaufort commençaient à être célèbres mais Sylvie, qui savait depuis longtemps à quoi s'en tenir, le ramena à la réalité :

— Vous étiez là, il me semble, pour me parler de la Reine. Pas de M. de Fiesque. Alors que vouliez-vous me dire ?

Le ton était sec. Le duc prit un air contrit.

— Pardonnez-moi ! Je voulais vous demander d'ouvrir bien grands vos jolis yeux et de me faire tenir un message par votre Jeannette chaque fois qu'il se passera quelque chose de bizarre. Qu'elle retourne de temps en temps à l'hôtel de Vendôme n'étonnera personne et, là-bas, il y aura toujours de garde l'un de mes deux écuyers, Brillet ou Ganseville. Eux sauront où me trouver.

Dans leur encoignure de fenêtre, François et Sylvie étaient tellement occupés qu'ils ne s'aperçurent même pas de l'entrée du Roi. À demi cachés qu'ils étaient par les rideaux, personne ne vit qu'ils avaient oublié de saluer. Ce fut seulement quand la voix de Louis XIII se haussa pour couvrir tout l'espace du grand salon qu'ils s'y intéressèrent.

— Mesdames, disait le Roi, nous partons demain pour Fontainebleau. Nous ferons étape à Villeroy !

— Miséricorde ! gémit François. Voilà tout mon plan par terre ! Fontainebleau ! En plein mois de janvier et par ce froid ! C'est à n'y pas croire !

— Vous ne venez pas !

— Eh non ! Seules partiront les maisons du Roi et de la Reine. Autrement, il faut être invité. Et je ne le serai pas...

— Pourquoi, selon vous, devons-nous aller là-bas ?

— Je n'en ai pas la moindre idée. Peut-être le

Roi veut-il s'isoler davantage avec Mlle de La Fayette et, par la même occasion, couper la Reine de ses amis parisiens. Oh ! je n'aime pas ça ! Je n'aime pas ça du tout !

Il semblait à ce point désolé que Sylvie eut pitié de lui.

— Ne pouvez-vous envoyer l'un de vos écuyers s'installer dans une auberge de la ville que vous m'indiquerez ?

— Pourquoi pas moi, après tout ?

— Soyons sérieux ! Vous êtes beaucoup trop voyant, monsieur le duc. Un écuyer fera l'affaire.

— De toute façon, je ne serai pas loin ! Merci, ma chère petite ! Vous êtes un ange !

— Ce que c'est que grandir, tout de même ! Autrefois, c'était vous l'ange !

Et, tirant son mouchoir d'un geste gracieux pour l'agiter légèrement en signe d'adieu, Mlle de L'Isle s'en alla rejoindre le bataillon des filles d'honneur que l'annonce du départ changeait en volière caquetante.

CHAPITRE 5

RENCONTRES DANS LE PARC

Que le Roi souhaitât un peu plus d'intimité avec celle qu'il aimait, cela était certain, mais la politique n'était pas absente de la soudaine décision d'aller se geler dans un palais d'été quand on se fût trouvé aussi bien à Saint-Germain. Sylvie s'en convainquit en voyant s'ajouter au train royal, déjà fort imposant, la grande litière rouge qui servait au cardinal de Richelieu, miné par la maladie, pour ses déplacements. Plus spacieuse qu'un carrosse, cette grande machine rouge offrait toutes les commodités d'une chambre à coucher mais, ainsi entourée de gardes en casaque pourpre, elle impressionna désagréablement la jeune fille.

— Spectaculaire, n'est-ce pas ? fit Mlle de Hautefort qui voyageait dans la même voiture. Son Éminence possède à un point achevé le sens du décor et du drame. Il joue de sa pourpre en artiste. Sans doute parce qu'elle évoque celle du bourreau et qu'il aime à faire peur...

— Il n'y réussit que trop bien ! Mais je trouve le train royal magnifique.

C'était la première fois, en effet, qu'elle voyait se

déployer autour des carrosses du Roi et de la Reine, les mousquetaires de M. de Tréville dont le rôle unique consistait à protéger le souverain dans tous ses déplacements et qui n'officiaient pas dans les appartements. C'étaient tous de superbes cavaliers et les casaques bleu France frappées de la croix fleurdelisée blanche sur rayons d'or, les plumes blanches des chapeaux gris, les robes assorties des chevaux offraient un spectacle d'une grande beauté.

La foule qui s'assemblait toujours quand le Roi partait en voyage leur réservait ses sourires et la chaleur de ses applaudissements et se montrait plus réservée pour les gardes du Cardinal. Quant aux chevau-légers et aux suisses, ils faisaient moins recette. Sylvie, enchantée du spectacle, battit des mains.

— On dirait que vous n'avez jamais vu de soldats ? remarqua Mlle de Chémerault avec aigreur. Vous réagissez en fille du peuple.

La moutarde monta aussitôt au nez sensible de l'interpellée.

— Pourquoi ? Les femmes du peuple sont-elles les seules à avoir du goût ? J'ai déjà rencontré des mousquetaires isolés, mais l'ensemble est vraiment admirable.

— Peuh ! Des soldats...

— Si vous préférez les prêtres, cela vous regarde, coupa Marie de Hautefort. Je vous rappelle que les mousquetaires sont tous gentilshommes et que quelques-uns sont de ma parenté. Alors, retenez votre langue de vipère ! Et Mlle de

L'Isle a raison : ils sont splendides, comme disent les Anglais.

Préférant ne pas entrer en conflit avec la dame d'atour, la Belle Gueuse se tourna vers Mlle de Pons, laissant Sylvie et Marie libres de reprendre leur conversation.

— En résumé, dit la petite, qu'allons-nous faire à Fontainebleau ? Le savez-vous ?

— Oui. Nous courons après Monsieur, en quelque sorte. L'an passé, tandis que le Roi bataillait avec une valeur admirable à la tête de ses armées pour renvoyer l'Espagnol dans ses Flandres, Monsieur et le comte de Soissons, son fidèle satellite, s'étaient mis en tête une fois de plus d'assassiner le Cardinal. Or, fidèle à ses vieilles habitudes, le moment venu, Monsieur a pris peur et a dénoncé tout le monde. De retour à Paris, le Roi a convoqué son frère et son cousin pour leur demander quelques explications mais Monsieur a préféré s'enfuir à Orléans, dans « sa » ville ducale, tandis que Soissons battait en retraite vers Sedan où le duc de Bouillon lui a offert toute la compréhension désirable. Pour ce que j'en sais, Monsieur devrait rejoindre son cousin et madame sa mère qui se serait mise en route pour Sedan elle aussi.

— Mais Fontainebleau, c'est loin d'Orléans ?

— C'est une avancée qui peut laisser supposer à Monsieur qu'il pourrait bien voir le Roi son frère apparaître sous ses murs avant longtemps.

— Dans ce cas, des soldats auraient suffi ? Pourquoi la Reine et toute la Cour ?

— Pour que Monsieur ne s'effarouche pas une fois de plus. Il faut avant tout l'empêcher d'aller rejoindre Soissons et Bouillon dans les Ardennes où ils ont toute latitude de s'entendre avec les Espagnols...

Sylvie regarda sa compagne avec admiration :

— Comment savez-vous tout cela ?

Mlle de Hautefort tapota d'un air indulgent la main de la jeune fille.

— Je vous l'expliquerai plus tard. En outre, si le Roi emmène tout son monde, c'est aussi parce qu'il ne veut plus être séparé un seul jour de La Fayette. La Reine ne s'y est pas trompée qui l'a prise dans sa voiture.

— Sa Majesté n'est pas jalouse ?

— Si. Cela fait partie du caractère espagnol. On est jaloux par tradition, là-bas ! Mais elle estime plus judicieux de surveiller la donzelle de près que de lui laisser la bride sur le cou.

Ainsi qu'il était prévu, on s'arrêta ce soir-là près de Mennecy, dans le château construit à la fin du siècle précédent par le secrétaire d'État Neuville de Villeroy, le mauvais état des chemins et la brièveté des jours ne permettant pas d'effectuer d'une seule traite le trajet de Fontainebleau. La halte ne fut pas agréable. Si vaste que fussent château et communs, ils étaient un peu exigus pour un bon millier de personnes. Certes, on ne manqua ni de feu ni de nourriture mais, entassées dans quatre chambres, les filles d'honneur passèrent une nuit peu confortable. Encore dut-on s'estimer heureuses que le Cardinal eût choisi de faire étape dans son château de Fleury.

— Sinon, remarqua Anne d'Autriche avec une ironie acerbe, mes filles eussent sans doute couché dans la paille d'une grange. Quelle idée, mon Dieu, de nous envoyer sur les grands chemins par cet affreux temps d'hiver !

La Reine avait ses nerfs. Ce soir-là, Sylvie fut invitée à chanter pour elle et, ayant reçu permission de choisir à son gré, interpréta sa chanson préférée, une vieille romance apprise de Perceval qui lui aussi l'aimait beaucoup :

> L'amour de moy si est enclose
> L'est dans ce joli jardinet
> Où croît la rose et le muguet
> Et aussi fait la passerose...

La voix de Sylvie était d'une limpidité de cristal. Bientôt, tous furent sous le charme et plus encore la Reine. Quand la chanson fut finie, elle posa sa main sur la tête couleur de châtaigne de l'adolescente :

— Il m'avait bien semblé chez Mme de Vendôme, petit chat, que vous chantiez comme un ange. Je ne la remercierai jamais assez de vous avoir donnée à moi...

C'était le premier instant de chaleur entre les deux femmes. Sylvie en éprouva un vif plaisir qui se traduisit par un sourire :

— Votre Majesté veut-elle entendre autre chose ?

— Vous chantez aussi en espagnol m'a-t-on dit ?

— Oui, Madame. Je puis chanter la « Chanson de la Vierge » du seigneur Lope de Vega, ou encore...

— Non, dit la Reine. Pas de chanson de mon pays aujourd'hui. Le Roi est notre trop proche voisin et cela pourrait lui déplaire. Répétez plûtôt cette si jolie romance...

— Ne croyez-vous pas, Madame, proposa Marie de Hautefort, qu'il serait agréable au Roi de l'entendre ? Il aime la musique et plus encore les jolies voix.

Le regard de la jeune fille alla chercher Louise de La Fayette qui regardait distraitement par une fenêtre. Elle était jusqu'à présent la meilleure musicienne parmi toutes les filles d'honneur et Louis XIII aimait à l'écouter.

— Il ne veut entendre qu'une seule voix, murmura la Reine, reprise par ses préoccupations. Nous serions mal venues. Plus tard, peut-être...

Sylvie répéta sa chanson, chanta encore le « Lai du Rossignol », puis ce fut tout pour ce soir-là. La Reine se retira dans sa chambre, procéda à son coucher, puis chacune regagna le lit plus ou moins de fortune qui l'attendait. Cependant, avant qu'elle quitte la chambre, Stéfanille retint Sylvie. C'était un geste tout à fait exceptionnel. La vieille femme de chambre castillane considérait le troupeau des filles d'honneur comme autant de suppôts de Satan et leur opposait en général une mine farouche que n'adoucissaient pas ses sévères vêtements noirs. Cette fois, ses lèvres minces esquissèrent ce qui pouvait passer pour un sourire avec quelque imagination.

— Vous avez fait du bien à la Reine, chuchota-t-elle. C'est une bonne chose mais cela ne suffit pas. Je veux savoir si vous l'aimez.

— Qui donc ?

— La Reine. Elle a grand besoin qu'on l'aime.

— Lorsque je suis arrivée, l'autre jour, au Louvre, j'ai juré d'être fidèle et dévouée. Je ne sais pas encore si je l'aime mais je crois que cela viendra.

— Vous êtes franche. En ce cas, nous nous entendrons...

Et Stéfanille retourna vers le lit de sa maîtresse dont elle venait de fermer les rideaux et se pencha à l'intérieur pour dire quelque chose que Sylvie n'entendit pas.

Le lendemain soir, en arrivant à Fontainebleau, on trouva le palais prêt à recevoir ses habitants. Les fourriers du Roi avaient fait du bon travail. Il y avait du feu dans les cheminées, chaque chose était à sa place. Chacun s'installa avec satisfaction, Sylvie comme les autres. L'immense demeure construite par François Ier dans un magnifique environnement de forêts et d'étangs la séduisit d'emblée. Elle se demanda même pourquoi les rois de France s'obstinaient à passer la mauvaise saison dans le vieux Louvre sombre et grincheux, alors que même l'hiver était plus agréable ici que là-bas. Les arbres givrés, les grands tapis de neige fine qui épousaient si bien les dessins des jardins, tout cela l'attirait : elle comptait bien y retrouver le plaisir goûté naguère dans les jardins d'Anet et de Chenonceau. Aussi, dès le lendemain, profitant de ce qu'elle n'était pas de service, Sylvie prit une mante épaisse doublée de vair, chaussa des bottines, mit des gants et s'en alla visiter les environs sans prévenir personne par crainte que l'on voulût l'accompagner. Or, elle avait très envie d'être seule, jugeant qu'on ne découvre vraiment les choses que tête à tête avec soi-même. Du moins le pensait-elle, ignorant encore que ce pouvait être tellement plus agréable à deux.

Elle quitta la cour Ovale par la porte Dorée, saluée par les sentinelles, suivit la terrasse dominant le Parterre, longea la salle de bal, l'abside de la chapelle Saint-Saturnin et le pavillon du Tibre. De là, elle pouvait choisir entre le Parterre et le parc. Elle choisit celui-ci. Le ciel était ravissant, d'un bleu très pâle traversé de petits nuages dodus comme des chérubins.

Arrivée à une patte d'oie aux approches du pavillon Sully, la promeneuse hésita. Irait-elle vers le Canal qui étirait sur toute la longueur du parc son long ruban bleuté, ou vers la partie boisée ? Elle choisit ce chemin-là, attirée par des bosquets de houx dont elle aimait les feuilles brillantes et les jolies boules rouges, regrettant de ne pas s'être munie d'un couteau pour en rapporter quelques branches dans sa chambre. Ayant toujours beaucoup de mal à renoncer quand elle désirait quelque chose, elle s'approchait davantage, pensant qu'elle arriverait peut-être à en casser quelques-unes, quand elle s'arrêta net : il y avait quelqu'un dans le bosquet. Deux voix : un homme et une femme.

Les deux voix qui parlaient avec animation étaient celles du Roi et de Mlle de La Fayette. Pour le moment, c'était lui qu'elle entendait et jamais elle n'aurait cru cet homme si froid, si réservé, capable de s'exprimer avec une telle passion :

— Ne m'abandonnez pas, Louise ! suppliait-il. Je suis un homme seul, en butte à toutes les conspirations, toutes les haines, tous les dédains même. Je n'ai que vous, vous seule, et si vous partez, il ne me restera plus rien en ce triste monde.

— Sire, Sire ! Ne vous méprenez pas. Vous savez tout de mon cœur et qu'il est tout à vous, mais je vous fais plus de mal que de bien. Croyez-vous que je ne voie pas les sourires sur mon passage, que je n'entende pas les chuchotements, les ricanements ? Chacun guette le moment où je ne pourrai plus résister à vous ni à moi. Le Cardinal veut mon départ. La Reine — et c'est naturel — me déteste parce que, à cause de moi, vous la négligez.

— La négliger ! Comme si j'ignorais que je n'en ai à espérer que faux-semblant et trahison. Voici tantôt vingt-deux ans que nous sommes mariés et pouvez-vous me dire ce que la reine de France a apporté à mon royaume ? Des enfants ? Point ! Un secours, une assistance, une compréhension de ma difficile tâche ? Moins encore. La Reine est espagnole et mourra espagnole. Ah si ! j'oubliais, son cœur, voilà douze ans, battait pour un Anglais à demi fou dont la *passion* nous a valu une guerre. Il semble que la Reine soit incapable d'aimer un Français. Et le Roi moins que tout autre...

— Elle est votre épouse, Sire ! Vous avez été unis par Dieu !

— C'est à elle qu'il faudrait le dire ! Non, Louise, ne me parlez pas de la Reine. Ou alors dites-moi que vous ne m'aimez pas ?

— Oh ! Sire, comment pouvez-vous m'accuser de ne vous aimer point alors que je ne cesse de vous donner des preuves de ma tendresse...

— Alors, donnez-m'en une plus grande encore ! Laissez-moi vous emmener à Versailles. Là je suis chez moi, c'est ma maison où nul n'oserait me déranger. Je vous y tiendrai auprès de moi, gardée, protégée, et nous serons l'un à l'autre loin de tous, libres, heureux enfin ! Il n'y aura plus que Louise et Louis...

— Il ne faut pas dire de telles choses ! Par pitié ! Si vous m'aimez, n'ajoutez rien de plus !

— Non, ne pleurez pas, de grâce ! Je ne puis supporter vos larmes.

Sylvie perçut des sanglots et pensa qu'elle s'était montrée suffisamment indiscrète. D'ailleurs, son oreille fine lui annonça qu'un bruit de pas se rapprochait. Elle quitta l'abri du bosquet où elle s'était tapie et, s'efforçant d'être aussi silencieuse que possible, elle se dirigea vers la grande allée. Mais, comme elle se retournait sans cesse pour voir si le buisson de houx ne bougeait pas, elle ne prit pas garde à ce qui arrivait, trébucha contre une taupinière et s'étala aux pieds de deux personnages dont elle ne vit d'abord que le bas d'un long vêtement rouge et une paire de bottes noires passablement boueuses.

— Eh bien, qu'est-ce encore ? interrogea une voix impatiente dont le timbre grave fit couler un frisson le long du dos de Sylvie.

— Une jeune personne égarée, à ce que l'on dirait, monseigneur !

Gantée de noir, une main secourable l'aida à se dépêtrer de ses nombreux jupons et à se remettre sur ses pieds. Avec consternation, elle vit que le propriétaire de ladite main n'était autre que le Lieutenant civil, M. de Laffemas. Quant à celui qui se tenait derrière lui, l'imprudente n'eut aucune peine à identifier le Cardinal. Mais elle n'eut pas le temps de se chercher une contenance. L'homme aux yeux jaunes l'avait déjà reconnue :

— Quelle heureuse surprise ! Mlle de L'Isle.

— Qu'est-ce que Mlle de L'Isle ? demanda le Cardinal.

— La plus jeune, la plus récente aussi des filles d'honneur de la Reine, Votre Éminence. Nous avons fait connaissance voici quelques jours à la Croix-du-Trahoir. J'ai raconté l'anecdote à Votre Éminence. C'est cette petite demoiselle qui n'apprécie pas ma façon d'appliquer la justice du Roi.

Il n'en fallut pas plus pour que Sylvie prît feu. Elle plongea dans une profonde révérence mais, devenue toute rouge, elle s'écria :

— L'enfant que votre cheval allait fouler aux pieds, monsieur, n'était pas condamné que je sache et il n'intéressait pas la justice du Roi ! Monseigneur, ajouta-t-elle du fond d'une révérence dont on ne la releva pas et tout en regardant bien droit, là-haut, le maigre et hautain visage, il s'agissait d'un petit garçon, le fils de l'homme que l'on allait exécuter et il ne faisait d'autre mal que demander pitié pour son père.

La voix profonde, grave, laissa tomber :

— Le père méritait son sort. L'enfant devait le savoir.

— Il ne savait qu'une chose, c'est que c'était son père et qu'il l'aimait.

D'un coup d'œil, Richelieu ferma la bouche à Laffemas qui allait protester :

— Je veux bien admettre qu'il ne méritait pas un traitement aussi brutal mais il est difficile de demander beaucoup de mansuétude à qui doit faire appliquer la loi. Vous voyez, je vous donne raison, mademoiselle. Me ferez-vous en échange, la grâce de pardonner à M. de Laffemas ? C'est l'un de mes bons serviteurs...

Tout en parlant, il lui tendit la main pour l'aider à se relever, ce qu'elle accepta volontiers avant de soupirer sans enthousiasme :

— Si c'est le plaisir de Votre Éminence, je pardonne à M. de Laffemas... mais à condition qu'il ne recommence pas !

Un sourire inattendu et d'autant plus charmant détendit le visage sévère du Cardinal.

— Il s'en gardera bien... pour l'amour de vous.

Vous êtes courageuse, mademoiselle de L'Isle, et c'est une qualité que j'apprécie. Voyons jusqu'où elle va !...

Sylvie leva sur le Cardinal des yeux interrogateurs.

— Ils sont nombreux, ceux qui me craignent, poursuivit Richelieu. Vous fais-je peur ?

— Non, répondit la jeune fille sans hésiter. Votre Éminence est prince de l'Église, donc un homme de Dieu. On ne doit jamais craindre un homme de Dieu.

— Voilà une opinion que vous devriez clamer aux quatre coins du royaume. Cela me rendrait grand service... Mais, à propos de donner de la voix, il m'est revenu le bruit que vous chantez fort joliment... Ne soyez pas surprise : les nouvelles vont très vite à la Cour. Viendriez-vous chanter pour moi ?

— Je suis à la Reine, monseigneur...

— Je lui demanderai donc de m'accorder ce plaisir. À vous revoir, mademoiselle de L'Isle. Venez, Laffemas, nous rentrons !

Sylvie n'avait pas fini de saluer qu'il s'éloignait déjà, grande silhouette raide drapée dans un manteau de pourpre fourré de martre, réduisant à la médiocrité la taille de l'homme noir qui marchait à ses côtés, l'échine basse, dans une attitude obséquieuse qui souleva le cœur de Sylvie. Elle allait devoir se confesser, car elle n'avait pardonné que du bout des lèvres sans que son cœur y souscrivît. Décidément, elle n'aimait pas le Lieutenant civil.

Après un coup d'œil au buisson de houx immobile et silencieux, elle reprit le chemin du château en prenant soin de régler son allure de façon à ne pas rejoindre les deux promeneurs et ne retint pas un soupir de soulagement en les voyant rentrer au château par la porte Dauphine. Elle-même comptait emprunter la voie par laquelle elle était venue. Cela lui laissait le temps de réfléchir à ce qu'elle pourrait faire pour éviter le redoutable honneur qu'on lui réservait. Le mieux serait sans doute de tout raconter à la Reine. Habituée de longue date à jouer contre l'Éminentissime, Anne d'Autriche l'aiderait peut-être à éviter la corvée.

Elle était tellement absorbée dans ses pensées qu'elle ne vit pas Mlle de Hautefort, emmitouflée dans de magnifiques fourrures, accourir vers elle.

— Eh bien, où étiez-vous donc ? s'écria l'Aurore. On vous cherche partout !

— Qui peut bien me chercher ? Hormis vous et le cercle de Sa Majesté, je ne connais personne...

— Et pourquoi ne serait-ce pas, justement, Sa Majesté ?

— Si cela est, courons !

Elle prenait déjà son élan, mais Hautefort la retint :

— Un moment, s'il vous plaît ! Laissez-moi souffler !... Ouf ! J'ai couru comme une folle lorsque M. de Nangis m'a dit vous avoir vue partir en direction du parc. En fait, la Reine ne vous cherche pas. C'est moi qui ai voulu vous éviter une sottise. Il n'est pas du tout convenable d'aller dans le parc ce matin !

— Pourquoi donc ?

Au lieu de lui répondre, la jeune fille posa une autre question.

— Vous n'avez rencontré personne ? fit-elle d'un ton soupçonneux.

— Non... ou plutôt si. Je sortais de ce bosquet que vous voyez là-bas quand j'ai fait une chute juste aux pieds du Cardinal qui passait par là avec M. de Laffemas...

— Miséricorde ! Il était là ? Mais où allait-il donc ?

— Je l'ignore. Nous avons échangé quelques mots puis Son Éminence est rentrée au palais avec son compagnon. Vous qui savez tout, me direz-vous ce que fait ici le Lieutenant civil de Paris ?

— Si vous vous imaginez qu'il passe son temps au Châtelet, vous vous trompez. Dites-vous bien qu'il est d'abord au service de la Robe rouge pour toutes sortes de vilaines besognes extérieures à Paris. Finalement, jeune bécasse, vous n'avez pas eu si mauvaise idée en allant vous promener dans ce coin. Le bruit de votre conversation a dû être entendu, ce qui a permis aux tourtereaux de s'enfuir.

— De qui parlez-vous donc ?

— Mais du Roi que des dizaines d'yeux ont vu entraîner Mlle de La Fayette tout juste là où vous étiez. Le Cardinal ne dédaigne pas, de temps en temps, de faire lui-même la besogne de ses espions. Grâce à vous, il n'aura rien entendu d'une conversation qui devait cependant l'intéresser fort...

Cette fois, Sylvie se mit à rire :

— Les tourtereaux comme vous dites n'étaient pas bien loin, je vous l'assure : tout juste dans le grand buisson de houx...

— Vous les avez vus ?

— Non, mais j'ai entendu des voix, je les ai reconnues. Je ne voulais pas être indiscrète... Eh bien, qu'ai-je dit de si étrange ? demanda-t-elle en voyant la mine accablée de sa compagne.

— Faut-il que vous soyez jeune... ou bécasse comme je le disais tout à l'heure ! Vous aviez l'occasion d'entendre des choses qui, en dépit de ses nombreux maux, ont fait galoper Richelieu jusqu'au fond du parc, et vous avez fermé vertueusement vos oreilles ? Ma chère, apprenez qu'à la Cour les gens ne cessent de s'épier mutuellement et donneraient dix ans d'existence pour surprendre le quart de la moitié d'un tout petit secret.

— Ce n'est pas mon cas, affirma Sylvie en rougissant d'un aussi gros mensonge mais, si sympathique que lui fût Marie de Hautefort, elle ne voulait pas lui livrer les quelques phrases d'amour désespéré qu'elle avait surprises. Louise de La Fayette lui plaisait. Si douce, si mélancolique, si écartelée entre son devoir, sa conscience et son amour au milieu du bataillon moqueur et souvent malveillant des filles d'honneur, avec les regards de la Cour fixés sur elle ! Quant au Roi, lui aussi lui inspirait de la pitié parce que tous semblaient lui refuser le droit à l'amour. Pour le bien de l'État, il acceptait la férule d'un homme terrible dont le génie — il arrivait que l'on emploie ce mot à son sujet — s'exprimait le plus souvent par un autoritarisme impitoyable.

Elle allait en avoir une preuve supplémentaire. Comme elles suivaient la terrasse dominant le parterre, elles virent sortir de la porte Dorée deux jeunes gens dont l'un portait les insignes de capitaine d'une compagnie des gardes-françaises. Tous deux parlaient avec animation, l'un cherchant visiblement à calmer l'autre. Le jeune capitaine, beau comme un dieu grec, devait avoir seize ou dix-sept ans et semblait fort en colère. L'écho de ses dernières paroles parvint aux deux jeunes filles.

— ... et j'ai refusé. Avec autant de calme et de respect que j'en pouvais donner, mais j'ai dit non.

— Vous avez osé ?

— Oui, parce que ma liberté m'est chère. Elle est trop neuve pour l'enterrer déjà et...

Il s'interrompit à la vue des promeneuses, ôta son feutre et salua avec une grâce de danseur. Son compagnon en fit autant. On leur rendit salut pour salut.

— Eh bien, monsieur de Cinq-Mars, fit Hautefort moqueuse, vous voilà tout ébouriffé ! Quelqu'un vous aurait-il déplu ou, pis encore, auriez-vous déplu ?... Votre servante, monsieur d'Autancourt !

— Ni l'un ni l'autre. Si l'un de ces deux cas se présentait, je ne serais pas ici mais sur le pré, l'épée à la main !

— Un duel, vous ? Alors que le Cardinal vous montre tant de bienveillance ?

Le ravissant capitaine — avec son fin visage au regard intense, à la bouche sensuelle — était trop novice pour se défier des questions d'une jolie femme.

— Il vient d'en faire encore étalage. Savez-vous ce qu'il veut faire de moi ? Le Grand Maître de la garde-robe du Roi !

— Peste, s'extasia la jeune fille. Que voilà un bel avancement !

— Ah ! vous trouvez ? Eh bien, ce n'est pas mon avis ! Ce poste oblige à rester continuellement auprès du Roi qui est bien l'homme le plus triste que je connaisse. Je suis trop jeune pour aliéner ainsi ma liberté. J'ai des amis avec qui je m'amuse, mademoiselle, des...

— Des maîtresses qui vous amusent...

— En effet. Aussi ai-je refusé tout net.

— Tout net ? Au Cardinal ? Et vous n'êtes pas en route pour la Bastille ?

— Vous voyez bien que non. Le Cardinal s'est contenté de sourire sans rien dire. C'est un assez bon homme, vous savez, quand on sait le prendre.

— À Dieu ne plaise ! Je vous le laisse ! Nous sommes vos servantes, monsieur le Grand Maître !

Elle esquissait une révérence, mais le compagnon de Cinq-Mars lui demanda en rougissant :

— Ne me ferez-vous pas la grâce, mademoiselle, de me présenter à votre amie ?

Cette fois, le sourire de la belle fut franc et sincère :

— Avec joie ! Sylvie, je vous présente le marquis

d'Autancourt, fils du maréchal-duc de Fontsomme. Mlle de L'Isle est fille d'honneur de la Reine.

Depuis le début de la rencontre, le jeune marquis n'avait cessé de regarder Sylvie avec un air de douceur disant assez qu'elle lui plaisait. Lui-même n'était pas sans charme : blond, mince, très jeune, avec une silhouette élégante et souple annonçant l'homme rompu aux exercices du corps, il était moins beau que son camarade mais Sylvie le décréta tout de suite beaucoup plus sympathique et lui sourit. Il y avait dans M. de Cinq-Mars quelque chose d'avide, de violent et d'un peu trouble, une grâce languide qui lui déplaisait.

On échangea quelques paroles de courtoisie puis l'on se sépara, les jeunes filles se hâtant de regagner l'appartement de la Reine. Tout en marchant, Sylvie se renseigna :

— Qui est ce M. de Cinq-Mars ?

— Le petit protégé de Richelieu qui le connaît depuis l'enfance. Il est le fils de feu le maréchal d'Effiat, un grand soldat qui possédait des terres en Amérique et en Touraine, sans compter le magnifique château de Chilly où le Cardinal se rend fréquemment. Grâce à lui ce jeune blanc-bec est lieutenant général de Touraine, lieutenant général du gouvernement de Bourbonnais et capitaine d'une compagnie de gardes. Si Richelieu s'est chargé de sa fortune, il finira duc et pair avec l'une des plus hautes charges du royaume.

— Je ne l'aime pas beaucoup.

— C'est fort compréhensible : il ne ressemble pas du tout à M. de Beaufort !

Sylvie se contenta de rougir et ne répondit pas.

Ce soir-là, au jeu de la Reine où venait toute la Cour, Sylvie revit le Cardinal et en éprouva une vague angoisse, mais il se contenta de lui sourire sans renouveler sa demande. Elle en fut soulagée.

Le séjour à Fontainebleau ne dura guère. Deux jours plus tard, le Roi décidait brusquement de partir pour Orléans. Louis XIII connaissait bien son frère et savait qu'il prenait peur dès que l'on s'approchait de lui, surtout avec un appareil assez formidable. Le succès fut immédiat : Monsieur tomba dans les bras du Roi, jura qu'en venant dans sa ville ducale il ne désirait que trouver un peu de repos loin des tumultes du Louvre et de Paris et, surtout, qu'il ne nourrissait envers son royal frère aucun dessein contraire à la bonne harmonie d'une famille. Sylvie, pour sa part, jugea le duc d'Orléans antipathique. Il était plus beau que le Roi et ne manquait pas d'un certain charme enveloppant, mais elle détesta sa bouche molle et son regard qui se promenait toujours en haut, en bas, à gauche ou à droite mais jamais — ou si rarement ! — sur son interlocuteur. En fait, quand on le voyait auprès de son frère il ressemblait assez à une copie au lavis, plus incertaine et plus moelleuse, d'une eau-forte, et Sylvie comprit mieux l'exclamation de la Reine quand, au moment de la conspiration de Chalais, on lui prêtait l'intention d'épouser son beau-frère après la mort de son époux : « Je ne gagnerais pas au change ! »

Le soir même, le Roi envoyait à ses généraux d'armée et à ses gouverneurs de province une lettre disant que Monsieur l'ayant assuré de son affection, il oubliait volontiers la faute qu'il avait commise en se retirant sur ses terres « sans prendre congé de lui », autrement dit sans sa permission. Formule diplomatique pour faire entendre que le duc d'Orléans était revenu dans la voie du devoir et que l'ennemi ne devait plus compter sur une aide quelconque de sa part.

Il ne restait plus qu'à rentrer chacun chez soi et, tandis que Monsieur embarquait dans sa galiote pour descendre à Blois par la Loire, la Cour se sépara : le Roi voulait rentrer aussi vite que possible dans son petit château de Versailles, cependant que la Reine décidait de s'arrêter à Chartres pour y faire ses dévotions à Notre-Dame et la prier de lui donner le Dauphin qui ne venait pas. Mlle de La Fayette, souffrante, avait obtenu la permission de regagner Paris dès le départ de Fontainebleau. Elle souhaitait en outre faire une brève retraite dans un couvent. Permission qui lui fut accordée d'autant plus facilement que ses yeux continuellement rougis par les larmes et les nuits sans sommeil agaçaient la souveraine.

Pour sa part, Sylvie était ravie de rentrer à Paris où les chances de rencontrer François étaient plus nombreuses que sur les grands chemins. Une surprise l'y attendait sous la forme d'une lettre de son parrain lui demandant de passer le voir dès que son service le permettrait.

Depuis six mois, en effet, Perceval de Raguenel n'était plus qu'écuyer honoraire de la duchesse de Vendôme et s'était installé à Paris dans l'élégant quartier du Marais. L'héritage inattendu d'un cousin à peine plus âgé que lui, célibataire et sans autre famille, lui avait apporté une large aisance. Le cousin, qui n'aimait au monde que la mer et courait l'océan sous des lettres de marque, en avait rapporté une assez jolie fortune et un mauvais coup de sabre. Il avait réussi à revenir dans sa maison de Saint-Malo pour y mourir, en léguant son navire, son équipage et le reste de ses biens à Perceval avec qui il s'était battu plus d'une fois dans leur enfance, qu'il n'avait pas beaucoup revu depuis, mais qu'il estimait être « le seul homme convenable qu'il eût rencontré sur cette foutue planète ».

Pour Raguenel, qui ne possédait au monde que sa solde d'écuyer et un manoir à demi ruiné aux environs de Dinan, c'était une manne inespérée. Elle lui avait apporté une nouvelle liberté. Riche désormais, intelligent cultivé, noble et plutôt bien de sa personne, il aurait pu se marier cinq ou six fois mais il était demeuré fidèle à son amour de jeunesse dont il reportait une grande partie sur Sylvie qu'il considérait à présent comme sa fille : il entendait vivre pour elle car elle était son œuvre plus encore que celle des malheureux Chiara et Jean de Valaines dont, pour protéger leur enfant, il avait fallu laisser le nom s'enfoncer dans les ténèbres de l'oubli. Il lui avait tout appris, prenant un plaisir toujours plus vif à façonner cette petite fille pas bien jolie mais qui, en grandissant, devenait charmante. Elle était intelligente, espiègle et tendre mais facilement emportée, et là il n'avait rien pu contre le côté irascible de son caractère. Soupe au lait elle était et resterait sans doute toute sa vie. Et ce n'était pas sans une certaine inquiétude qu'il avait appris qu'elle allait devenir fille d'honneur de la Reine.

— Elle n'a pas quinze ans, tenta-t-il d'expliquer aux Vendôme. Elle est trop jeune pour vivre à la Cour.

— Sottises ! répliqua le duc César — la scène se déroulait à Chenonceau où l'on avait passé les fêtes de Noël. Il y a des filles que l'on marie à cet âge. Mme de Guéménée n'avait que douze ans, en 1604, lorsqu'elle a épousé son cousin. Quant à Charlotte de Montmorency, aujourd'hui princesse de Condé, elle en avait à peine quatorze quand mon père la vit danser dans un ballet au Louvre et en devint amoureux fou. Cette petite est mignonne et grâce à vous elle possède tout ce qu'il faut pour faire son chemin à la Cour. Je suis certain qu'elle n'aura aucune peine à y trouver un époux...

— N'y a-t-il donc pas assez de gentilshommes autour de vous, monseigneur, pour lui en faire un mari sans l'éloigner à ce point d'une maison et d'une famille où elle a toutes ses affections ?

— À cet âge, le cœur n'est pas fixé. Celui de

Mlle de L'Isle a tout le temps de se découvrir de multiples sujets d'intérêt. En outre, si comme vous le dites elle tient à nous, il ne sera pas mauvais d'avoir par son truchement des yeux et des oreilles dans l'entourage de la Reine.

Perceval était trop fin pour insister. César, il le savait, n'aimait pas Sylvie à laquelle il reprochait non seulement une trop grande liberté de langage, mais, surtout, l'amour évident qu'elle portait à son fils François. Un fils de France, même bâtard, pouvait prétendre à une tout autre alliance qu'une fille de petite noblesse. Lui-même n'avait-il pas obtenu la main d'une princesse de Lorraine possédant l'une des plus grosses dots qui se pussent trouver ? En outre, les incessantes charités de sa femme étendues à toutes les classes de la société, même et surtout aux filles de joie, l'agaçaient. Il trouvait qu'elle en faisait trop, qu'elle aurait dû le ménager davantage puisqu'elle gardait, elle, l'inappréciable chance de pouvoir vivre à Paris et paraître à la Cour avec ses fils alors que lui-même était contraint à la campagne toute l'année, même si ses « campagnes » figuraient parmi les plus beaux châteaux de France. Il en avait compté chaque pierre, chaque ornement, et pour passer le temps chassait, buvait, jouait, culbutait quelque jouvenceau local en soupirant après tous ces jolis muguets de cour, poncés, adonisés, parfumés autant et plus que femmes, dont ses fils pouvaient faire leur société. Ce qui d'ailleurs n'était pas le cas, Mercœur comme Beaufort n'ayant nullement hérité les goûts grecs de leur père et trouvant les femmes infiniment plus intéressantes. Enfin, la duchesse avait consenti à le débarrasser d'une de ces maudites femelles, celle peut-être qu'il craignait le plus parce qu'elle ne savait pas dissimuler et ne se donnait même pas la peine de cacher la méfiance qu'il lui inspirait !

Tout cela, Perceval le savait et c'était l'une des raisons pour lesquelles il avait choisi de s'éloigner dès que la fortune lui avait souri. La haine que César éprouvait pour Richelieu lui tenait compagnie autant que ses mignons, mais ne lui suffisait certainement pas. Il entretenait d'excellentes relations de bon voisinage avec Monsieur, sans compter une correspondance discrète avec les ennemis acharnés du Cardinal : le comte de Soissons, réfugié à Sedan chez le redoutable duc de Bouillon, et Mme de Chevreuse, exilée comme lui en Touraine mais qui n'en demeurait pas moins fort active. Et Perceval craignait que les menées tortueuses du père ne causent dommages et douleurs à ceux de sa maison. César s'illusionnait s'il croyait que le tout-puissant ministre hésiterait un seul instant à faire tomber sa tête si elle devenait trop gênante, le Roi qui détestait son frère bâtard signerait l'arrêt de mort avec enthousiasme. Au moins, en cas de drame, Sylvie trouverait-elle un abri tout naturel chez celui qu'avec la permission de la duchesse Françoise, elle appelait maintenant parrain. Et c'était en pensant à elle qu'il s'était plu à arranger avec goût le petit hôtel dont il avait fait l'achat rue des Tournelles, aux abords immédiats de la place Royale, centre magique de l'élégance parisienne.

Il y vivait au milieu des livres, servi par son fidèle Corentin qui attendait patiemment que Jeannette consente à « couronner sa flamme » et une vigoureuse commère de quarante ans, Nicole Hardouin, qui possédait toutes les qualités d'une grande ménagère et tenait sa maison d'une poigne de fer. Tout comme elle tenait son éternel amoureux, un exempt du Châtelet décoré du nom champêtre de Desormeaux.

C'était donc vers cette maison que Sylvie se hâtait, en compagnie de Jeannette, dans une des chaises de louage que l'on trouvait aux alentours du Louvre et qui « étaient un retranchement merveilleux contres les insultes de la boue ». Cette escapade l'enchantait. La jeune fille n'était allée que deux fois chez Perceval, mais elle gardait de sa maison un souvenir chaleureux. Peut-être parce que, habituée depuis l'enfance aux vastes demeures des Vendôme — l'immense hôtel de Paris, Anet, Vendôme, Chenonceau ou La Ferté-Alais — elle trouvait là une maison aux dimensions humaines : un petit hôtel entre cour et jardin offrant sur la rue un portail et sur la cour une sorte de pavillon bâti sous Henri IV avec, au rez-de-chaussée, de part et d'autre de l'escalier central en bois joliment sculpté, une assez grande salle, une chambre et une garde-robe. Au premier, il y avait le cabinet de Raguenel, bourré de livres, et deux chambres dont l'une était occupée par Nicole. Corentin s'était établi au-dessus de l'écurie, dans l'une des ailes sur cour, l'autre étant réservée à la cuisine et à ses dépendances. Sur le derrière de la maison, un petit jardin déployait son modeste parterre autour d'une jolie fontaine et, pour les jours chauds, recevait l'ombre d'un grand tilleul qui embaumerait quand juin reviendrait et qui, en attendant, faisait la joie d'Achille, le chat de dame Hardouin.

Ce fut lui que Sylvie et Jeannette rencontrèrent en premier. Il traversait la cour d'un pas exténué, leur jeta un regard désabusé et fila s'installer devant la cheminée de la cuisine dans l'espoir d'obtenir une avance sur son souper. Jeannette l'y suivit pour causer avec Nicole tandis que Corentin, un grand sourire sur sa bonne figure ronde, conduisait Sylvie jusqu'au cabinet de lecture où elle trouva son parrain en compagnie d'un homme d'une cinquantaine d'années, vêtu en bourgeois d'un habit gris à col blanc rabattu et qui, à son entrée, tourna vers elle un visage étroit encore allongé par une barbiche poivre et sel comme les moustaches. Il avait posé sur un tabouret son chapeau à haut fond ceint d'une cordelière noire, son grand manteau, et tendait à la flamme de la cheminée ses pieds chaussés de gros souliers à boucle. Perceval et lui semblaient engagés dans une conversation animée d'où la politique ne devait pas être exclue car Sylvie saisit au vol les noms du duc d'Orléans et du comte de Soissons, mais son entrée l'arrêta net. Le visiteur sauta sur ses pieds en annonçant aussitôt qu'il lui fallait prendre congé :

— Ne soyez pas si pressé, mon ami, protesta Raguenel. Laissez-moi au moins vous présenter ma filleule, Mlle de L'Isle. Sylvie, voici un homme qui a voué sa vie au bien des autres : Théophraste Renaudot, médecin, philanthrope et, depuis tantôt six ans, éditeur de notre chère *Gazette*, ajouta-t-il en prenant sur sa table le petit cahier de huit feuillets dont les Parisiens guettaient, chaque semaine, la sortie. Il n'a qu'un seul défaut, reprit Perceval en riant, il adore le Cardinal !

— N'exagérons rien, sourit le publiciste en échangeant avec Sylvie les gracieux saluts rituels. Je ne l'adore pas mais je lui dois beaucoup puisque c'est le père Joseph, son intime conseiller, qui m'a tiré de mon Loudun natal pour m'amener à Paris. Là, j'ai réalisé, grâce à lui, à peu près tout ce que je souhaitais. Oh ! je sais ! ajouta-t-il en se drapant dans son manteau, qu'il est de bon ton si l'on veut briller dans le monde de vitupérer Son Éminence et j'admets volontiers qu'il est un homme de fer, mais j'espère sincèrement qu'un jour viendra où l'on rendra justice à ses grands desseins politiques. Il n'a qu'une idée en tête : la France, alors que les princes et même la Reine désirent seulement faire du royaume une colonie espagnole comme Cuba, le Mexique ou le Pérou !

— Vous n'avez sans doute pas tort, mon ami, mais j'aimerais qu'il ne se mêle pas tant des vies privées d'autrui... Il est tard et je vous raccompagne ! Réchauffez-vous au feu, petite Sylvie ! Je reviens dans l'instant.

La jeune fille ôta sa grande mante à capuchon doublée de vair, ses gants fourrés, et tira un tabouret pour être plus proche de la belle flambée. Elle lui tendit ses mains et ses pieds, glacés en dépit de leurs protections.

Quand il revint dans son cabinet, Perceval resta au seuil quelques secondes pour s'accorder le temps de la regarder. Elle sentit sa présence et se retourna :

— Eh bien, que faites-vous là au lieu de reprendre votre fauteuil ?

— Je vous regarde. Vous avez plus que jamais l'air d'un petit chat. Êtes-vous heureuse à la Cour ?

— Heureuse est un bien grand mot, mais je reconnais que c'est plus agréable que je ne le craignais. La Reine est bonne et charmante et... je la crois très malheureuse à cause de cet amour du Roi pour Mlle de La Fayette. Qui elle-même pleure tout le temps et n'est pas plus heureuse. Et puis, si je ne suis pas au mieux avec les filles d'honneur, j'ai du moins une amie.

— Laquelle ?

— Mlle de Hautefort. Elle est belle, pleine de courage, très insolente et dévouée à notre maîtresse.

— Voilà qui est bien ! Vous auriez pu choisir plus mal !

— Oh ! c'est elle qui m'a choisie ! À présent, parrain, dites-moi, s'il vous plaît, à quoi je dois le plaisir de vous voir ?

Perceval se mit à rire :

— Peste ! Comme nous avons vite pris le ton de la Cour ! Mais je ne vous ai pas fait venir pour que nous échangions des madrigaux, fit-il soudain grave en s'asseyant auprès de sa filleule et en prenant l'une de ses mains dans les siennes. Connaissez-vous un M. de La Ferrière ?

— Non. Qui est-ce ?

— C'est un officier aux gardes du Cardinal. Il a demandé votre main à Mme de Vendôme qui m'a priée de vous le faire savoir.

— Ma main ? Cela signifie qu'il veut m'épouser ?

— Il n'y a aucune autre traduction possible.

— Et... qu'est-ce que Mme la duchesse a répondu ?

— Qu'elle vous laissait maîtresse de votre choix et ne vous contraindrait jamais. Qu'en outre, je suis votre tuteur.

— Eh bien, mais c'est parfait ? Il n'y a plus à en parler.

— Oh si ! il faut en parler, parce que ce La Ferrière va faire tous ses efforts pour vous plaire et qu'il pourrait y réussir : il est bien de sa personne et le Cardinal lui fera sans doute un sort enviable...

— Vous voulez dire que je pourrais le regarder favorablement quand je le connaîtrai ?

— Exactement. Or, Sylvie, en aucun cas vous ne devez accepter de mettre votre main dans la sienne. C'est pourquoi Mme de Vendôme a désiré que ce soit moi qui vous parle et non elle-même.

— N'est-ce pas un peu étrange ?

— Non, parce que moi je sais avec exactitude ce qu'est ce personnage et que Mme la duchesse ne sait, elle, que ce que je lui en ai dit. Dans l'état actuel des choses, elle s'est bornée à répondre que, de toute façon, elle vous trouvait trop jeune pour le mariage.

— Et c'est vrai ?

— Pas tout à fait. Bien des filles se marient à quinze ans. La Reine n'en avait que quatorze. Le Roi aussi d'ailleurs, mais revenons à votre prétendant. Vous ne devez à aucun prix lui permettre de vous séduire.

La jeune fille éclata soudain d'un rire frais et joyeux.

— Me séduire ? Mais personne ne peut me séduire. Vous savez bien que je n'aime et n'aimerai jamais que François...

— Ce sont de ces choses que l'on dit lorsque l'on a votre âge. Avec le temps, on change.

— Je ne changerai pas.

— Il vaudrait mieux pourtant, Sylvie. Outre qu'il ne vous épousera pas, il est incapable de garder sa foi à une seule femme. On le dit amoureux de Mme de Montbazon, de Mlle de Bourbon-Condé et de je ne sais qui d'autre encore...

— Aucune ne compte parce que, en réalité, il n'en aime qu'une seule et c'est la Reine !

— Petite malheureuse ! Voulez-vous bien ne pas dire de pareilles choses ! Même ici !

— C'est pourtant la vérité, soupira Sylvie avec tristesse, mais elle se reprit vite et, tournant vers Perceval son regard redevenu clair : « Revenons à notre premier propos : pourquoi ne dois-je à aucun prix écouter les prières de M. de La Ferrière ?

Et pourquoi est-ce vous qui deviez me le faire savoir ? »

— Parce que... je vous aime beaucoup et que — du moins je l'espère — vous m'aimez un peu.

Sylvie quitta son tabouret et vint s'asseoir aux pieds de son parrain pour pouvoir appuyer sa tête contre ses genoux.

— Beaucoup plus que cela et vous savez bien que je vous écouterai toujours !

Ému, il caressa les cheveux châtains soyeux.

— Alors, essayez de me croire sans que j'aie à m'en expliquer davantage !

— Pourquoi ?

Il hésita puis, sans répondre à sa question :

— Vous souvenez-vous de votre petite enfance ? Je veux dire : avant que François ne vous amène chez sa mère ?

La jeune fille ferma les yeux pour mieux se concentrer.

— Un peu, oui... J'ai souvenance d'une jolie maison avec des arbres, d'une belle jeune femme que j'aimais et qui était ma mère... et aussi de ma nourrice qui était la mère de Jeannette... et puis de quelque chose de terrible, plutôt vague et que je n'explique pas...

— Est-ce que Jeannette vous parle quelquefois ? demanda Perceval inquiet. Depuis longtemps, il avait fait jurer à la jeune servante de ne jamais évoquer le château des Valaines afin de protéger Sylvie d'une vérité qu'il faudrait en venir peut-être à lui apprendre un jour, mais le plus tard possible.

— Non. Elle dit qu'elle ne se rappelle rien... mais je suis sûre qu'elle ment !

— Eh bien, faites comme si elle vous disait la vérité et ne l'interrogez pas ! Plus tard, je vous parlerai moi-même mais quand je le jugerai bon. Sachez seulement que La Ferrière est lié à cette chose terrible que vous évoquiez il y a un instant. Cela vous suffira-t-il ?

Elle se redressa pour entourer son cou de ses bras et poser un baiser sur sa joue :

— Il le faudra bien !... À présent, je dois vous quitter. Il est l'heure de rentrer au Louvre. Et soyez en repos : je ne ferai rien qui puisse vous déplaire ou vous faire de la peine.

Sylvie repartie, Raguenel réfléchit un moment puis, s'asseyant devant sa table, il tailla une plume d'oie, la trempa dans l'encre et écrivit quelques mots. Ensuite il sabla, cacheta et appela Corentin :

— Tiens ! Trouve le duc de Beaufort et donne-lui ceci. Il faut que je le voie le plus vite possible !

Ensuite, il retourna s'asseoir dans son fauteuil et rêva longtemps, les yeux fixés dans le cœur flambant du feu...

CHAPITRE 6

AU PALAIS-CARDINAL

Sylvie n'attendit pas très longtemps de rencontrer celui qui, pour une obscure raison connue de lui seul, venait de prétendre à sa main.

Il y avait fête ce soir-là au Louvre. Leurs Majestés recevaient le duc de Weimar, un prince protestant. Dans la Grande Galerie construite jadis par Catherine de Médicis à l'emplacement de la courtine du rempart de Charles V pour relier le Louvre à son château des Tuileries, les comédiens du Marais donnaient *Le Cid*. Le vieux Louvre était illuminé des jardins aux toits, des milliers de bougies brûlaient dans les appartements. La Cour était au grand complet et, pour la première fois, la nouvelle fille d'honneur put l'admirer dans toute sa splendeur. Hommes et femmes pour la circonstance faisaient assaut de luxe et d'élégance. Ce n'étaient partout que satins, brocarts, toiles et dentelles d'or ou d'argent, rubans, plumes et broderies servant d'écrins à une profusion de perles et de pierreries multicolores. Le Roi lui-même qui, sans aller jusqu'au négligé célèbre de son père, aimait à se vêtir simplement, brillait comme un soleil, mais sans parvenir à éteindre les deux pôles d'attraction de la soirée, la Reine et le cardinal de Richelieu : deux silhouettes éclatantes portant la même pourpre. On ne savait laquelle était la plus impressionnante, de la simarre de moire écarlate sur laquelle étincelait une grande croix du Saint-Esprit en diamants ou de la robe en brocart de Gênes d'Anne d'Autriche qui, pour ce soir, avait choisi les couleurs mêmes de son ennemi afin de ne pas le laisser accaparer les regards. Et elle y réussissait à merveille car, à la splendeur de son costume, s'ajoutait l'éclat de sa beauté. La chérusque de dentelle givrée de petits diamants encadrant son profond décolleté laissait admirer la blancheur de sa gorge sur laquelle s'étalait un fabuleux collier, composé de gros rubis en poire et d'un étonnant assemblage de diamants carrés, qui lui avait été offert par le roi d'Espagne, son père, au moment de son mariage mais qu'à cause de sa taille elle n'avait pu porter qu'une fois parvenue à l'âge adulte. Un « serre-tête » et six bracelets assortis achevaient cette parure d'une splendeur presque barbare et faisaient d'elle une idole devant laquelle on ne pouvait que s'agenouiller. Mais certains comprirent que la Reine, en arborant uniquement des joyaux espagnols à l'exclusion de ceux, splendides cependant, offerts par son époux, et cela pour écouter une pièce « espagnole » en compagnie d'un prince allemand, s'offrait le luxe d'un défi.

Marie de Hautefort ne s'y trompa pas et

Beaufort non plus quand il vint, vêtu de toile d'or et de velours brun, saluer sa souveraine.

— Vous êtes belle à miracle, Madame, dit-il d'une voix émue. En vous voyant ainsi parée, on voudrait pouvoir tomber à vos pieds et prier, prier jusqu'à ce que vous accordiez un regard de douceur au malheureux ainsi prosterné.

— Auriez-vous à vous plaindre de celui que je vous accorde ? répondit-elle avec un sourire qui serra le cœur de Sylvie.

En même temps, elle offrait une main chargée de bagues sur laquelle il posa ses lèvres en mettant genou en terre. La petite scène n'échappa pas au Roi :

— De quoi donc, Madame, récompensez-vous si royalement mon neveu Beaufort ? fit-il d'un ton où vibrait une note de colère. Mais sa femme ne s'émut pas.

— D'un compliment bien tourné, Sire ! Ce n'est pas sans prix aux yeux d'une femme, fût-elle reine.

— J'ai bien du malheur, moi, de n'avoir pas su trouver, avant M. de Beaufort, les mots capables de me valoir une telle faveur, dit le Cardinal qui s'était approché.

— Comme si Votre Éminence ne savait pas que c'est aux reines de s'agenouiller devant l'Église ? Le contraire n'aurait aucun sens, répondit-elle avec un imperceptible haussement d'épaules qui n'échappa cependant pas au regard du ministre dans lequel un éclair s'alluma. Mais l'escarmouche s'arrêta là : les comédiens demandaient respectueusement, par le truchement du maître des cérémonies, la permission de commencer. Chacun s'établit à sa place devant la scène qui tenait toute la largeur de la galerie et que fermait un grand rideau de velours.

En dépit de la petite douleur qu'elle venait de ressentir, Sylvie se passionna pour l'œuvre de M. Corneille. La beauté des vers l'enchanta autant que la dramatique histoire des deux amants séparés par les inflexibles lois de l'honneur. Mondory, le chef de la troupe, était un magnifique Rodrigue et Marguerite Guérin une sublime Chimène. La plupart de ceux qui les écoutaient avaient déjà vu *Le Cid* au théâtre du Marais, mais ils n'en acclamèrent pas moins les comédiens avec enthousiasme dès que le Roi eut donné le signal des applaudissements. Avec chaleur, d'ailleurs : cette pièce héroïque lui plaisait et il promit à la Reine, transportée, qu'il la ferait jouer encore pour elle. Richelieu, quant à lui, annonça qu'il ferait donner, lui aussi, quelques représentations au Palais-Cardinal et que l'auteur recevrait une pension. Seuls les applaudissements frénétiques du duc de Weimar pouvaient être sujets à caution : le cher homme, bercé par la musique des vers qu'il ne comprenait pas toujours très bien, avait dormi profondément.

Chez les filles d'honneur, l'excitation était à son comble.

— Cela est si beau, que cela pourrait donner de l'amour à la plus froide, disait l'une.

— J'ai cru pâmer au moins dix fois ! Ah ! « Percé

jusques au fond du cœur d'une atteinte imprévue aussi bien que mortelle... », ajouta sa voisine.

— Jamais on n'a ouï plus grands sentiments ! Ah ! c'est à en mourir, soupira une troisième. Voyez comme notre Reine est émue !

— M. Boileau a écrit : « Tout Paris, pour Chimène, a les yeux de Rodrigue », dit Marie de Hautefort plus touchée qu'elle ne voulait l'admettre et qui riait afin de cacher son émotion. Mais nous pourrions dire aussi que toutes les femmes, pour Rodrigue, ont les yeux de Chimène. Et vous, petit chaton, ajouta-t-elle en se tournant vers Sylvie, quel est votre sentiment ?

— Le même que vous ! C'est tellement beau que les larmes m'en sont venues à plusieurs reprises.

— Eh bien, mesdemoiselles, il semble que vous ayez apprécié les vers de M. Corneille, émit une voix profonde qui les fit tressaillir avec un bel ensemble et perdre aussitôt contenance, comme c'était généralement le cas lorsque l'on se trouvait soudain en présence du Cardinal. Seule Marie de Hautefort, pas émue le moins du monde, fit face à la situation :

— J'espère que c'est aussi le cas de Votre Éminence. On sait l'infaillibilité de son goût en matière d'art et de belles-lettres ! Songerait-elle à faire notre auteur de l'Académie ?

Le plus grand homme a ses petites faiblesses. La flatterie de l'Aurore le fit sourire :

— Nous verrons ! Il est certain qu'il s'agit là d'une grande œuvre... même si l'on peut relever quelques légères faiblesses dans les vers. Mais je ne vois pas Mlle de La Fayette ?

— Elle est souffrante, relaya Mlle de Chémerault que la présence du ministre ne troublait pas longtemps. Elle avait si petite mine tout à l'heure que la Reine lui a vivement conseillé de prendre du repos. En fait, ajouta hardiment la jeune fille, Sa Majesté ne souhaitait certainement pas voir sa suivante et le Roi échanger à distance soupirs et regards langoureux.

— Je ne crois pas que la Reine apprécierait votre commentaire, mademoiselle ! gronda Hautefort dont les grands yeux bleus étaient pleins d'éclairs.

Le sourire de Richelieu qui la contemplait avec un visible plaisir se fit apaisant.

— Qui ne comprendrait la Reine ? Surtout en présence d'un prince étranger ! Ah ! mademoiselle de L'Isle ! Je ne vous voyais pas ! Il est vrai que tout s'efface un peu lorsque se lève l'aurore. Vous êtes pourtant bien charmante ! ajouta-t-il en détaillant d'un regard connaisseur la robe d'épaisse soie blanche brodée de fleurettes d'argent, don d'Élisabeth de Vendôme, que Sylvie mettait pour la première fois et qui lui seyait à ravir.

Un compliment fait toujours plaisir mais elle n'en rougit pas moins jusqu'aux cheveux quand le regard de l'Éminence frôla le large décolleté. Richelieu aimait les femmes ; cela se savait et plusieurs histoires à ce sujet couraient les « ruelles » des bavardes de la cour. Pour échapper à la gêne, la jeune fille plongea dans une révérence.

— Je remercie Votre Éminence, murmura-t-elle.

— Et de quoi ? C'est Dieu qu'il faut remercier de vous avoir créée pour le plaisir des yeux. Souffrez d'ailleurs que je vous présente à l'un de mes fidèles qui m'en a prié parce qu'il vous admire. Voici le baron de La Ferrière, ajouta-t-il en se déplaçant pour faire place à celui que sa longue silhouette rouge occultait. Il est officier de mes gardes mais ce soir il n'est pas de service. Saluez Mlle de L'Isle, mon cher Justin : elle le permet.

Sylvie faillit dire qu'elle n'avait rien permis du tout mais estima plus sage de ne pas s'attirer le mécontentement du Cardinal pour une si mince affaire. Elle répondit au salut du nouveau venu en pensant que Perceval se tourmentait à tort : même s'il ne l'avait mise en garde contre le personnage, il lui aurait déplu à première vue : elle avait devant elle six pieds de velours vert soutaché, brodé, orné de petits nœuds rouges et argent avec col de dentelle et « canons » de même. Au-dessus de tout cela, une barbe rousse qui n'était pas sans beauté et qui même lui eût peut-être plu si la bouche avait été moins molle et le regard vert moins sournois. En la saluant, il tourna un compliment dont elle n'entendit que la moitié tant il était ampoulé et que le Cardinal n'eut pas la patience d'écouter jusqu'au bout : il s'éloigna, faisant refluer du même coup le bataillon des filles d'honneur dévorées de curiosité. Sylvie était fascinée par les mains du baron : de véritables battoirs à linge émergeant des délicates manchettes de dentelle.

On annonça le souper et le laïus de La Ferrière s'acheva sur sa demande d'être autorisé à la mener à la table et à lui tenir compagnie. La pauvrette qui pensait s'en tirer avec quelques banalités ne s'attendait pas à cela. Elle n'avait, bien entendu, aucune envie de finir la soirée en compagnie de ce reître et, ne sachant que répondre, elle chercha des yeux un quelconque secours, mais la Reine était déjà hors de la galerie, ses compagnes aussi. La Ferrière, prenant son silence pour une acceptation, s'emparait de son poignet pour l'entraîner quand une voix chaude, nette et bien timbrée, se fit entendre derrière elle :

— Mille regrets, monsieur, mais c'est à moi que revient l'honneur de conduire Mlle de L'Isle au festin.

Superbe, arrogant, un sourire de loup goguenard retroussant ses lèvres sur ses dents blanches, François de Beaufort venait d'apparaître aux côtés de Sylvie dont il dégagea le poignet d'un geste ferme. L'autre fit la grimace, cachant à peine son mécontentement :

— Monsieur le duc, marmonna-t-il, on peut s'étonner qu'un aussi grand prince se fasse le cavalier d'une simple fille d'honneur ?

— Eh bien, étonnez-vous, mon cher ! Mais on pourrait aussi se demander d'où vous sortez, vous, pour ignorer qu'une jolie femme a droit à tous les hommages. Même ceux d'un roi ! Demandez plutôt à Mlle de La Fayette.

— Mlle de La Fayette est de grande maison...

— Mlle de L'Isle, pupille de ma mère, appartient à celle de Vendôme et j'ai pour elle la plus tendre affection. Aussi n'ai-je aucune envie de la voir se commettre avec un soudard du Cardinal !

La Ferrière s'empourpra, cherchant machinalement à son côté une épée absente :

— Vous me rendrez raison de vos paroles, gronda-t-il.

— Un duel ? Avec vous ? Vous voulez rire ! Et que dirait votre bon maître si ses propres gardes piétinaient son édit favori, celui qui lui a permis de faire tomber la tête d'un Montmorency ? Serviteur, monsieur, je vous souhaite la bonne nuit.

Il éclata de rire au nez du baron et, levant la main de Sylvie qu'il n'avait pas lâchée, il l'entraîna en glissant sur les parquets en direction de la grande salle transformée pour ce soir en salle de festin. Sylvie était aux anges. Elle riait, elle aussi, en suivant la course folle de François, tandis que son ample robe se gonflait comme un ballon et que ses boucles folles dansaient le long de ses joues. Elle avait l'impression de s'envoler vers le Paradis...

— Comment avez-vous deviné que cet homme m'importunait, monseigneur ? Vous arrivez toujours à point nommé...

— C'est que, ma chère enfant, je le surveillais. Quand je pense que ce butor caressait l'idée de faire de vous sa femme ! On croit rêver !

— Mais... comment savez-vous cela ? Mme la duchesse vous a-t-elle annoncé la nouvelle ?

— Point du tout. C'est Raguenel qui s'en est

chargé. L'autre soir, il m'a fait porter un billet demandant que je passe rue des Tournelles. Il était inquiet et m'a tout raconté.

Sylvie s'arrêta net, obligeant son cavalier à en faire autant.

— Et il vous a chargé de veiller sur moi ? murmura-t-elle, redescendue de son nuage. C'était tellement merveilleux de croire qu'il avait volé spontanément à son secours !

— C'est tout naturel, puisque moi je vais à la Cour et pas lui ! Mais, de toute façon, prévenu ou non, je n'aurais pas permis à ce butor de poser ses pattes sur vous... mon petit chat !

— Vous aussi ! gémit Sylvie consternée. Bientôt tout le monde va m'appeler comme cela !

— D'abord, je ne suis pas tout le monde, et la Reine non plus ne l'est pas. Et pas davantage Mlle de Hautefort et les quelques personnes à qui vous plaisez dans ce palais.

Il la regardait avec, au fond de ses yeux bleus, une petite flamme qui réchauffa Sylvie.

— Ce surnom vous sied, continua-t-il en portant à ses lèvres la main qu'il tenait toujours. Vous avez toute la grâce, toute la spontanéité, tout le soyeux d'un chaton. Cela dit, Sylvie, il faut me promettre de me prévenir si ce La Ferrière s'obstine à tourner autour de vous.

— Et que ferez-vous ? Une provocation en duel ? Vous seriez arrêté avant même d'avoir croisé le fer. Richelieu serait trop content de mettre la main sur vous. Cet homme doit être l'un de ses favoris...

— Alors, il a bien mauvais goût ! Mais ne vous souciez pas de ce que je pourrais faire. Promettez, un point c'est tout !

— Vous ne tenez pas en place ! Comment être certaine de vous atteindre ? En outre, le printemps va venir et avec lui la reprise des combats contre l'Espagne. Vous allez retourner aux armées...

Soudain rembruni, le visage de Beaufort se durcit.

— Non. Vous savez en quelle suspicion l'on nous tient ici. Mon père est toujours exilé. Seuls ma mère, ma sœur, mon frère et moi sommes tolérés à la Cour où la Reine nous accueille toujours avec amitié. Et on nous refuse le droit d'aller nous battre pour notre pays ! conclut-il avec une amertume poignante.

— Quoi ? On ne vous permet pas de rejoindre vos postes ? Après votre exploit de Noyon ?

L'automne précédent, en effet, François, tête folle et cœur vaillant, s'était élancé sur son cheval, seul, l'épée au poing, ses cheveux blonds et sa chemise volant au vent, sur les retranchements espagnols devant Noyon. Les autres bien sûr avaient suivi et emporté la journée. Cet acte insensé lui avait valu une blessure et l'admiration du Roi.

— On disait même que Sa Majesté voulait vous faire capitaine général de sa cavalerie ?

— J'en aurais eu tant de joie ! Mais le Cardinal s'y est opposé parce que c'est à Noyon qu'il a failli être assassiné. Monsieur et notre cousin, le comte de Soissons dans les troupes duquel nous étions engagés, Mercœur et moi, projetaient de le poignarder mais quand le meurtrier s'est approché, Monsieur a pris peur et l'a dénoncé. Après quoi, lui et Soissons ont pris la fuite... et adieu mon brevet de capitaine général ! Ni mon frère ni moi n'étions au courant de ce projet, ce qui n'empêche qu'on nous le fasse payer comme si nous étions coupables. On nous a interdit de nous engager dans quelque armée que ce soit et le Roi — je devrais dire le Cardinal ! — s'est opposé au mariage de Mercœur avec la fille de notre ami le duc de Retz.

— En quoi ce mariage pouvait-il lui déplaire ?

— La Bretagne, mon petit chat, la Bretagne ! Retz possède Belle-Isle qui est un point stratégique important. Jamais le Cardinal ne permettra qu'un Vendôme s'y installe !

— C'est là que vous passiez jadis des vacances ?

Le regard de François s'évada soudain.

— Vous ne savez pas ce que c'est que Belle-Isle, Sylvie ! Je ne connais pas d'endroit qui soit plus beau, plus libre... Une terre au climat doux défendue par une ceinture de rochers sauvages où la mer vient se briser sans jamais parvenir à entamer son granit. Les couleurs de l'océan y sont plus riches que partout ailleurs et, au creux des vallons où coulent des ruisseaux argentés, les arbres sont ceux d'une terre du sud... les mêmes que dans ma principauté de Martigues. Si je pouvais vous y emmener, vous comprendriez pourquoi j'aime tant Belle-Isle où l'on peut s'imaginer maître du monde. Et je n'y retournerai jamais...

Brusquement, il se reprit, secoua les épaules comme pour se libérer du rêve où il s'était laissé emporter et saisit de nouveau la main de sa compagne qu'il avait abandonnée :

— Venez vite ! Je meurs de faim et si nous tardons trop nous n'aurons plus que les restes.

— Un moment encore, s'il vous plaît ! Vous êtes ami du comte de Soissons, outre qu'il est votre cousin. Pourquoi ne pas le rejoindre à Sedan ?

— Et entrer en rébellion contre le Roi ? Pactiser avec les Espagnols que je viens de combattre ? Je veux bien mettre mon épée au service d'un prince français, pas à celui de l'étranger. Je préfère encore l'inaction, puisque le Roi ne veut pas de moi...

— Et puis, dit Sylvie avec un rien de sévérité, vous n'avez surtout aucune envie de vous éloigner de la Reine, n'est-il pas vrai ?

Il ne répondit pas mais, à son air gêné, elle comprit qu'elle avait touché juste. Pourtant, au lieu de lui en vouloir, elle pensa qu'il était à plaindre, coincé qu'il était entre les fureurs d'un père rêvant d'abattre tout ensemble Roi et Cardinal et son amour pour la Reine qui l'obligeait à ménager l'un et l'autre.

Ils reprirent leur marche plus calmement et en silence. Sylvie ne remarqua pas le jeune homme qui les avait suivis depuis la Galerie dans l'espoir que Beaufort rencontrerait quelqu'un et lui laisserait sa place auprès de la jeune fille. Quand on atteignit la salle du festin, Jean d'Autancourt tourna les talons et s'éloigna...

Quelques jours plus tard, Sylvie chantait pour la Reine au milieu d'un cercle de dames attentives lorsque le Roi entra sans se faire annoncer. La romance cassa net dans la gorge de la jeune fille tandis qu'elle se relevait en hâte pour saluer son souverain.

— Ne bougez, mesdames ! dit celui-ci. Ne bougez ! Et vous, mademoiselle de L'Isle, continuez donc ! C'est de vous d'ailleurs que je viens parler à votre maîtresse.

— Mon Dieu, qu'a-t-elle fait pour que vous nous arriviez en si grande hâte, Sire ? demanda Anne.

— Rien de grave, si ce n'est qu'elle n'a pas encore déféré au désir que M. le Cardinal a de l'entendre chanter.

La Reine fronça le sourcil.

— Mes filles d'honneur ne sont pas à la disposition du Cardinal, dit-elle sèchement. Mlle de L'Isle m'a fait part de sa rencontre avec Son Éminence et... de la prière qu'elle a formulée car il ne saurait être question d'un ordre. C'est moi qui ai refusé de la laisser se rendre au Palais-Cardinal. Elle est beaucoup trop jeune pour s'aventurer ainsi dans une maison pleine d'hommes !

— La maison d'un serviteur de Dieu ? Y seraitelle plus en danger qu'à l'église ? Il y a surtout des prêtres chez le Cardinal.

— Il y a surtout des gardes, des espions de tout poil et des gens peu recommandables. Que n'y envoyez-vous Mlle de La Fayette qui a si souvent chanté pour nous et dont vous aimez la voix ?

— Il semblerait que vous-même l'aimiez moins depuis quelque temps ? Quoi qu'il en soit, ce n'est pas elle que le Cardinal réclame. Vous savez combien il aime les nouveautés. Ne pourriez-vous lui faire ce plaisir ?

— Pourquoi le devrais-je alors qu'il ne cherche qu'à me nuire ?

La colère commençait à gronder dans la voix de la souveraine, réveillant l'accent espagnol. Une scène se préparait. Aussi Marie de Hautefort, avec sa liberté habituelle, se lança-t-elle dans le débat :

— Avec la permission de Vos Majestés, peut-être pourrais-je apporter une solution ?

Le regard de Louis XIII, si dur l'instant précédent, s'adoucit en se posant sur celle qu'il avait aimée :

— Parlez, madame.

— Sa Majesté la Reine a raison en disant que Mlle de L'Isle est trop jeune pour aller seule chez le Cardinal. Aussi, je propose de l'accompagner.

Le Roi se mit à rire, ce qui était chez lui une grande rareté.

— La fière guerrière que voilà ! Je ne vois pas, en effet, qui oserait s'attaquer à Mlle de Hautefort ou à sa compagne. Si cet arrangement vous agrée, Madame, j'y souscris volontiers et j'ajoute que j'y joindrai un de mes gardes : le petit Cinq-Mars. Le Cardinal aime beaucoup ce joli muguet de cour...

La Reine rendit les armes :

— En ce cas, pourquoi pas ? Mais uniquement

si Mlle de L'Isle y consent. Qu'en pensez-vous, petit chat ?

— Je suis aux ordres de Votre Majesté, répondit Sylvie.

L'incident était clos. Le Roi marqua sa satisfaction en pinçant la joue de la jeune fille puis, comme il en avait l'habitude, s'en alla rejoindre Mlle de La Fayette dans son embrasure de fenêtre.

Le lendemain soir, Sylvie et sa compagnie prenaient, à pied, le chemin du Palais-Cardinal.

Un rectangle noble et calme, un palais posé sur une broderie de jardins flanqués de maisons antiques dont Richelieu expropriait peu à peu les propriétaires afin d'agrandir ses parterres et ses charmilles. Surtout, un palais flambant neuf dont les pierres claires, les grandes fenêtres aux vitres brillantes accentuaient la vétusté du Louvre et la saleté de ses vieilles murailles. Encore que l'on eût abattu les tours et les courtines de l'aile nord pour parfaire le dessin et les bâtiments de la cour Carrée, avec pour conséquence que, de ce côté, on voyait surtout des décombres, des blocs de pierre et des échafaudages. Tout cela — palais neuf et travaux — incombait à Jacques Lemercier, l'architecte du Cardinal qui, depuis dix ans croulait sous l'ouvrage. Il était allé au plus pressé en s'attaquant d'abord à la résidence cardinalice mais, en même temps, reconstruisait la Sorbonne, continuait le Val-de-Grâce et faisait sortir de terre l'église Saint-Roch. C'était à présent un homme exténué, mais

Richelieu avait lieu d'être satisfait : son palais était une réussite.

Déjà avertie des fastes des lieux — elle était venue deux ans plus tôt quand, pour l'inauguration du petit théâtre de l'aile orientale, Richelieu avait donné une fête, un grand ballet mythologique avec lâcher d'oiseaux en l'honneur de la petite Mademoiselle, fille de Gaston d'Orléans — Marie de Hautefort se contenta d'apprécier les changements survenus depuis, mais Sylvie ouvrit de grands yeux. Cette demeure-là lui paraissait beaucoup plus royale que le Louvre ! Outre les vingt-cinq jardiniers qui, dans les jardins, s'affairaient à préparer le printemps, la domesticité en livrée rouge était nombreuse et l'intérieur du palais fastueux. Il n'y avait rien qui ne fût de grande qualité, depuis les toiles de maître signées Rubens, le Pérugin, le Tintoret, Dürer, Poussin et quelques autres, jusqu'aux tapis tissés d'or et de soie en passant par des marbres et des bronzes antiques, d'admirables tapisseries racontant l'histoire de Lucrèce, sans oublier les meubles de marqueterie, les statuettes précieuses, l'abondance de cristaux, lapis-lazulis, agates, améthystes, saphirs, perles incrustés dans l'or ou l'argent pour former des obélisques, des miroirs, des globes, des chandeliers et des écrins. Une caverne d'Ali-Baba, même pour une fille habituée à des cadres magnifiques. Son regard effaré rencontra celui du jeune Cinq-Mars qui lui sourit :

— Le Cardinal possède de nombreux bénéfices,

abbayes ou autres, qui lui ont constitué sa fortune. C'est beau, n'est-ce pas ?

— Presque trop !

— Je crois sentir une légère critique dans votre voix ? Je pense, moi, que rien n'est trop beau qui embellisse la vie... ou la personne !

Il était lui-même un parfait modèle d'élégance et si son costume de velours gardait une tournure vaguement militaire, son baudrier brodé d'or et de perles fines devait valoir une fortune. En outre, il répandait à chaque geste une odeur suave.

Dans le premier salon, on trouva Mme de Combalet qui, chez son oncle, faisait office de maîtresse de maison... ou de maîtresse tout court selon les avis. Elle n'en offrait pas moins une image de respectabilité dans ses vêtements étalant un deuil fastueux — son époux était mort après quelques mois de mariage — qui convenait tout à fait à sa beauté.

La vue de Mlle de Hautefort ne parut pas l'emplir d'une joie extravagante, encore qu'elle eût offert à Cinq-Mars un beau sourire.

— Vous n'êtes pas, que je sache, parente de Mlle de L'Isle ? En ce cas, pourquoi l'avoir accompagnée quand je suis là pour la recevoir ?

Il en fallait davantage pour démonter l'Aurore. Relevant son joli nez, elle toisa la dame, nettement plus petite qu'elle.

— C'est justement parce qu'elle n'a aucun parent que la Reine juge bon de la faire accompagner. Elle est trop jeune pour courir les rues sans protection.

— Nous pouvions l'envoyer chercher.

— Mais vous ne l'avez pas fait et c'est tant mieux. À présent...

— À présent, vous voudrez bien attendre dans ce salon en compagnie de M. de Cinq-Mars ! Son Éminence ne veut partager avec personne le plaisir qu'elle se promet... Donnez-moi cette guitare !

Il fallut bien en passer par là mais, à la colère qui flambait dans ses grands yeux, on sentait que la fière jeune fille n'était guère habituée à faire antichambre. Avec humeur, elle se laissa tomber dans un fauteuil tandis que Cinq-Mars, assez vexé lui aussi, s'établissait dans un autre et en indiquait un troisième au page qui avait porté la guitare depuis le Louvre.

Conduite par Mme de Combalet, Sylvie traversa une galerie peuplée de statues d'hommes illustres, la seule femme étant Jeanne d'Arc, avant d'atteindre le cabinet où Richelieu l'attendait, assis au coin du feu, un chat entre les mains, un autre dormant paisiblement sur le coussin où reposaient les pieds de son maître. Il semblait las et son teint jaune était celui d'un malade, mais il n'en accueillit pas moins sa visiteuse avec une grande gentillesse :

— Sa Majesté est infiniment bonne de vous prêter à moi pour un moment. J'ai grand besoin, ce soir, de bonne musique.

— Votre Éminence est souffrante ? demanda Sylvie en accordant son instrument.

— Un peu de fièvre, peut-être... et aussi les soucis de l'État. Qu'allez-vous me chanter ?

— Ce qu'il plaira à Votre Éminence. Je sais beaucoup de vieilles chansons mais je connais peu les nouvelles.

— Connaissez-vous « Le Roy Renaud » ? C'est une chanson de toile du siècle dernier. Ma mère l'aimait beaucoup...

Sylvie sourit, préluda et se mit à chanter. Elle n'aimait guère l'histoire de ce roi qui s'en revient mourir auprès de sa femme accouchée d'un fils et qui ne veut pas qu'on l'avertisse de son état. Sa mère tente de donner le change sur les bruits qu'entend la jeune femme mais, aux larmes qu'elle ne peut retenir, celle-ci comprend. Alors :

Ma mère, dites au fossoyeux
Qu'il fasse la fosse pour nous deux
Et que l'espace y soit si grand,
Qu'on y renferme aussi l'enfant...

Le Cardinal avait fermé les yeux et, tenant son chat sur son giron, laissait ses longs doigts courir dans la fourrure soyeuse.

— Chantez encore ! ordonna-t-il quand elle eut fini, mais sans ouvrir les yeux. Ce que vous voudrez !

Elle obéit, interpréta une chanson de Marguerite de Navarre, puis « Si le Roy m'avait donné » et enfin « l'Amour de moy » qui était sa préférée. Le Cardinal semblait tellement détendu qu'elle se demanda s'il ne dormait pas, mais quand elle voulut se lever, il releva brusquement les paupières :

— Chantez encore, s'il vous plaît ! Votre voix est fraîche et pure comme une source. Elle me fait un bien infini. À moins que vous ne soyez fatiguée ?

— Non, mais... je voudrais boire un peu d'eau...

— Prenez plutôt un doigt de malvoisie ! Il y en a sur ce meuble là-bas, ajouta-t-il en étendant une main vers un coin de la vaste pièce.

Sylvie se leva, alla se servir, consciente qu'il suivait chacun de ses gestes. Lorsqu'elle eut bu quelques gouttes de vin, Richelieu demanda :

— Aimez-vous quelqu'un ?

La question était si inattendue que la jeune fille faillit laisser échapper le verre de cristal gravé. Elle se reprit vite, posa le verre et, se retournant vers le Cardinal, elle dit en le regardant bien en face :

— Oui.

— Ah !...

Il y eut un silence, meublé seulement par le crépitement des flammes dans la cheminée. Sylvie allait revenir prendre sa place quand il lui demanda de le servir.

— Moi aussi, je boirais bien un peu de vin... N'étant pas votre confesseur, je ne vous demanderai pas qui vous aimez. Cela me contrarie mais ne me regarde pas.

— De toute façon, monseigneur, c'est une question à laquelle je ne répondrai pas, mais je suis contente que vous me l'ayez posée.

— Pourquoi donc ?

— Parce que... Elle hésita un instant, puis prit son courage à deux mains et se lança : « Parce que monseigneur comprendra mieux pourquoi je ne puis en aucun cas regarder favorablement la personne que Votre Éminence a pris la peine de me présenter. »

— Ce pauvre La Ferrière ne vous plaît pas ?

— Non, monseigneur. Pas du tout ! Et je n'arrive pas à imaginer qu'il ait prié Votre Éminence de demander ma main à Mme la duchesse de Vendôme.

— Ah ! vous savez cela ?

— Oui, monseigneur... et je supplie Votre Éminence de bien vouloir remercier M. de La Ferrière de l'honneur qu'il me fait, mais de le prier aussi de ne pas s'opiniâtrer dans une recherche qui ne peut le mener à rien.

— Mais qui me convenait peut-être à moi ?

Le ton s'était fait plus raide, pourtant Sylvie ne se troubla pas :

— Oh ! monseigneur ! Je suis de trop peu d'importance pour que mon sort occupe même un instant un prince de l'Église, un ministre tout-puissant.

De nouveau le silence, puis Richelieu tendit la main.

— Venez là, petite ! Plus près ! Tenez, asseyez-vous sur ce carreau afin que je puisse lire dans vos yeux.

Elle s'exécuta, vint s'asseoir à ses pieds sans

chercher à fuir le regard impérieux planté dans le sien. Et soudain, il sourit :

— Vous n'avez pas du tout peur de moi, n'est-ce pas ?

C'était dit si doucement qu'elle lui rendit son sourire :

— Non, monseigneur. Pas du tout ! répondit-elle en secouant ses boucles brillantes.

— Eh bien, au moins, vous êtes franche ! Dieu que c'est reposant pour un homme comme moi qui ne vois que faux-semblants, visages confits, terrifiés ou méprisants. En dehors, bien sûr, de celui du Roi et de quelques autres fort peu nombreux. Alors, si vous ne me craignez pas, je vais vous proposer un marché...

— Je n'y suis guère habile, monseigneur, et...

— Il n'y a besoin là d'aucune habileté : on ne vous parlera plus du baron de La Ferrière mais, en échange, vous viendrez quelquefois chanter pour moi !

La réponse arriva aussitôt, spontanée, tandis que s'illuminaient les jolis yeux noisette.

— Oh ! avec joie ! Aussi souvent que Votre Éminence le voudra ! Enfin... bien entendu, si la Reine y consent.

— Bien entendu ! Soyez certaine que je n'abuserai pas ! À présent, chantez-moi encore quelque chose !

Sylvie reprit sa guitare mais, à cet instant, un homme parut qui semblait sortir de la tapisserie, silencieux comme un fantôme, un moine dont l'âge avait élargi la tonsure et clairsemé la longue barbe. Richelieu fit signe à Sylvie de cesser son prélude.

— Qu'y a-t-il, père Joseph ?

Sans répondre, Joseph du Tremblay s'approcha, se pencha à l'oreille du Cardinal et lui parla bas. Aussitôt le visage détendu de Richelieu se durcit :

— Nous allons aviser !... Mademoiselle de L'Isle je dois vous renvoyer car il me faut retourner à ma tâche. Mme de Combalet vous attend dans la galerie ainsi que votre « escorte ». Merci pour ces quelques moments mais, lorsque vous reviendrez — et j'espère que ce sera bientôt — je vous enverrai chercher afin de ne pas désorganiser le service de Sa Majesté la Reine... Dieu vous garde !

Sylvie lui offrit une belle révérence, reprit sa guitare et s'en alla rejoindre Cinq-Mars et Marie qui se morfondaient.

— Eh bien, remarqua le jeune homme, vous avez donné un vrai concert, si j'en crois le temps passé ?

— Ne vous plaignez pas, cela aurait duré davantage encore si un certain père Joseph n'était entré pour réclamer l'attention du Cardinal.

— Brr ! fit Mlle de Hautefort, rien que le nom de ce vieillard me fait frémir. Comment avez-vous trouvé Son Éminence ?

— Fort aimable ! Je suis même invitée à revenir si la Reine le permet...

— Oh ! elle permettra ! Vous venez d'apprécier comme il est facile de dire non au Cardinal. À propos, vous a-t-il au moins offert un présent ?

— Non, s'écria Sylvie toute contente, il a fait

mieux : il a promis qu'on ne parlerait plus de ce mariage ridicule avec M. de La Ferrière !

On descendait alors l'escalier d'honneur que remontait le Lieutenant civil de Paris. Il salua poliment les deux jeunes filles mais son regard jaune se posa sur Sylvie avec une expression de colère que démentait son sourire crispé.

— Quel vilain bonhomme ! commenta Cinq-Mars quand on fut dans la cour. Je ne comprendrai jamais pourquoi le Cardinal, qui a tant de goût par ailleurs, se plaît à s'entourer de figures sinistres comme celle-là ou celle du père Joseph !

— Eh bien, et vous ? s'écria l'Aurore en riant. Vous êtes de ses intimes, non ? C'est à lui que vous deviez ce poste de maître de la garde-robe que vous avez eu le front de refuser ?

— J'apprécie que vous n'ayez point dit la folie car c'est, à mon sens, l'action la plus sage que j'aie jamais faite ! Un garçon de mon âge a besoin de liberté, de gaieté et aussi de vivre avec ses pareils.

— Les joyeux libertins du Marais, par exemple ?

— Pourquoi non ? Je me plais en leur compagnie...

— Et en celle d'une belle demoiselle dont on dit qu'elle est folle de vous.

Le visage du jeune homme s'empourpra, mais ce fut de plaisir :

— J'aimerais que vous disiez vrai. C'est une reine, une déesse...

— Peste ! Quel lyrisme ! Mais si vous tenez au bon état de vos relations avec le Cardinal vous devriez prendre garde : on dit qu'elle lui plaît.

— Il n'est pas le seul, tant s'en faut ! Mesdemoiselles, vous voici rendues au bercail, je vous baise les mains et vais à mes affaires !

Un profond salut, une pirouette, et le jeune homme avait disparu comme un feu follet. Les jeunes filles le suivirent des yeux puis, toujours escortées du page silencieux comme une ombre, elles se dirigèrent vers les appartements de la Reine dont les fenêtres éclairaient la grande cour. Il était tard. Depuis longtemps, les gardes de la porte avaient été relevés par les gardes du corps qui assuraient, la nuit, la protection des appartements. Le marquis de Gesvres en exerçait le commandement avec sévérité, mais les filles d'honneur savaient qu'il était possible d'entrer chez la Reine par le petit escalier dont elles faisaient usage chaque jour et qui reliait leurs quartiers et les anciens appartements de la reine mère à ceux d'Anne d'Autriche. On y entrait par une petite porte sur laquelle veillait un concierge débonnaire qui avait pour ces demoiselles de grandes complaisances.

La cour Carrée était calme, cette nuit, et les appartements du Roi obscurs. Dans la soirée, Louis XIII était parti pour Saint-Germain à la suite d'une brouille avec Mlle de La Fayette. Une brouille qui menaçait de durer car, le surlendemain, Louis XIII partait remettre de l'ordre en Normandie où le parlement faisait des siennes. C'était fréquent et il n'était pas d'année où une révolte ne se levât en un point quelconque de son royaume, mais il lui aurait fallu le don d'ubiquité pour être partout à la fois. Alors il allait au plus pressé, même quand l'absence lui déchirait le cœur. Cette nuit, il pleurait sans doute dans son château de Saint-Germain à demi vide, cependant que les larmes de Louise devaient couler quelque part dans le Louvre...

Ignorant tout de ce nouveau drame, Marie et Sylvie allaient frapper à la petite porte quand celle-ci s'ouvrit brusquement. Deux hommes parurent, qui eurent un mouvement de recul à la vue des jeunes filles, mais aussitôt l'un d'eux se plaça devant son compagnon qu'il masqua en faisant jouer le volet de la lanterne sourde qu'il portait.

— Ah ! vous voici, mesdemoiselles ! Sa Majesté commençait à être en peine de vous. Allez vite la rejoindre car elle a ses nerfs. Quant à moi, souffrez que je vous laisse aller seules et que je raccompagne le médecin jusqu'au-dehors !

— Le médecin ? Qui est malade ? demanda Mlle de Hautefort.

— Doña Estefanilla ! Au souper, ce soir, elle a mangé des darioles à la crème presque jusqu'à étouffement. Il fallait la soigner sans tarder et la Reine n'a pas voulu que l'on se mette en quête d'un médecin royal. Bouvard, d'ailleurs, est à Saint-Germain. Je suis donc allé chercher rue de l'Arbre-Sec un médecin dont on dit grand bien, le docteur Dupré. Il a fait merveille et je le raccompagne.

— Pauvre Stéfanille ! rit Hautefort. Je lui ai toujours dit qu'elle était trop gourmande !

Sylvie, elle, ne disait rien, se contentant de regarder avec curiosité le médecin enveloppé jusqu'aux yeux dans un épais manteau noir tandis que le front disparaissait jusqu'aux sourcils sous un chapeau rond de bourgeois. Il ne dit mot mais tira avec impatience la manche de La Porte qui l'entraîna aussitôt.

— Drôle de médecin ! remarqua Sylvie. Pourquoi se cache-t-il ?

— Peut-être craint-il le froid dans la gorge. Venez, nous sommes en plein courant d'air !

Elle s'engouffra dans la petite antichambre, mais Sylvie resta encore un instant au seuil. La silhouette du médecin, qui dépassait son compagnon de toute la tête, l'allure surtout, lui paraissaient familières. Elle rejoignit rapidement sa compagne qui criait de plus belle au courant d'air.

La Reine était dans sa chambre, causant avec Stéfanille qui pour une malade semblait curieusement en forme. Il fallait que ce docteur Dupré fût un bien grand homme ! Toutes deux conversaient en espagnol mais, grâce à Perceval, Sylvie parlait le castillan et saisit au vol le dernier échange.

— Croyez-vous que ce que vous venez de faire soit bien prudent ? demanda la femme de chambre occupée à ôter les croissants de diamants qui ornaient la chevelure d'Anne.

— Je ne considère pas les choses comme toi. Notre ami part demain pour la Touraine au vu et au su de tous. J'ai pensé qu'il serait bon de lui confier une lettre pour mon beau-frère. Il doit savoir que le Cardinal vient d'envoyer encore une fois M. de Bautru à Sedan avec de nouvelles propositions pour tenter de ramener Monsieur le Comte à la raison [1].

— Je serais étonnée qu'il y arrive ! dit Marie de Hautefort avec son habituelle liberté d'action et de langage en revenant au français — elle comprenait l'espagnol mais le parlait mal —, Soissons a juré de ne se soumettre à l'obéissance qu'une fois Richelieu mort ou disgracié ! Celui-là aussi vous aime, Madame !

— Vous dites des folies ! À présent, petit chat, apprenez-moi comment s'est passée votre visite.

— Au mieux, Madame ! s'écria Marie. On a déployé tout son charme, on était enchanté et l'on espère bien renouveler un jour prochain un si grand plaisir ! Du moins c'est ce que je crois, car M. de Cinq-Mars et moi avons fait antichambre ! Sylvie est allée seule dans l'antre du tigre sous l'égide de la Combalet !

— Si vous la laissiez parler ?

— Il n'y a rien à reprendre, Madame, confirma Sylvie avec un sourire timide. Mlle de Hautefort traduit aussi bien que si elle avait été présente.

— Le Cardinal vous a demandé de revenir ?

— Oui, mais j'ai répondu que seule Votre Majesté pouvait en décider puisque je suis à elle.

— Et il ne vous a pas proposé d'être... à lui ? En secret tout au moins ?

— Pas si fou, Madame, intervint de nouveau

1. De même que l'on appelait Condé Monsieur le Prince, on donnait à Soissons, cousin du Roi et prince du sang lui aussi, le titre de Monsieur le Comte sans autre ajout.

l'Aurore. Et pas la première fois : il s'est contenté d'offrir un marché.

— Un marché ? C'est à n'y pas croire ! Et quel genre s'il vous plaît ?

— Du genre matrimonial. Si Mlle de L'Isle accepte de revenir charmer ses sombres rêveries, Son Éminence promet qu'on ne parlera plus de la donner à M. de La Ferrière.

La Reine se leva si brutalement que plusieurs de ses cheveux restèrent au peigne de Stéfanille. Ses yeux verts étincelaient d'une fureur qui lui blanchit les narines :

— Quelle audace ! Comme si le sort de cette enfant dépendait de lui seul ? Il devrait savoir qu'on ne « donne » pas l'une de mes filles d'honneur sans mon approbation. Encore moins à l'un de ces reîtres sans foi ni loi. Jamais, vous entendez Sylvie, je n'aurais accepté ce mariage, le Cardinal eût-il couvert d'or votre prétendant. C'est donc un marché sans objet qu'il a osé proposer et s'il veut vous entendre encore, c'est à moi, et non au Roi, qu'il devra le demander.

Lentement, Sylvie glissa à genoux, prit la main d'Anne et la porta à ses lèvres. Elle avait les larmes aux yeux.

— Merci, Madame ! De tout mon cœur merci !

— Soyez-moi fidèle, petite, et vous n'aurez jamais à vous en repentir.

Il était plus que tard lorsque Sylvie, enfin, réussit à s'endormir. L'énervement d'une soirée inhabituelle sans doute, mais surtout il y avait la silhouette de ce médecin qu'elle ne parvenait pas à sortir de son esprit. Elle y réussit pourtant lorsqu'elle eut arrêté une décision et, le lendemain, pendant l'un des temps libres que lui laissait son service auprès de la Reine, elle sortit avec Jeannette sous prétexte d'aller acheter des gants chez Mme Lorrain qui en tenait commerce dans la rue Saint-Germain, une artère que coupait la rue de l'Arbre-Sec où officiait le « médecin » de La Porte.

— Il faut que tu me trouves l'adresse d'un certain Dupré qui aurait été appelé hier soir pour soigner doña Estefanilla, dit-elle à Jeannette. Tout ce que j'en sais est qu'il habite la rue qui passe juste derrière Saint-Germain-l'Auxerrois.

— Alors, le plus simple est d'entrer faire une prière. Il y a toujours là des femmes du quartier et ce serait bien le diable si je n'en trouve pas une qui me renseigne...

— Le diable ? Dans une église ? dit Sylvie horrifiée en se signant. Jeannette en fit autant mais se mit à rire :

— Ça m'a échappé ! Je dirai un Ave Maria de plus !

Les vêpres s'achevaient quand les deux femmes, enveloppées de leurs mantes à capuchon, pénétrèrent dans le vieux sanctuaire chargé d'histoire qui était la paroisse du Louvre et dont les cloches avaient sonné le tocsin de la Saint-Barthélemy. C'était une église magnifique et, lorsque l'on entrait sous ses voûtes que la mère de Louis XIII avait fait peindre en bleu d'azur avec semis de fleurs de lis d'or, on avait vraiment l'impression d'être dans un lieu magique. D'autant plus forte ce jour-là que l'église, la cérémonie achevée, se vida. Seul demeura le sacristain, occupé à éteindre les cierges de l'autel. Sans hésiter, Jeannette alla vers lui tandis que sa jeune maîtresse s'agenouillait pour une courte prière. L'entretien ne dura pas longtemps. Jeannette, au moyen d'une pièce de monnaie, n'eut aucune peine à obtenir une réponse qui, cependant, ne la satisfit pas et pas davantage Sylvie.

— Il n'y a pas de médecin dans la rue de l'Arbre-Sec. Pour en trouver un, il faut aller rue de la Ferronnerie...

— Ah !

Sylvie n'était pas autrement surprise. La tournure du médecin de cette nuit sentait son gentilhomme d'une lieue en dépit des sévères habits convenant à sa profession supposée. Et un gentilhomme qu'elle croyait bien avoir reconnu... Elle acheva sa prière puis s'en alla acheter des gants comme elle l'avait annoncé. Non qu'elle en eût un grand besoin, mais elle n'aimait pas mentir.

Cet après-midi-là, au cercle de la Reine, il y avait assez peu de monde. Un bruit sorti on ne savait d'où mais que les bavardes de la place Royale se faisaient une joie de colporter chuchotait que le Roi, sur les conseils du Cardinal, songeait à répudier une femme dont il ne parvenait pas à obtenir d'enfant et, sur les conseils de son propre cœur, à offrir la place à Mlle de La Fayette. Il n'en fallait pas plus pour que dames et seigneurs se fissent moins assidus. En revanche, Mme de Vendôme fut annoncée. On ne l'avait guère vue ces temps derniers, occupée qu'elle était à soulager les misères qui passaient à portée de son escarcelle. Toujours affairée mais toujours souriante, de nouvelles traces de boue au bas de ses vêtements et même un peu essoufflée d'avoir monté trop vite les escaliers, elle entra comme un boulet de canon et piqua droit sur la Reine.

— Eh bien, duchesse, d'où nous arrivez-vous ainsi ? demanda celle-ci.

— Du bourdeau, Madame [1] ! répondit la visiteuse en plongeant dans sa révérence et sans se laisser troubler par l'éclat de rire général qui saluait ses paroles.

— Mesdames, mesdames ! intervint la Reine qui n'avait pu s'empêcher de rire. Vous savez quelle charité profonde pratique Mme de Vendôme en accord, d'ailleurs, avec M. de Paul qui se penche, lui, sur les enfants abandonnés de ces malheureuses. Certaines sont poussées par le vice mais d'autres subissent un odieux esclavage auquel la duchesse essaie de les arracher pour les rendre à la vie honnête.

— Ce n'est pas un mince ouvrage ! grogna Mme de Guéménée. Il faut du courage pour oser descendre dans ces bas-fonds...

— Ou pouvoir se couvrir de l'égide d'une inattaquable vertu, ce qui n'est pas le cas de tout le monde, lança Mme de Senecey en offrant un sourire goguenard à la princesse dont les aventures amoureuses n'étaient un secret pour personne.

1. Nous dirions : du bordel.

Celle-ci devint rouge vif. Ce que voyant, la Reine se hâta de détourner la conversation en revenant à Mme de Vendôme.

— Vous vous faites rare, ma sœur ! Et plus encore votre fille qui ne vient jamais. Même vos fils nous délaissent un peu...

— Ne croyez pas cela ! La pauvre Élisabeth est au lit avec la fièvre et un flux de poitrine. Mercœur est allé bouder auprès de mon époux à Chenonceau. Il ne se remet pas de la rupture de son mariage avec Mlle de Retz, car il ne comprend pas en quoi il a déplu au Roi...

— Il est bien difficile de savoir ce qui plaît ou ne plaît pas au Roi. Parfois, il faut prendre patience : il lui arrive d'être changeant. Et... M. de Beaufort ?

— Parti ce matin pour la Touraine... mais je croyais, ma sœur, que vous le saviez ?

— Je ne vois pas comment j'aurais pu le savoir ? fit sèchement Anne d'Autriche en agitant avec nervosité le petit écran de soie servant à préserver son visage des ardeurs du feu.

À son rang parmi les filles d'honneur, Sylvie perdit le fil de la conversation. D'autant que les deux dames baissaient le ton, mais elle en connaissait assez. Son instinct ne l'avait pas trompée : le prétendu médecin n'était autre que François, engagé, pour le service de la Reine, dans une aventure qui pouvait se révéler dangereuse dès l'instant où il s'agissait d'une correspondance secrète entre la Reine et son beau-frère. Si jamais le Cardinal apprenait cela...

Dans les jours qui suivirent, elle revit Richelieu à deux reprises. Mme de Combalet vint elle-même la chercher et la reconduire. Les visites se déroulèrent en tout point comme la première : Sylvie chanta tandis que le ministre caressait l'un ou l'autre de ses chats ; il lui posa une ou deux questions d'apparence banale sur son enfance chez les Vendôme, puis but avec elle un verre de vin d'Espagne ou de malvoisie, avant de la remettre à son guide. À leur dernier revoir, il lui offrit quelques pièces d'or qu'elle voulut refuser, tant il lui semblait pénible de recevoir un salaire. Le Cardinal faillit se fâcher :

— Une jolie fille a toujours besoin de colifichets pour paraître à la Cour. En outre, je ne goûterai pas vos chansons avant quelque temps. La Cour va s'installer à Saint-Germain où le Roi aime à faire ses pâques et je gagne moi-même, dès demain, mon château de Rueil.

Cette nouvelle soulagea Sylvie. En réalité, elle n'aimait guère ces soirées au Palais-Cardinal. Lorsqu'il ne fermait pas les yeux, Richelieu la fixait avec une insistance qu'elle jugeait gênante. En outre, elle s'était trouvée une fois en présence du baron de La Ferrière et, en dépit des assurances données par son maître, elle n'avait pas aimé du tout sa façon de se pourlécher en la regardant sans rien dire, à la manière d'un matou qui s'apprête à croquer une souris.

Ce fut d'un cœur allégé qu'elle et Jeannette firent leurs préparatifs pour suivre la Reine à Saint-Germain. La jeune camériste, pour sa part, montrait une véritable joie qui intrigua sa maîtresse :

— Pourquoi es-tu si contente ? Tu ignores comme moi si nous nous plairons à Saint-Germain.

— Sans doute, mais j'espère que là-bas au moins on cessera de nous suivre.

— Nous suivre ? Comment l'entends-tu ?

— Comme je le dis : chaque fois que nous sortons pour faire des emplettes ou aller visiter M. de Raguenel, quelqu'un nous suit : un homme qui a l'air d'un valet de bonne maison, de figure avenante, et qui d'ailleurs ne se cache pas. Dès que nous mettons le pied dehors il est là, et quand nous prenons une chaise, il en prend une aussi.

— Et tu n'as pas réussi à savoir qui c'est ?

— C'est difficile. Il ne fait rien de mal, après tout. Il vous suit même quand vous allez, de nuit, au Palais-Cardinal. Je le sais parce que je me suis lancée, moi aussi, à votre suite.

Sylvie se mit à rire.

— Eh bien, nous devions faire un joli cortège ! Pourquoi ne m'as-tu rien dit ?

— Pour ne pas vous troubler. Après tout, c'est peut-être simplement un amoureux ?

— Nous verrons bien. Désormais, j'ouvrirai l'œil moi aussi.

— Ne vous tourmentez pas, quand nous rentrerons à Paris, c'est Corentin qui s'en chargera. Je lui en ai déjà touché un mot ! N'empêche que je suis très contente d'aller à la campagne. Je m'y sens mieux que partout ailleurs.

Et Jeannette s'en alla plier les jupons de Sylvie pour les ranger dans une malle.

CHAPITRE 7

LA NUIT DU VAL-DE-GRÂCE

— Il y en a encore eu une cette nuit, annonça Théophraste Renaudot en rejoignant Perceval de Raguenel sous la voûte du Grand Châtelet par laquelle on gagnait le Pont-au-Change en venant de la rue Saint-Denis. C'est la troisième depuis deux mois.

— Et qui était-ce ?

Le gazetier haussa les épaules :

— Une fille follieuse comme les autres fois, une de celles qui prétendent rester libres et ne comprendront jamais qu'elles sont ainsi plus exposées.

— On peut la voir ?

— On peut. Venez !

Ils pénétrèrent dans la partie droite de la vieille forteresse où la morgue se trouvait au bas des escaliers menant aux salles de justice. C'était, fermée par une porte à guichet permettant de voir à l'intérieur, une salle basse, étroite et malodorante, où l'on exposait les corps des noyés retirés de la Seine et ceux découverts au hasard des rues. Ils restaient là dans leur nudité tragique jusqu'au passage des religieuses hospitalières du proche couvent Sainte-Catherine qui les couvriraient d'un suaire avant de les emporter pour les enfouir au cimetière des Saints-Innocents.

Ce jour-là, il y avait deux corps : celui d'un vieillard qu'un pêcheur avait ramené dans ses filets et celui d'une jeune femme dont l'aspect fit frémir Perceval. Mince, exsangue, c'était le cadavre d'une fille aux longs cheveux noirs qui lui rappela vaguement Chiara.

— Comme les autres, elle a été égorgée, commenta Renaudot. Et comme les autres, il y a cette chose.

Il désignait le cachet de cire rouge apposé au front de la malheureuse.

— La lettre omega ! murmura Perceval.

— Eh oui ! C'est une bien étrange histoire. Mais venez ! Ne restons pas là. Bien que j'en aie l'habitude, ce lieu me donne toujours la chair de poule.

Ils retrouvèrent l'air libre avec un certain soulagement, encore que les abords de la Grande Boucherie répandissent eux aussi un parfum peu agréable, mais la Seine, grosse et blonde, charriait, en ce mois de mai, des senteurs d'herbe fraîche et de marée.

— Vous alliez chez moi ? demanda Renaudot.

— C'est lundi, répondit Raguenel en se forçant à sourire. Et vous savez l'intérêt que je prends à vos colloques...

Ils s'engagèrent entre la double rangée de hautes maisons abritant orfèvres et changeurs qui bordaient le Pont-au-Change afin de rejoindre, sur l'île de la Cité, le Marché-Neuf et la rue de la Calandre. Théophraste Renaudot résidait là, à l'enseigne du Grand-Coq, dans une grande maison où il trouvait le moyen d'entasser sa famille, les bureaux de la *Gazette*, un accueil pour les miséreux — il n'en manquait jamais aux abords de Notre-Dame et de l'Hôtel-Dieu — et une grande salle où, depuis le 22 août 1633, se tenait chaque lundi ce qu'il appelait « la Conférence ». C'était une idée tout à fait neuve que cette réunion où, sans distinction d'âge ni de condition, chacun pouvait venir exposer son sentiment et ses idées sur un sujet choisi à l'avance. Et Renaudot, après quatre années de cet exercice, était parvenu à attirer chez lui nombre d'habitués — des bourgeois pour la plupart — qui pensaient plus loin que le fond de leur bourse et qui s'efforçaient, ensemble, de donner des réponses aux questions touchant le bien ou le mal se posant à leurs consciences d'hommes. En fait, Renaudot apportait une contrepartie plébéienne à ces « cabinets de recherche et de curiosités » qui se tenaient chez de grands personnages — principalement les parlementaires comme le président de Mesme et M. de Thou — dont la fortune permettait recherches et achats d'ouvrages scientifiques. Les femmes n'étaient point admises, mais elles avaient leurs propres cénacles où se réunissaient précieuses et beaux esprits.

L'idée de cette « conférence » était venue à Renaudot deux ans après la création de sa *Gazette* qui rendait compte de ses travaux tout en lui assurant une honnête publicité et en lui permettant d'y piocher parfois des nouvelles d'autant plus intéressantes que l'anonymat était assuré à ceux qui venaient y prendre la parole. Le Roi et Richelieu, collaborateurs discrets mais importants de la *Gazette*, ne manquaient pas de s'y intéresser. Quant à Perceval, depuis sa rencontre avec le publiciste un an plus tôt, il avait pris l'habitude de s'y rendre chaque début de semaine.

— De quoi devons-nous débattre aujourd'hui ? demanda-t-il comme on s'engageait dans le dédale des ruelles menant au Marché-Neuf.

— De la vie en société, mais je me demande si je ne vais pas demander une exception à l'ordre du jour en proposant de nous intéresser à la sécurité dans les rues, la nuit.

— Je ne suis pas certain que vous soyez suivi. La vie des ribaudes ne présentera aucun intérêt pour des gens épris de respectabilité. Qu'elles se fassent assassiner doit leur sembler dans la nature des choses...

— Il y a tout de même les circonstances exceptionnelles de ces meurtres. Qui peut dire si, après les filles de joie, l'assassin ne s'en prendra pas aux femmes honnêtes ?

La suite de la journée donna raison à Perceval : les hommes qui étaient là et dont plusieurs avaient préparé leur intervention se trouvèrent d'accord pour déclarer que les filles de mauvaise vie ne sauraient être comprises dans la « société » et que leur sort n'intéressait personne.

— Sauf monsieur Vincent, Mme la duchesse de

Vendôme et quelques autres âmes charitables ! s'indigna Perceval. Ce sont des êtres humains et le sort qui leur a été réservé est affreux.

— J'en conviens, dit quelqu'un, mais ces crimes ressortent du Lieutenant civil et de la police. C'est eux que ça regarde.

— Non. Cela nous regarde tous ! Vous réagissez ainsi parce qu'il s'agit de pauvres créatures qui font commerce de leur corps, mais si l'assassin s'attaquait à une femme honnête, à l'une des vôtres, par exemple ?

La question fut saluée d'un éclat de rire général. C'était impossible, voyons ! Aucune femme se respectant ne s'aventurerait dans les bas-fonds de Paris ! Et la nuit, par-dessus le marché !

— Et si je vous disais, reprit Raguenel, qu'un meurtre en tout point semblable a eu lieu voici une dizaine d'années, en province, et que la victime en fut une noble dame ?

Renaudot qui suivait le débat avec une attention passionnée intervint :

— Le même crime ? Accompagné des mêmes circonstances ?

— Les mêmes. La dame en outre a été violée, ce qui est peut-être arrivé à ces malheureuses mais, étant donné leur profession, le mot ici perd sa signification. Et nous n'aurions jamais eu l'idée de vous en parler si la lettre grecque dont on flétrit le front des mortes n'indiquait un homme d'une certaine culture et qui pourrait — pourquoi pas après tout ? — faire partie de cette assemblée.

La tempête de protestations qui suivit était

aussi peu propice que possible à une discussion sérieuse. Renaudot y mit fin avec son énergie habituelle en déclarant que, en ce qui le concernait, il ferait tous ses efforts pour retrouver l'assassin au cachet de cire rouge et qu'il invitait toutes les personnes de bonne volonté présentes dans la salle à l'informer au cas où l'une d'entre elles découvrirait une piste. Et là-dessus, il leva la séance en disant que les esprits n'étaient plus assez sereins pour discuter avec le calme nécessaire. Visiblement, il avait hâte d'en finir et, tandis que le flot passablement agité s'écoulait, il retint Perceval.

— Pourquoi ne m'avez-vous pas raconté cette histoire de noble dame lorsque je vous ai parlé de la première victime comme d'une sorte de curiosité ?

— Parce que je voulais prendre le temps de réfléchir et peut-être d'essayer par moi-même de découvrir l'assassin mais, apparemment, je ne suis pas très doué, conclut Raguenel avec un sourire amer. De toute façon et s'il n'y avait eu la conférence, je vous aurais mis au courant.

— Allons chez moi ! Nous serons tranquilles : ma femme est chez une cousine rue des Francs-Bourgeois et mon fils Eusèbe est en train de composer la *Gazette*.

Sa curiosité toujours en éveil excitée au plus haut point, le père de tous les journalistes à venir trépignait presque. Il ne se détendit qu'une fois assis en face de Raguenel, de part et d'autre d'une table supportant des verres et un pichet de vin frais.

— Voilà ! Maintenant, je vous écoute.

— À une seule condition : ce que je vais dire n'est que pour vos oreilles. Il n'est pas question d'en faire état dans la *Gazette*... ni ailleurs.

— Vous avez ma parole.

Perceval entreprit alors de raconter la tuerie de La Ferrière, en s'abstenant toutefois de mentionner l'existence de Sylvie. Il aimait bien Théophraste et lui faisait confiance, mais celui-ci était trop proche du Cardinal pour tout lui dire...

Pendant ce temps, à Saint-Germain, se jouait le dernier acte du drame qui couvait depuis plusieurs mois.

On était le 19 mai et, dans la cour du château, un carrosse attendait Mlle de La Fayette. L'amie du Roi faisait, ce jour-là, ses adieux au monde pour entrer en religion chez les Filles de la Visitation-Sainte-Marie. Ainsi s'achevait la belle histoire d'amour de Louis XIII, minée par trop d'intérêts contraires. La piété profonde et le désespoir de Louise rejoignaient la volonté du Cardinal qui, faute d'avoir réussi à en faire sa créature, souhaitait son éloignement. Et cela en dépit de la famille de la jeune fille, du confesseur du Roi, le père Caussin, qui avait bien reconnu en elle la vocation religieuse mais qui, détestant Richelieu, souhaitait qu'elle reste auprès du Roi le plus longtemps possible. Enfin, contre la résistance désespérée de Louis XIII, déchiré jusqu'à l'âme à la pensée de perdre celle qu'il appelait son « beau lis ». C'était un valet, un simple et vil valet, qui avait emporté la décision : un certain Boisenval qui devait cependant à Louise sa position de premier valet de chambre du Roi — la seule faveur qu'elle eût jamais demandée ! — et qui, possédant la confiance de l'un et de l'autre, avait tout fait pour les brouiller dans l'espoir de s'attirer les bonnes grâces du Cardinal-ministre. C'était l'une de ces brouilles qui avait poussé Louis XIII, affolé d'amour, à oser la proposition insensée que Sylvie avait surprise dans le parc de Fontainebleau : la retirer de la Cour et l'installer à Versailles pour y être entièrement l'un à l'autre. À cet instant, la pudeur de Louise avait mesuré la profondeur de l'abîme qui la menaçait... et où elle souhaitait passionnément se laisser tomber. Enfin, elle avait pris sa décision, fait ses adieux à la Reine et à ses compagnes.

Le hasard voulait que la Cour fût en deuil. L'empereur Ferdinand II, oncle d'Anne d'Autriche, venait de mourir et les vêtements noirs, les guimpes avaient remplacé couleurs chatoyantes et séduisants décolletés. Cela convenait bien à la souffrance de celle qui s'en allait ainsi vers le dépouillement, et ce fut au milieu de larmes sincères que Louise de La Fayette monta en voiture et quitta Saint-Germain pour le couvent de la rue Saint-Antoine.

Quant à Louis, refoulant ses larmes, il avait sauté à cheval quelques instants auparavant pour aller enfouir sa douleur dans son cher Versailles, arrachant à sa bien-aimée un dernier cri d'amour :

— Hélas ! Je ne le verrai plus !

Ce en quoi elle se trompait.

À peine le carrosse de l'une et les cavaliers de l'autre eurent-ils disparu que la Reine commandait ses propres voitures pour rentrer à Paris. En l'absence du Roi, elle préférait mettre une distance plus grande entre elle et le Cardinal, toujours installé dans son château de Rueil au milieu de ses serres et de ses chats. En outre, le temps tiède, gris et pluvieux, rendait infiniment triste le voisinage de la forêt voisine. Enfin, le printemps revenu, nombre de jeunes gens rejoignaient, en vue des prochaines opérations, les différents corps de troupes du Midi où le Roi avait ordonné que l'on reprît aux Espagnols les îles de Lérins, du Nord où l'armée du Cardinal-Infant, frère de la Reine, n'allait pas tarder à se manifester, et aussi de l'Est où, en Champagne, on rassemblait des hommes pour marcher sur Sedan où le comte de Soissons, refusant toute soumission, se tenait toujours retranché. Quant à la révolte des Croquants en Périgord, le maréchal de La Valette avait assez de monde pour en venir à bout seul.

Durant le voyage de retour, Sylvie remarqua que Sa Majesté chuchotait beaucoup avec Mlle de Hautefort qu'elle avait prise à ses côtés. Pour une raison connue d'elle seule, Marie semblait enchantée de rentrer dans ce Louvre que cependant elle n'aimait guère.

Sylvie elle-même n'était pas mécontente de se rapprocher de l'hôtel de Vendôme où elle comptait bien envoyer Jeannette chercher des nouvelles de

François dont elle ne savait rien depuis que l'on était à Saint-Germain.

Ainsi qu'elle le craignait, Jeannette revint bredouille : la famille était aux champs et l'on ignorait tout de M. le duc de Beaufort. Il ne restait plus qu'à regarder tomber la pluie en grattant mélancoliquement les cordes de la guitare.

Trois jours après leur retour, Jeannette lui remit, un matin, un billet que venait d'apporter l'un des valets restés rue Saint-Honoré. Les quelques mots qu'il contenait firent bondir son cœur : « Vené, petit chat ! Il faut que je vous parle en secrait. Une voiture vous attendra devan l'église aprais le couché de la Reine. » C'était bourré de fautes d'orthographes, écrit d'une grosse écriture malhabile, mais c'était signé François dont Sylvie savait depuis toujours combien il méprisait les arts de la plume. Elle serra le billet contre son cœur, le couvrit de baisers et le glissa dans son corsage.

— Ce soir, je veux être très belle ! déclara-t-elle à Jeannette qui riait de la voir si heureuse.

— Que mettrons-nous ? Notre belle robe blanche ?

— Tout de même pas. Ce n'est ni un bal ni une grande soirée. J'aimerais assez ma robe de taffetas citron brodée de marguerites blanches avec une dentelle au décolleté. Il aime cette couleur dont il dit qu'elle porte le soleil. Une bonne chose par si triste temps !

— Soyez tranquille, vous serez très jolie !

En effet, son miroir le lui confirma bientôt. Jeannette l'enveloppa ensuite d'une grande mante à capuchon de soie noire doublée de velours qui la dissimulait tout entière, avant de se couvrir elle-même. Il n'était pas question que Sylvie sortît sans elle tant qu'elle ne serait pas adulte... et encore ! Elle l'attendrait dans la voiture.

Connaissant les habitudes du palais et possédant les moyens d'en sortir ou d'y entrer à leur guise, les deux femmes gagnèrent sans encombre les abords de Saint-Germain-l'Auxerrois où, en effet, une voiture aux armes des Vendôme attendait avec, sur le siège, Picard, l'un des cochers de la maison.

— Tu vois que tu pouvais me laisser aller seule, dit Sylvie en grimpant dans le véhicule.

— Et traverser la rue d'Autriche à onze heures du soir sans protection et à votre âge ? N'y comptez pas ! Où que vous alliez, j'irai !

C'était bon de se sentir ainsi protégée et Sylvie chercha la main de sa fidèle compagne pour la serrer. Cependant la voiture s'ébranlait mais, au lieu de prendre à gauche pour gagner la rue Saint-Honoré, elle tourna à droite. Sylvie écarta les rideaux et se pencha pour interpeller Picard :

— Où me conduisez-vous ?

— Là où l'on m'a ordonné de vous mener, mademoiselle. Veuillez s'il vous plaît garder les rideaux fermés !

L'attente impatiente de la jeune fille se teinta de curiosité : François l'attendait-il dans une maison à lui ? Que pouvait-il avoir de si « secrait » qu'il n'ait pu venir au Louvre le lui dire ? Ou bien... souhaitait-il un moment de solitude à deux ?

Quelle merveille ce serait ! Cette pensée la fit rosir d'émotion et le voyage lui parut interminable. Cependant, Jeannette entrebâillait discrètement les rideaux afin de suivre autant que possible le chemin parcouru.

— Nous allons quelque part dans le Marais, souffla-t-elle. Oh ! j'aperçois les tours de la Bastille et les feux que l'on y allume la nuit !

La voiture pénétrait peu après dans une rue étroite, puis dans la cour à peine éclairée d'un petit hôtel, plus petit que celui de Raguenel, dont le portail s'ouvrit au bruit du pas des chevaux et se referma aussitôt. La silhouette d'un laquais se dessina en ombre chinoise sur une faible source de lumière venue du vestibule. Sylvie descendit seule et marcha vers lui. L'endroit n'était meublé que d'un coffre sur lequel reposait un chandelier à trois branches dont l'homme — un inconnu — s'empara pour guider la visiteuse au long d'un escalier vétuste dont les marches se disjoignaient par endroits. Ensuite, on prit une galerie étroite dont les tapisseries effrangées sentaient le moisi. Sylvie n'arrivait pas à comprendre ce que François, toujours si magnifique, pouvait faire dans un endroit pareil, quand on ouvrit devant elle une porte.

Le décor changea. Elle se trouvait dans un grand cabinet tendu de cuir de Cordoue doré et peint, meublé comme un salon de conversation de fauteuils confortables, disposés aux environs d'une table supportant les restes d'un souper que la jeune fille considéra d'un œil sévère. Elle connaissait l'appétit quasi proverbial de François mais, en l'occasion, il aurait pu l'inviter.

Laissée à elle-même, elle vira sur ses talons pour inspecter chaque coin de la pièce et dut se rendre à l'évidence : il n'y avait personne. Elle s'assit dans un fauteuil puis, avisant un petit panier de cerises, elle alla en prendre une poignée qu'elle entreprit de déguster, jetant ensuite les noyaux et les queues dans la cheminée où l'on avait allumé un feu contre la fraîcheur humide de la soirée. Trop énervée par son rendez-vous, elle n'avait pu avaler qu'un morceau de craquelin.

Les cerises étaient délicieuses mais, à mesure qu'elle mangeait, Sylvie sentait croître son mécontentement : pourquoi François la faisait-il attendre de la sorte ? Elle alla en reprendre quelques-unes et regagnait sa place quand une porte dissimulée dans la boiserie s'ouvrit. Un homme entra mais ce n'était pas François : c'était le duc César.

La surprise, la déconvenue surtout, dressèrent Sylvie et lui firent oublier sa bonne éducation tandis que les cerises s'échappaient de ses doigts.

— Comment ? C'est vous ? s'écria-t-elle.

Visiblement, il ne s'attendait pas à ce genre d'accueil. En retardant son apparition, il comptait écraser cette petite fille sous la crainte et le respect. Or, elle le regardait avec des yeux flambant de colère et sans songer le moins du monde à le saluer.

— Si je ne le savais, je demanderais où vous

avez été élevée, ma fille. Où sont les manières que la duchesse s'est évertuée à vous inculquer ?

Sylvie comprit qu'il lui fallait en rabattre et que persister dans son attitude n'arrangerait rien. Cet homme qu'elle n'avait jamais aimé était le père de François et devait être ménagé. Avec une grâce charmante, elle plia dans un profonde révérence :

— Monseigneur ! murmura-t-elle. Puis, comme il ne se pressait pas de la relever, elle ajouta : « Vous devez comprendre ma surprise : je reçois une lettre de F... M. le duc de Beaufort, j'accours et... »

— ... et vous tombez sur moi. Je veux bien vous accorder l'effet de surprise, mais il fallait que je vous parle.

— En ce cas, pourquoi avoir emprunté le nom de votre fils ? Il vous suffisait de m'appeler et je serais venue tout aussi bien.

— C'est possible mais ce n'est pas certain. D'autre part, le billet pouvait s'égarer, tomber en des mains indésirables, et je vous rappelle qu'il m'est interdit par le Roi non seulement de paraître à la Cour mais aussi de vivre à Paris. Relevez-vous, sacrebleu !

— Volontiers, monseigneur ! exhala Sylvie qui commençait à sentir son équilibre flageoler. Elle resta debout et le regarda. Avec quelque tristesse. Il y avait un certain temps qu'elle ne l'avait vu, mais elle pensa que l'exil, même doré, ne lui réussissait pas.

À quarante-trois ans, César de Vendôme ressemblait à une copie abîmée, vieillie, de François. S'il n'était pas encore empâté c'est que, comme tous les Bourbons, c'était un chasseur forcené et que les longues chevauchées et la pratique des armes lui conservaient silhouette et musculature. Le visage, lui, portait les traces des passions et des vices qui dévoraient cet homme. Comme François, il était très grand avec une carrure d'athlète. Comme François, il avait le nez arrogant et les yeux bleus de son père le Béarnais, mais ses yeux s'injectaient de sang, sa bouche s'amollissait, ses dents naguère magnifiques jaunissaient et ses cheveux blonds non seulement grisonnaient mais se clairsemaient, cependant que le nez commençait à bourgeonner à la suite de trop nombreuses beuveries. Que faire à la campagne après la chasse, sinon boire ? Et surtout s'adonner à un attrait trop vif pour les jeunes garçons qu'il récompensait largement, creusant ainsi dans sa fortune des trous inquiétants. Tandis que le regret lancinant de son gouvernement de Bretagne où il se sentait roi le rongeait éperdument. On lui avait rendu le titre mais pas la fonction, et il lui était même interdit d'y rentrer. Or ce terrien né d'une belle Picarde et d'un Béarnais attaché à chaque parcelle d'un royaume conquis de haute lutte adorait la mer. La seule de ses passions qu'il eût transmise à son fils cadet.

De son côté, César examinait l'adolescente avec un certain étonnement. Quoi, c'était là ce minuscule pruneau au teint brouillé dont la seule beauté résidait dans d'énormes yeux couleur noisette que François avait rapporté à la maison comme un chat perdu et que sa femme et sa fille avaient pris sous leur protection ? Sans doute n'atteindrait-elle jamais la beauté de madone de sa mère, mais le changement était tout de même impressionnant. Avec sa bouche un peu grande, son petit nez court et la forme légèrement étirée de ses yeux, elle évoquait toujours un petit chat, surnom qu'Élisabeth lui avait donné. Seulement le teint éclairci s'était doré et la masse des boucles châtaines retenue au-dessus de chaque oreille par des rubans jaunes montrait à présent dans son épaisseur soyeuse des reflets presque argentés d'un effet ravissant. Elle n'avait rien d'une madone mais sa frimousse espiègle ne manquait pas de charme. En somme, cette petite fille sur qui déteignait déjà le ton de la Cour séduirait sans doute plus d'un homme. L'important était que, parmi ceux-là, il n'y eût pas Beaufort, et César se sentit conforté dans un projet auquel il eût peut-être renoncé s'il s'était aperçu que « Mlle de L'Isle » était terne et insignifiante.

— Asseyez-vous ! dit-il enfin, désignant le fauteuil dont elle était sortie et venant s'adosser lui-même à la table du souper. Et d'abord, répondez à une question : quels sentiments éprouvez-vous pour mon fils Beaufort ?

Sous la brutalité des mots, Sylvie devint aussi rouge que les cerises de tout à l'heure. Cet homme qui dardait sur elle ses yeux glacés avec au coin des lèvres un demi-sourire sarcastique était bien la dernière personne au monde à qui elle souhaitât ouvrir son cœur. Elle aurait encore préféré

Richelieu qui, au moins, lui avait montré quelque sympathie. Cependant, elle s'appliqua à veiller sur sa voix pour l'empêcher de trembler.

— Tous ceux de votre maison me sont chers, monseigneur. Ceux tout au moins qui se sont montrés bons envers moi.

— Ce qui exclut Mercœur qui ne vous aime guère, et moi-même...

— ... Qui ne m'aimez pas davantage. Pourtant, monseigneur, vous m'avez montré une grande générosité en me donnant un nom, des biens, une position enfin...

— C'est à la duchesse que vous devez tout cela. Elle est la femme la plus entêtée qui respire encore sur cette terre à présent que sa mère n'y est plus. Mais enfin, je suis satisfait de vous trouver reconnaissante et j'espère que vous saurez me le prouver. Mais... vous n'avez pas répondu à ma question, jeune fille ! Aimez-vous Beaufort comme chacun en est persuadé chez nous ? Ce que j'appelle aimer. C'est oui ou c'est non ?

Sylvie redressa la tête et planta son regard droit dans celui qui la scrutait :

— Oui.

Sans plus, mais avec tant de fermeté que le doute n'était pas possible. Puis, comme César ne disait rien et continuait à la regarder, elle serra très fort ses mains l'une contre l'autre et ajouta :

— Je crois que je l'ai toujours aimé depuis qu'il m'a trouvée dans la forêt et je suis certaine de n'aimer jamais quelqu'un d'autre.

Ce fut dit simplement : une paisible constatation qui n'en possédait que plus de force. Pas un instant Vendôme ne mit en doute sa parole. Il voulut cependant en savoir plus.

— Vous ne supposez tout de même pas que vous pourriez un jour devenir sa femme ? Puisqu'il ne sera pas de Malte, Beaufort ne peut s'unir qu'à une princesse.

— Je sais tout cela, mais point n'est besoin du mariage pour aimer. Point n'est besoin non plus d'être toujours ensemble. Le véritable amour supporte tout : l'éloignement, les séparations, la solitude et même la mort.

— Qui diable a pu vous apprendre tout ça ? s'exclama César surpris par la philosophie de cette jeune fille. Ce bon Raguenel qui fut votre maître ?

— Personne. Je crois, monseigneur, que je l'ai toujours su.

— Eh bien, c'est magnifique, mais il faut voir ce que cela donne dans la pratique et, si je vous ai fait venir, c'est pour juger de la solidité de votre amour. Si Beaufort était en danger, que feriez-vous ?

Le cœur de Sylvie manqua un battement, mais elle n'en laissa rien paraître :

— Ce qu'il serait en mon pouvoir pour l'aider.

— C'est ce que nous allons voir ! Il est en danger, fit le duc en appuyant bien sur les syllabes.

— De quoi ?

— De mort si on lui met la main dessus. Ce qui n'est pas encore fait, fort heureusement.

— Mon Dieu ! Mais qu'est-il arrivé ?

— Il s'est battu en duel à Chenonceau et il a tué son adversaire.

Terrifiée, Sylvie ferma les yeux un instant. Elle savait à quel point étaient intraitables sur le sujet les édits de Richelieu. Un duel avait conduit Montmorency-Bouteville jusqu'à l'échafaud. Le terrible Cardinal n'hésiterait pas un instant à y envoyer un petit-fils d'Henri IV. Qui sait même s'il n'y prendrait pas plaisir ?

— À quel propos, ce duel ?

Vendôme hésitait à répondre mais Sylvie, levant sur lui son regard limpide, ajoutait :

— Une... femme ?

— Oui. Mme de Montbazon dont vous ignorez peut-être qu'elle est sa maîtresse, lança-t-il avec brutalité. M. de Thouars en a médit devant mon fils qui ne l'a pas supporté, faisant en cela son devoir de gentilhomme et d'amant. Marie de Montbazon est folle de lui...

— Mais lui en aime une autre, compléta Sylvie. Ce qui est assez dans la nature des choses...

— Une autre ? Et qui donc ?

— Si vous ne le savez, vous devez vous en douter. J'en suis venue à penser que la belle duchesse de Montbazon n'était qu'un magnifique paravent. Et c'est justement cette autre qui aggraverait son cas si d'aventure les hommes du Cardinal mettaient la main sur lui. Où est-il ?

— Je ne vous le dirai pas et, pour l'instant, le duel est encore secret. Cependant, un courant d'air est toujours possible. Si Richelieu l'apprend, il enverra l'un de ses tourmenteurs, Laffemas ou

Laubardemont, extorquer la vérité aux témoins ou aux serviteurs. Et ces misérables feraient avouer à saint Pierre qu'il a voulu violer la Sainte Vierge tant leurs méthodes sont abominables. Si Beaufort est pris, rien ne pourra le sauver... sauf peut-être vous ?

— Moi ? Mais que pourrais-je faire ?

Le duc César prit un temps, quitta sa position nonchalante et alla ouvrir une armoire où il saisit quelque chose.

— Vous êtes au mieux, m'a-t-on affirmé, avec le Cardinal ?

— C'est beaucoup dire. J'ai eu l'honneur d'aller chanter pour lui, à trois reprises, dans son palais. Je reconnais qu'il m'a traitée avec une certaine bonté...

— Donc il ne se méfie pas de vous ! C'est excellent !

— Je ne vois pas pourquoi ? demanda Sylvie en qui pointait une inquiétude. Elle n'aimait pas le sourire cruel avec lequel Vendôme considérait ce qu'il tenait au creux de sa main.

— Eh bien, je vais vous ouvrir les yeux et juger, par la même occasion, de la solidité de ce grand amour que vous dites éprouver : si François est arrêté, rien ne pourra le sauver sauf...

— Sauf ?

— La mort de Richelieu. Si le danger devient extrême, vous vous arrangerez pour que la Robe rouge vous demande de venir endormir ses douleurs avec votre musique... et vous l'endormirez définitivement.

Cette fois, la gorge de Sylvie se sécha d'un seul coup.

— Quoi ? Vous voulez que je...

— Que vous l'empoisonniez... avec ça ! fit-il en mettant sous le nez de la jeune fille une petite fiole de verre très foncé, soigneusement fermée d'un bouchon à l'émeri. Cela ne devrait pas vous être difficile : j'ai appris qu'à chacune de vos visites, vous buviez un peu de vin d'Espagne et que vous en prépariez un verre pour votre hôte.

Décidément, il savait beaucoup de choses mais Sylvie, emportée par l'indignation, remit à plus tard de s'interroger sur celui, celle ou ceux qui le renseignaient.

— Moi ? Faire une chose pareille ? Verser la mort avec discrétion puis la tendre — avec un sourire, j'imagine ? — à qui me reçoit en confiance ? Pourquoi ne vous adressez-vous pas à un quelconque valet stipendié ? Il y en a une armée au Palais-Cardinal.

— Pour une raison bien simple : Richelieu fait goûter tout ce qu'il mange ou boit. D'ailleurs, c'est un office que vous remplissez sans même vous en rendre compte car vous devez boire avant lui, j'imagine.

— Oui, c'est vrai. Il ne boit jamais le premier. Est-il donc si méfiant ?

— Plus encore. Qu'il aime les chats est certain, mais s'il y en a une telle quantité dans ses demeures, ce n'est pas non plus sans raison. Prenez ce flacon !

— Non. Jamais je ne me prêterai à un acte

aussi vil, aussi lâche. Si vous voulez la mort de Richelieu, attaquez-le vous-même, de face et à visage découvert.

Vendôme poussa un énorme soupir et haussa les épaules :

— Je me demande si Raguenel ne vous a pas fait lire un peu trop de romans de chevalerie. De nos jours, il faut tuer ou être tué... À présent, si vous préférez que Beaufort monte sur l'échafaud pour y laisser sa tête...

— Non ! Oh ! Dieu, non !

Elle avait crié parce que le temps d'un éclair son imagination lui avait montré l'image affreuse que le duc évoquait.

— Alors, ma chère, il vous faudra choisir entre ce précoce vieillard déjà rongé par la maladie et celui que vous prétendez aimer, mais si Beaufort est arrêté, il vous faudra choisir très vite.

Épouvantée par l'horrible marché, elle tenta de discuter :

— Il ne l'est pas encore ?

— J'en conviens, mais cela peut être d'un moment à l'autre et soyez sûre que je vous le ferai savoir.

— Rien n'assure que le Cardinal me rappellera. Il ne l'a pas fait depuis qu'il est au château de Rueil.

— Cela ne veut rien dire. Le Louvre est plus près de chez lui que Saint-Germain de son domaine d'été où il a d'ailleurs d'autres distractions, mais il en reviendra. Si mon fils est pris, on l'enfermera à la Bastille sans doute et ce maudit homme rouge, trop content de le tenir enfin, voudra s'en rapprocher pour jouir plus commodément de ses tourments.

— Dans ce cas, il ne me demanderait sûrement pas de venir chanter. Il aurait, comme vous dites, d'autres distractions...

— Allons donc ! Il voudra jouir de votre angoisse. Vous êtes un ravissant bibelot : ça doit être amusant de voir souffrir un bibelot ?

— Vous êtes à même de vous en rendre compte, monseigneur, fit amèrement la jeune fille, et je n'ai pas conscience que cela vous amuse. Pourquoi Mgr François ne s'enfuit-il pas, s'il craint les gens du Cardinal ?

— Parce qu'il est fou et qu'il prend plaisir à jouer au chat et à la souris, même si c'est lui la souris. Enfin, je crois qu'aucune force au monde ne pourrait le convaincre de quitter la France où son cœur a tant d'intérêts. Prenez ça ! Et agissez comme je vous l'ai ordonné en sachant bien ceci : que Beaufort pose sa tête sur le billot et vous ne vivrez pas assez pour le pleurer : je vous étranglerai avec ces deux mains.

— Vous n'auriez pas cette peine, monseigneur, riposta Sylvie. Qu'il meure et je mourrai aussi, sans avoir besoin du secours de vos mains. Vous obéir, c'est signer ma condamnation. Croyez-vous que le Roi me laissera vivre si je tue son ministre ?

— Si vous êtes assez habile, personne ne vous soupçonnera. N'aurez-vous pas bu avant lui ? C'est dans son verre, en versant le vin, qu'il faut jeter ceci. C'est, m'a-t-on assuré, un poison rapide, quelque chose comme l'aqua Tofana chère aux

Vénitiens... Et puis, ajouta-t-il avec cynisme, si l'on vous arrête vous aurez au moins la satisfaction de savoir que vous aurez sauvé celui que vous aimez...

Décidément, Sylvie n'avait pas grand-chose à espérer de Vendôme. Elle tendit la main :

— Donnez ! fit-elle seulement.

Un large sourire s'épanouit sur le visage sombre de César :

— Allons, vous valez mieux que je ne le pensais ! Naturellement, cela devra rester entre nous.

Du coup, Sylvie lâcha la bride à la colère qui bouillonnait en elle depuis un moment :

— Ne me prenez pas pour une oie, monsieur le duc ! Que croyez-vous que je vais faire ? Brandir ceci sous le nez de la première personne rencontrée pour lui dire qu'ayant juré la perte du Cardinal vous n'avez rien trouvé de mieux que faire de moi une empoisonneuse ? Si elle apprenait ça, Mme la duchesse en mourrait, et pour rien au monde je ne voudrais lui causer la moindre peine.

— Alors, veillez à ce qu'elle n'ait pas celle de perdre son fils !

— C'est un peu trop facile ! En tout cas j'aimerais savoir ce que vous pourrez raconter à Mgr de Cospéan la prochaine fois que vous vous confesserez à lui ! Rien sans doute touchant ceci, ajouta-t-elle en agitant le flacon. En ce cas, votre confession sera nulle et vous iriez droit en enfer si d'aventure la mort venait vous prendre avant que vous n'ayez pu vous laver de ce crime. Et ce serait bien fait !

Sur cette flèche du Parthe, Sylvie fourra la fiole dans une poche de sa robe, ramassa sa mante qu'elle avait retirée en arrivant et, tournant le dos au duc sans lui adresser le moindre salut, elle releva bien haut son petit nez et quitta la pièce à pas rapides mais avec la majesté d'une reine.

Cependant, parvenue au bas de l'escalier, elle s'arrêta pour reprendre souffle comme au terme d'une longue course. Son cœur battait la chamade et elle craignit de s'évanouir. Pour se calmer, elle alla s'asseoir sur le vieux coffre, avec la soudaine envie d'avaler le contenu du maudit flacon et d'en finir une bonne fois avec une existence qui n'avait plus rien à lui offrir. François s'était battu pour une femme qui était sa maîtresse mais il en aimait une autre qui n'était pas, ne serait jamais Sylvie. Et puis, l'idée lui vint que sa mort ne servirait pas François si elle se tuait maintenant. C'était vrai qu'il courait un terrible danger, car il n'aurait à attendre de pitié ni du Cardinal ni du Roi. La Reine sans doute plaiderait pour lui, mais de quel poids serait le plaidoyer d'une femme que le ministre haïssait et dont l'époux ne souhaitait que se débarrasser ?

Elle resta là un moment, cherchant à remettre de l'ordre dans ses pensées. Et puis, une idée lui vint : si François était arrêté, elle agirait comme le duc venait de lui ordonner mais, au lieu de verser le poison dans le verre du Cardinal, elle le verserait dans la carafe et boirait en même temps que sa victime. Au moins tout serait fini et cette solution offrait l'avantage, au cas où elle serait arrêtée, de lui éviter l'horreur d'une exécution en place publique... et peut-être de la torture. Oui, c'était à n'en pas douter la meilleure solution. Après, elle s'arrangerait avec Dieu comme elle pourrait.

Un peu rassérénée, elle remit le flacon dans sa poche, s'enveloppa de son manteau et rejoignit la voiture juste au moment où le valet accourait avec son chandelier, mais ses jeunes yeux s'étaient depuis un moment habitués à l'obscurité.

— Eh bien ? demanda Jeannette.

— Ne me pose pas de questions, je t'en prie ! Plus tard, peut-être, je te dirai...

Le portail se rouvrit et, cahotant sur les gros pavés, la voiture reprit le chemin du Louvre.

Le lendemain, Sylvie, mal remise de la pénible soirée qu'elle avait espérée si douce, reçut l'ordre de se préparer à accompagner la Reine qui se retirait pour un ou deux jours au Val-de-Grâce. Seuls, Mlle de Hautefort, La Porte et elle-même serviraient Sa Majesté. Elle y vit une marque de confiance qui la toucha et que Marie confirma : la Reine aimait bien son « petit chat » et souhaitait l'entendre chanter à la chapelle.

Le couvent du faubourg Saint-Jacques était cher au cœur d'Anne d'Autriche pour diverses raisons dont la première était qu'elle en avait ordonné la construction, seize ans plus tôt. Elle y avait un appartement donnant sur le jardin où elle aimait à faire retraite. Enfin, le couvent, habité par des

Bénédictines, se situait hors les murs de Paris, sur une route de campagne peuplée seulement de couvents comme il convenait à ce grand chemin qui était celui des étoiles, celui où depuis des siècles passaient des milliers de pèlerins qui s'en allaient à Saint-Jacques de Compostelle prier au tombeau de l'Apôtre, mais qui, pour la Reine, revêtait une double signification puisque ce chemin illustre était aussi celui de l'Espagne. Elle y était chez elle comme nulle part ailleurs et l'abbesse, Louise de Milly devenue mère de Saint-Étienne, était une amie d'autant plus dévouée qu'étant née franc-comtoise, elle était alors sujette du roi d'Espagne.

Fidèle à ses habitudes policières, le Cardinal avait essayé de se trouver une ou deux espionnes parmi les saintes filles, mais il semble qu'il n'y soit pas parvenu ou alors, prises dans une communauté entièrement dévouée à leur bienfaitrice, elles n'avaient jamais réussi à transmettre des informations valables.

Au Val, Anne d'Autriche menait, le jour, une vie quasi monacale. Elle participait aux offices en mêlant sa voix à celles des religieuses, avec une piété profonde, et prenait ses repas avec elles. Son logis, composé d'un petit pavillon avançant sur le jardin, ne contenait que deux pièces : un salon au rez-de-chaussée ouvert par une porte-fenêtre et, à l'étage, une chambre prolongée d'une petite terrasse. Quant à Hautefort et Sylvie, elles étaient censées dormir dans deux cellules en arrière du pavillon, mais la dernière comprit vite que, dans cette étrange maison de moniales ou tout au moins dans la partie habitée par Anne, la nuit n'était pas vraiment faite pour dormir et qu'au contraire on y déployait une grande activité. En arrivant, Marie entreprit de la chapitrer avant qu'elle ne pose des questions :

— Vous vous souvenez qu'à Villeroy, sur la route de Fontainebleau, je vous ai demandé si vous aimiez la Reine ?

— Et je vous ai répondu que je lui avais juré un dévouement total.

— C'est bien ainsi qu'elle et moi l'entendons et c'est pourquoi nous vous avons emmenée. Ici, notre bonne maîtresse a le droit d'être elle-même à l'abri des espions du Cardinal. Elle peut y recevoir qui elle veut — la nuit de préférence ! — et surtout mettre à jour la correspondance qu'elle entretient avec son frère, le Cardinal-Infant, avec Mme de Chevreuse, son amie exilée, et plusieurs autres personnes. Ce qui, au Louvre, est impossible.

— Il est pourtant aisé de sortir et de rentrer comme on veut ?

— Quand on est fille d'honneur et parce que, en principe, cela ne tire pas à conséquence, mais dites-vous qu'il y a des yeux partout et que tous sont braqués sur la Reine.

— Et ici ? Les nonnes seraient-elles aveugles ?

— Elles ne voient que ce que l'on veut bien leur montrer... c'est-à-dire rien. L'avantage de notre position, c'est d'être à la fois dans l'ensemble du couvent et autonomes. Seule la mère de Saint-Étienne est de connivence et fait en sorte que ses filles ignorent tout de ce qui se passe ici. S'il en allait autrement, je ne vois pas comment nous pourrions recevoir des émissaires et en envoyer...

— Des émissaires ?

— Oui. La petite porte percée dans le mur de ce jardin et dissimulée par du lierre permet toutes les allées et venues. Maintenant, au travail ! Je vais vous apprendre à chiffrer un message.

Cette fois, Sylvie tombait des nues, mais il lui fallut finir par se rendre à l'évidence : la correspondance de la Reine avec ses amis de l'extérieur n'avait rien d'innocent et les « affaires de famille » que l'on faisait mine de traiter dans les lettres aux frères d'Anne d'Autriche, le roi d'Espagne et le Cardinal-Infant, relevaient de la haute trahison : on y exposait en langage codé tout ce qu'Anne pouvait apprendre des projets, même militaires, du Roi et de son ministre. En outre, s'il était normal d'écrire à ses frères, il l'était moins de correspondre avec l'ancien ambassadeur d'Espagne en France que Richelieu avait mis à la porte, le comte de Mirabel, installé à Bruxelles et qui ne lui tenait par aucun lien de parenté. Enfin, il y avait aussi l'Angleterre, par l'intermédiaire d'un ancien serviteur du cher Buckingham nommé Auger, actuellement secrétaire de l'ambassadeur anglais.

Quant au rôle de La Porte dans cette histoire, il était primordial. C'était par lui que l'on se procurait tout le matériel — encres sympathiques au citron et autres — que bien sûr il ne gardait pas au Louvre mais dans un petit logement qu'il avait à l'hôtel de Chevreuse — rue Saint-Thomasdu-Louvre — dont son frère était le gardien. En outre, il portait aux différents intermédiaires, gentilshommes farouchement hostiles à Richelieu ou prêtres à la solde de la très catholique Espagne, les lettres que la Reine écrivait de sa propre main.

Sylvie parlait et écrivait l'espagnol. On la chargea de transcrire à l'aide d'une grille quelques messages point trop compromettants. Elle s'en acquitta, non sans une inquiétude qu'elle confia à Hautefort :

— Est-ce que nous ne courons pas de grands risques ? Si les espions du Cardinal apprenaient le moindre détail de ce qui se passe ici, nous pourrions nous retrouver à la Bastille et la Reine elle-même...

— Auriez-vous peur ?

— Moi ? Et de quoi, mon Dieu ? fit tristement Sylvie en pensant à la fiole de poison qu'elle avait réussi à cacher dans le baldaquin de son lit au Louvre.

— À votre âge et quand on est charmante, on peut espérer autre chose de la vie que les murs d'une prison ?

— Je peux vous en dire tout autant.

L'Aurore redressa sa belle tête couronnée d'une masse de cheveux blonds et eut un sourire plein d'orgueil.

— Peut-être, mais moi j'aime la Reine et je suis prête à la servir jusque dans un cachot. Où elle n'irait pas, d'ailleurs. Le Roi se contenterait de la répudier comme il en rêve.

— Mais pourquoi agit-elle comme cela ? C'est

— pardonnez-moi ! — indigne d'une reine de France ?

— Ne vous y trompez pas, petit chat ! Ce que nous faisons ici n'est dirigé ni contre le Roi ni contre la France. Que l'Espagne obtienne une grande victoire et le Roi sera obligé de renvoyer Richelieu. Pire peut-être si nous parvenions à semer le doute dans son esprit.

— Un doute ? Vous espérez faire passer le Cardinal pour un traître ?

— Pourquoi pas ? Mme de Chevreuse qui, dans sa province, abat une tâche considérable nous a trouvé un faussaire admirable dont il suffit seulement de s'assurer. Et croyez-moi, quand la Robe rouge tombera, le peuple qu'il écrase d'impôts dansera de joie et aidera ses seigneurs à rebâtir les forts châteaux dont on rase les tours et les murailles par ordre du Cardinal. Le Roi lui-même sera plus heureux débarrassé d'une férule qui lui pèse, croyez-moi. Nous pourrons faire revenir la reine mère qui vit de la charité de l'évêque de Cologne...

Le plaidoyer était beau, et Sylvie trop neuve dans les affaires embrouillées de la Cour pour se sentir l'envie d'essayer d'y voir plus clair, trop occupée par ses propres tourments. Après tout, elle avait juré de servir la Reine, elle la servirait jusqu'au bout !

La première nuit, La Porte ayant été expédié chez l'un de ses correspondants et Hautefort étant aux prises avec un décodage difficile, ce fut Sylvie que l'on mit de garde à la porte du jardin après lui en avoir expliqué le mécanisme. Elle devait ouvrir à certain signal. La nuit était douce et la jeune gardienne ne risquait pas de prendre froid. Elle trouva même un certain plaisir à regarder les étoiles en respirant les odeurs des parterres où roses et pivoines commençaient à s'épanouir, chèvrefeuille et aubépine à exhaler leur délicat parfum. Un endroit idéal pour rêver d'amour lorsque l'on a quinze ans, mais l'homme masqué auquel elle ouvrit aux environs de minuit ne possédait rien pour alimenter cette rêverie : il sentait la sueur, le cheval et le cuir chauffé. Elle ne l'accompagna pas moins jusqu'au salon où il eut avec la Reine une longue conversation à voix basse avant qu'on le lui confie de nouveau pour le faire sortir.

— Demain soir, lui dit Marie, il faudra reprendre votre faction. On vient de nous annoncer quelqu'un de beaucoup plus important... Cela ne vous ennuie pas trop, j'espère ?

— Par ce temps, c'est un plaisir et le jardin est si beau !

Pour toute réponse, la jeune fille tapota doucement la joue de sa compagne :

— Décidément, je vous aime bien, dit-elle.

Le lendemain, en effet, dix heures venaient de sonner à la chapelle de l'abbaye dont la lune caressait la coupole quand un nouveau visiteur s'annonça. Sylvie découvrit au seuil une haute silhouette masculine enveloppée jusqu'aux yeux d'un manteau noir, le chapeau sans plumes de même couleur enfoncé jusqu'aux sourcils. Mais au lieu d'entrer rapidement, l'homme resta à la même place. Elle s'impatienta :

— Entrez, monsieur ! Vous êtes attendu...

Cette fois, il entra et tandis qu'elle refermait, il laissa tomber son manteau.

— Dites-moi que je rêve, Sylvie ! Que ce n'est pas vous ?

Elle étouffa un cri sous son poing fermé.

— Vous ? Oh ! ce n'est pas possible !

— On dirait que nous avons peine à croire l'un et l'autre à la réalité des choses, cette nuit, chuchota François. Que diable faites-vous là ? Vous êtes devenue concierge à présent ?

Il semblait très mécontent mais elle était, elle, trop effrayée pour en tenir compte :

— Je suis fille d'honneur de la Reine et je fais ce qu'elle m'ordonne. Ce qui n'est pas votre cas. Vous, à Paris ! Alors que l'on vous cherche peut-être ? Vous n'êtes pas un peu fou ?

Il lui prit le menton entre deux doigts pour hausser son visage vers lui. Dans la lumière argentée, elle vit l'éclair de ses dents découvertes par un rire silencieux.

— Dites-vous bien qu'il y a toujours quelque part quelqu'un qui me cherche. Quant à être fou, vous savez depuis longtemps à quoi vous en tenir, mon petit chat ? Mais... ma parole, vous pleurez ?

— Partez, je vous en supplie ! Partez et le plus loin possible !

— C'est ce que je ferai tout à l'heure. À présent, cessez de proférer des sottises, ma jolie ! Vous obéissez aux ordres de la Reine, vous ? Eh bien, moi aussi, avec cette différence que je ne les attends même pas ! J'aime à devancer ses désirs.

Un rideau relevé soudain à l'intérieur du pavillon éclaira la silhouette de Mlle de Hautefort.

— Nous ferions bien d'y aller ! reprit Beaufort. Il ne faut jamais faire attendre les dames !

Et il courut vers la lumière en homme qui connaît le chemin. Sylvie ne put que rassembler ses jupes et courir derrière lui. Elle arriva dans le salon comme il saluait la dame d'atour :

— Vous avez embrigadé le petit chat ? Ce n'est pas une mauvaise idée ! Sous son apparence fragile, c'est quelqu'un de déterminé...

— Et de sûr ! C'est cela l'important. Nous n'avons pas un très grand choix chez les filles d'honneur. En outre, elle parle et écrit l'espagnol aussi bien que le duc d'Olivarès et mieux, en tout cas, que la reine d'Espagne [1]... Venez ! On vous attend avec impatience !

Avec une douleur soudaine, Sylvie, encore sous le coup de l'émotion ressentie à la vue de François, vit qu'elle l'entraînait vers l'escalier menant à la chambre royale, alors que le visiteur de la veille avait été reçu dans ce salon. Elle essuya rageusement de nouvelles larmes avec ses deux mains à la pensée que le Val-de-Grâce n'était pas seulement un centre d'espionnage politique mais aussi le lieu de plus tendres rendez-vous. Une idée qu'elle regretta aussitôt : un rendez-vous en présence de

1. Philippe IV d'Espagne, frère d'Anne d'Autriche, avait épousé Élisabeth, sœur de Louis XIII, qui devait être la mère de Marie-Thérèse, future femme de Louis XIV.

Mlle de Hautefort qui possédait la langue la mieux pendue de toute la Cour ? Seulement, un moment plus tard, Mlle de Hautefort redescendait :

— Assez travaillé pour cette nuit, ma chère ! dit-elle sans regarder Sylvie qui s'était assise près du feu allumé dans la cheminée pour brûler certains papiers plus que pour chauffer. Allez vous coucher. Je raccompagnerai le duc moi-même !

Le jeune fille se leva mais resta où elle était, regardant sa compagne qui finit par se retourner vers elle.

— Eh bien ? N'avez-vous pas entendu ? Je vous ai dit d'aller dormir, Sylvie !

— Pourquoi ? demanda celle-ci sans bouger.

Marie fronça les sourcils :

— Que signifie ce « pourquoi » ?

— Vous êtes trop fine pour n'avoir pas compris, mais je veux bien en dire plus : pourquoi m'avoir envoyée, moi, ouvrir la porte du jardin au visiteur de ce soir ?

— Vous vous en étiez fort bien tirée, hier.

— Hier, vous étiez très occupée et La Porte était absent. Ce soir, vous pouviez vous charger de cette... besogne. Alors, je répète : pourquoi moi ? Moi dont vous saviez bien que j'en souffrirais ?

Il y eut un silence. Puis, Marie vint vers Sylvie et emprisonna de ses mains les fragiles épaules qu'elle sentit trembler.

— Peut-être pour juger de la qualité de votre dévouement, petite fille... Vous avez mal ? demanda-t-elle avec une grande douceur.

À demi étouffée par les larmes qu'elle retenait, Sylvie hocha la tête.

— Et pour le moment vous me détestez, reprit Marie, mais rendez-moi cette justice que je vous avais prévenue en vous disant que votre petit cœur était fort aventuré avec le beau François !

— Ce n'est pas seulement cela ! J'ai peur pour lui ! Vous ne savez donc pas qu'il risque sa tête en venant ici ?

— Nous la risquons tous : vous, moi, La Porte et même l'abbesse. Je pensais que vous l'aviez compris ?

— J'ai compris et j'ai accepté... mais lui, c'est autre chose ! Le bruit court d'un duel où il aurait tué son adversaire pour les beaux yeux de Mme de Montbazon et au lieu de fuir il est ici, à la porte de Paris, ou du Cardinal, ce qui est la même chose !

— D'où sortez-vous cela ?

Sylvie comprit qu'entraînée par son angoisse et sa peine, elle en avait trop dit. Elle eut un geste d'impuissance.

— Un bruit, vous dis-je. C'est, je crois, Jeannette, ma caméfiste, qui l'a entendu à l'hôtel de Vendôme.

— Vous m'étonnez fort ! Je recueille de nombreuses informations de divers amis et celle-là ne m'est pas revenue... D'où vient d'ailleurs que vous ne m'en ayez pas parlé ?

— Eh bien, je vous en parle ! Quant à ce qui peut être véridique dans ce bruit, vous n'avez qu'à le demander à M. de Beaufort puisque vous l'avez sous la main ! Cela dit, bonsoir ! Je vais me coucher puisque vous l'ordonnez !

— Je ne vous ai rien ordonné du tout. C'était un simple conseil. Le temps avance plus vite quand on dort et, demain, ce qui s'est passé ce soir ne sera plus qu'un mauvais rêve...

— Cela vous plaît à dire. Bonne nuit !

Mais, rentrée dans sa cellule, Sylvie ne se coucha pas. Elle voulait attendre la sortie de François et lui parler seule à seul. Ce qui était impossible sous l'œil d'épervier de Marie. Une solution : sortir de l'abbaye par la porte et attendre François à l'extérieur. Évidemment, il fallait considérer le retour, mais il n'y avait pas si longtemps que Sylvie grimpait aux arbres dans le parc d'Anet ou dans les bois de Chenonceau : le lierre du mur lui offrirait toutes les prises voulues. Restait à mettre son projet à exécution !

Elle commença par enlever les jupons qui gonflaient sa simple robe en toile des Flandres brune, sans autre ornement qu'un col et des manchettes blanches, et comme, n'étant plus supportée, la jupe était un peu trop longue et risquait de gêner ses mouvements, elle la releva suffisamment pour libérer ses pieds en la maintenant serrée à la taille par une ceinture de cuir solide, ôta ses manchettes et son col dont la blancheur pouvait être trop visible, et enfin prit un mantelet à capuchon qui dissimulerait bien son visage et les gants de cuir nécessaires pour une empoignade avec les branches du lierre : il ne s'agissait pas qu'on lui vît demain des mains écorchées et des ongles cassés.

Ainsi équipée, elle sortit par la fenêtre de la cellule qui donnait sur le jardin potager, atterrit dans un plant de choux dont elle s'efforça de ne pas bousculer les grosses têtes rondes. Ensuite elle prit sa course vers la porte, l'ouvrit, la referma et se trouva hors des murs, sur une petite place ornée d'un calvaire de l'autre côté de laquelle s'élevait le noviciat des Capucins. Ses yeux vifs en eurent vite fait le tour : aucun cheval n'était en vue. François, prudent pour une fois, avait dû venir à pied. Mais d'où ?

Il ne restait plus qu'à attendre. La lune, bien qu'allant vers son déclin, jouait à cache-cache avec de petits nuages mais elle éclairait encore beaucoup trop. Aussi, pour éviter d'être vue, Sylvie choisit de se tapir dans le lierre qui couvrait en vagues épaisses le mur de l'abbaye.

Sa faction, dans la nuit qui fraîchissait, lui parut interminable car deux heures venaient de sonner à la chapelle quand, enfin, François reparut. Il n'était pas seul : La Porte l'accompagnait, armé jusqu'aux dents. Ensemble, les deux hommes remontèrent le faubourg en direction de la porte Saint-Jacques. Furieuse mais décidée à aller jusqu'au bout, Sylvie suivit en priant Dieu que Beaufort n'ait pas laissé sa monture trop loin. Cependant, arrivés en vue des murailles plus ou moins écroulées de Paris, les deux hommes poursuivirent leur chemin au long des fossés en direction du sud. Sylvie serra les dents et continua sa poursuite en se demandant jusqu'où on allait l'emmener ainsi, mais elle était tenace et eût accepté de faire le tour de Paris pour échanger quelques mots avec l'homme qu'elle aimait, qui tenait sa vie entre ses mains et en jouait si follement...

La randonnée avait quelque chose d'irréel. Enfermé dans ses tours rondes ou pointues et ses crénaux, Paris vivait son inquiétante vie nocturne, éclairé par les rayons de plus en plus obliques de la lune. Le silence n'était troublé que par le cri des guetteurs sur le rempart, l'écho d'une chanson à boire dans un corps de garde, le cri des matous en chaleur, l'aboiement d'un chien dérangé. Et Sylvie marchait toujours...

Enfin, on atteignit la Seine dont le large ruban brillait d'un éclat sourd de mercure et Sylvie comprit pourquoi on n'avait rencontré aucun cheval attaché à un arbre ou à un anneau quand les deux hommes descendirent à la grève et se séparèrent : un bateau était là sur lequel François sauta avec un geste d'adieu. Soudain désespérée de ne pouvoir lui parler, elle ouvrait la bouche pour crier, l'appeler, lui demander de l'attendre et — pourquoi pas ? — de l'emmener avec lui, mais il était déjà trop tard : poussé par les longues perches de deux bateliers, l'esquif était lancé dans le courant... Épuisée, Sylvie se laissa tomber à genoux, cacha sa figure dans ses mains et se mit à pleurer. Elle ne vit même pas La Porte rebrousser chemin et passer à trois toises d'elle [1] sans seulement l'apercevoir.

1. La toise équivalait à deux mètres environ.

Quand elle revint à la réalité et regarda autour d'elle, elle était seule dans un lieu obscur bordé d'un côté par la porte de Nesle et la silhouette sinistre de la vieille tour dont elle portait le nom, de l'autre par les jardins et le magnifique hôtel de la reine Marguerite. Laissés à l'abandon après sa mort, ils servaient de refuge à une faune étrange.

Se relevant péniblement, Sylvie songeait avec accablement qu'il allait falloir refaire tout le chemin parcouru, en espérant qu'elle arriverait à trouver sans encombre le faubourg Saint-Jacques, quand un cri affreux, celui de quelqu'un qu'on égorge, lui parvint, suivi aussitôt d'un râle puis d'un bruit de course. Quelqu'un lui arriva dessus comme un boulet de canon et la jeta à terre en jurant abominablement, se releva aussi vite et disparut dans les ténèbres, emportant une bizarre odeur de crasse et de cire chaude.

Cette fois, Sylvie, à bout de forces, mit un peu plus de temps à se relever. Elle venait tout juste de reprendre pied quand deux hommes surgirent des ombres épaisses de la tour. Eux aussi couraient. Ils faillirent la renvoyer d'où elle venait mais ils l'aperçurent à temps :

— Il y a quelqu'un ! Une femme, je crois.

— Dites plutôt une fille. À cette heure-ci, les femmes honnêtes sont couchées. As-tu vu un homme s'enfuir, la fille ?

— Démasquez votre lanterne, mon ami. Nous verrons au moins à quoi elle ressemble.

Une lumière jaune lui arriva en pleine figure,

mais elle savait déjà à qui elle avait affaire. Seulement, elle était tellement surprise que la voix lui était restée dans la gorge.

— Vous, Sylvie ? s'exclama Perceval de Raguenel au comble de la stupéfaction. Mais que faites-vous ici et à pareille heure ?

CHAPITRE 8

LES IDÉES DE MLLE DE HAUTEFORT

Le compagnon de Perceval l'avait rejoint et Sylvie reconnut en lui l'homme de la *Gazette*, ce Théophraste Renaudot qu'elle avait rencontré chez lui. Sa présence lui parut plutôt gênante et elle choisit, technique bien féminine qu'elle maîtrisait déjà parfaitement, de répondre par une question :

— Mais vous-même ? Que faites-vous si loin de chez vous ?

— Nous traquons un criminel. La malchance a voulu que nous arrivions juste comme il venait de commettre son crime, et en plus il nous a échappé...

— Si j'avais su, je me serai accrochée à ses vêtements : il m'a jetée à terre comme vous avez failli le faire.

— Avez-vous vu son visage ?

— Comment vouliez-vous, dans cette obscurité où l'on ne distingue même pas une personne ? Je n'ai eu que son odeur. Pouah ! Elle était affreuse ! La saleté, la sueur, la cire chaude aussi, ce que je ne comprends pas bien.

— Je vous l'expliquerai plus tard. Ce que je veux savoir, c'est pourquoi vous êtes ici ? Qui vous y a menée ?

— Personne. Je suivais quelqu'un, voilà tout !

— Depuis le Louvre ? fit Perceval en désignant la rive d'en face. À travers la Seine ?

— Je ne viens pas du Louvre mais je ne vous en dirai pas plus. Pas maintenant, tout au moins, corrigea-t-elle.

Son regard s'attachait à Renaudot et Raguenel comprit ce qu'il voulait dire : son ami, de notoriété publique, était tout au Roi et au Cardinal dont on disait même qu'il leur arrivait d'écrire dans ses feuillets. Même si c'était le meilleur homme du monde — et de cela Perceval en était sûr ! — il aimait trop son métier et la recherche d'informations curieuses pour ne pas s'intéresser à ce que pouvait faire, à trois heures du matin, une fille d'honneur de la Reine sur les bords de la Seine où l'on ne trouvait guère que des mariniers et quelques filles toujours à leur service comme à celui d'une faune moins respectable.

— Comment êtes-vous venue ?

— À pied et je suis très lasse, aussi aimerais-je bien rentrer. Et vous ?

— En barque depuis l'île de la Cité. Mon ami Théophraste en a toujours une prête pour ses expéditions. Nous vous ramenons avec nous.

— Merci, parrain, mais cela ne me convient pas. Partez sans moi, je rentrerai seule...

À son grand regret, Renaudot comprit que cette étrange petite personne ne voulait pas dire d'où elle venait mais que Raguenel ne consentirait jamais à la laisser seule. Il comprit surtout qu'il était de trop.

— Le mieux est que je vous quitte, mon ami.

— J'allais vous en prier.

— Si vous avez besoin de moi, vous savez où me trouver. Pour cette nuit, d'ailleurs, je serais étonné que notre homme frappe encore, bien qu'il ait un peu bâclé son ouvrage : le cachet n'est pas lisible...

Un instant plus tard, le gazetier se perdait dans les ombres denses de la tour de Nesle, rejoignant le bateau qu'il avait dû amarrer en amont. Sylvie et son parrain restèrent seuls.

— Me confierez-vous à présent d'où vous venez ? murmura celui-ci. Autant que vous le sachiez tout de suite, Sylvie, je ne vous lâcherai pas que vous ne soyez à l'abri.

— Je viens du Val-de-Grâce et, si vous le voulez bien, j'y retourne.

— Tout ce chemin ? Comment avez-vous fait ?

— C'est facile : on pose un pied après l'autre et l'on recommence.

— Ne dites pas de folies ! Vous devez être morte de fatigue ?

— Assez, oui. Pourtant, il faut que je rentre... bien que je n'en aie pas la moindre envie...

À bout de forces, elle se laissa tomber à terre et se mit à pleurer avec de gros sanglots de petite fille... ou de femme quand les nerfs, tendus à l'extrême, viennent à céder. Aussitôt Perceval fut à genoux auprès d'elle :

— Une seule question, mon petit ! Qui avez-vous suivi jusqu'ici ? Vous savez qu'à moi vous pouvez tout dire !

La réponse sembla venir des profondeurs même de la terre.

— François... et La Porte qui l'a raccompagné à un bateau. Il est parti par le fleuve. J'espérais pouvoir lui parler... mais cela n'a pas été possible avec ce La Porte.

— Attendez-moi !

Perceval avait remarqué, à l'entrée de la toute nouvelle rue de Seine, le portail d'un loueur de chevaux. Il entreprit de le réveiller, ce qui ne fut pas facile car le bonhomme avait le sommeil lourd, mais enfin, après quelques palabres et le passage de plusieurs pièces entre sa bourse et la main du maquignon, il obtint un cheval pour un prix honnête, prit Sylvie toujours en larmes dans ses bras pour l'y installer en croupe, se mit en selle et partit au petit trot. Sylvie, les bras autour du torse de son parrain et la tête reposant sur son dos, pleura tout le long du chemin. Perceval ne lui posa aucune autre question. D'abord, parce qu'il était difficile de causer sur le dos houleux d'un cheval, et ensuite parce qu'il réfléchissait.

Il était quatre heures quand on arriva en vue du Val et, aux alentours, les coqs de tous les couvents répondaient à celui du curé de Saint-Jacques-du-Haut-Pas. Sylvie, alors, sécha ses larmes et expliqua de quelle façon elle envisageait de rentrer.

— Une escalade à présent ? bougonna Raguenel. Vous ne doutez de rien, décidément ! Je vais vous aider à grimper sur ce mur, mais écoutez-moi bien ! Quand vous rentrerez au Louvre, vous demanderez un congé de quelques jours pour vous occuper de votre vieux parrain qui a besoin de votre guitare pour apaiser ses crises de goutte et vous viendrez les passer chez moi. Avec Jeannette, bien sûr ! Je crois que nous avons beaucoup de choses à nous dire...

Elle approuva d'un vigoureux hochement de tête, puis se haussa sur la pointe des pieds pour embrasser Perceval.

— Je ne sais pas du tout comment j'aurais fait sans vous, mon parrain. J'étais si malheureuse !... Peut-être que je me serais noyée ?

À sa façon brutale de la saisir aux épaules, Sylvie comprit qu'il avait peur :

— Je vous interdis jusqu'à la pensée d'une telle abomination ! Personne, vous m'entendez bien, personne ne vaut que l'on meure pour lui...

Un moment plus tard, Sylvie regagnait sa chambre et se déshabillait en hâte pour retrouver son lit. Ce fut alors qu'elle s'aperçut que sa robe était tachée de sang.

Le lendemain matin, elle était si fatiguée que c'est tout juste si elle arrivait à ouvrir les yeux. Pourtant, personne ne s'en aperçut, et pas davantage des quelques bévues dont elle se rendit coupable dans son service. Marie ne cessait de chuchoter avec la Reine et toutes deux semblaient au comble de l'excitation. En outre, Anne d'Autriche, que l'on n'avait pas vue d'aussi bonne humeur depuis longtemps, rayonnait. Ses joues étaient roses, ses yeux verts scintillaient. Elle avait tellement l'air d'une femme heureuse que Sylvie s'interrogea sur les sentiments qu'elle lui inspirait. Jusqu'à cette nuit, elle l'aimait et la plaignait, mais ce matin, elle se demanda si elle n'était pas en train de se mettre à la détester pour toutes sortes de raisons : cette reine trahissait le pays dont elle occupait le trône, cette femme lui prenait l'être qu'elle aimait le plus au monde...

Cependant, la belle humeur d'Anne d'Autriche ne résista pas à son retour au Louvre. Ce soir-là, le Roi entra chez elle, la mine triomphante, agitant négligemment un papier au bout de ses longs doigts.

— Grande nouvelle, Madame ! s'écria-t-il. J'ai reçu avis de la victoire de nos troupes au Cateau-Cambrésis ! Celles de monsieur votre frère en ont été chassées pour toujours, je l'espère et, pour ce qui est de Landrecies, cela ne saurait tarder !

Les dames présentes applaudirent, cependant que la Reine pâlissait et ne trouvait rien à répondre.

— Eh bien ? reprit Louis XIII. Est-ce là tout ce que vous avez à dire ?

— Vous êtes content, Sire, cela suffit pour que je le sois aussi. Votre santé d'ailleurs semble meilleure ?

En effet, après le départ de Louise de La Fayette, le Roi était resté quelques jours à Versailles, accablé sous le poids d'une douleur si cruelle qu'un accès de fièvre s'en était suivi. Son visage en portait encore les traces.

— Ne vous souciez pas de ma santé, Madame, ricana-t-il en agitant le message sous le nez de sa femme. Ceci m'a fait le plus grand bien. Rien de tel, voyez-vous, qu'une victoire sur l'Espagne pour me rendre des forces et je suis heureux que vous partagiez ma joie. Nous fêterons cela ces jours prochains... tenez ! au château de Madrid [1] ! Cela me paraît tout à fait de circonstance.

Ayant dit, il tourna le dos, enflamma le papier à un candélabre et jeta le tout dans la cheminée. Après quoi, il alla prendre Mlle de Hautefort par la main et l'entraîna dans l'embrasure d'une fenêtre comme il faisait naguère avec sa chère Louise.

Le lendemain, tout Paris commentait le retour en faveur de l'Aurore et Sylvie obtenait un congé de quelques jours pour aller soigner son parrain.

— Croyez-vous que ce soit bien le moment d'abandonner votre poste ? gronda Marie qui, adossée à une commode dans la chambre de Sylvie, la regardait se préparer au départ.

— Je n'abandonne pas mon poste : je vais aider quelqu'un que j'aime beaucoup.

— Allons donc ! Pas à moi, ma petite ! Je croirais plutôt que c'est vous qui avez besoin de vous remettre. Les douleurs du parrain sont venues bien à propos après notre séjour au Val-de-Grâce dont vous ne gardez peut-être pas le meilleur souvenir ? J'ai raison ?

1. Le château de Madrid, dans le bois de Boulogne, a été construit par François Ier en souvenir de sa captivité espagnole.

Quittant sa commode, Marie vint prendre son amie aux épaules pour l'obliger à lui faire face.

— Regardez-moi, Sylvie ! Quand vous vous essayez à mentir cela se lit comme dans un livre sur votre figure. J'ai raison, n'est-ce pas ?

— Oui... Oh ! Marie, essayez de me comprendre ! J'ai vécu une nuit horrible. Je sais, vous allez me répéter que j'étais prévenue et que mon cœur était par trop aventuré...

— Non. Ce n'est pas ce que j'allais vous dire. Ce que vous avez souffert, je l'endure moi aussi : je sais ce qu'il en coûte d'ouvrir devant celui qu'on aime la porte d'une chambre qui n'est pas la vôtre.

Brusquement séchés, les yeux de Sylvie s'ouvrirent démesurément.

— J'ai mal entendu ? Vous n'êtes pas en train de me dire que... vous l'aimez, vous aussi ?

— Mais si ! C'est tout à fait cela et je ne suis pas la seule. J'ajoute qu'il n'en saura jamais rien et que, dans le cas contraire, cela ne lui ferait ni chaud ni froid : il n'a d'yeux que pour la Reine et nous ne sommes pour lui que de charmantes amies qui viennent au secours de ses amours.

— C'est insensé ! Pourquoi faites-vous cela ?

— Ce serait trop long à vous expliquer. Je peux seulement vous dire ceci : mon amour n'ayant aucun avenir, je le soumets à celui que je porte à ma souveraine. Je ne veux pas qu'une infante d'Espagne, une reine de France soit chassée, répudiée sur les conseils d'un Richelieu qui la hait d'autant plus qu'il n'a jamais réussi à se faire aimer d'elle.

— Il me semble qu'au contraire vous faites tout pour cela. Que croyez-vous qu'il se passerait si l'on apprenait qui la Reine reçoit dans sa chambre en secret ?

— Mais on ne le saura pas. Nous sommes trois à être dans le secret : vous, moi et La Porte. Celui-ci est plus dévoué qu'un chien, quant à nous deux, nous aimons trop M. de Beaufort pour vouloir autre chose que son bien. Et son bien fait partie du plan que j'ai conçu !

— Un plan ? Mais pourquoi ?

— Parce qu'il plaît à la Reine et qu'il est le seul petit-fils d'Henri IV qu'elle regarde avec des yeux de femme éprise. Vous partez toujours ?

— Oui. Accordez-moi ces quelques jours ! Je suis moins forte que vous et j'ai besoin de me reprendre. D'ailleurs, il me semble que vous pouvez suffire seule à la défense de notre maîtresse, puisque vous êtes en train de reprendre toute votre influence sur l'esprit du Roi.

Hautefort haussa les épaules :

— Toute mon influence, c'est beaucoup dire ! Disons que c'est une chance sur la durée de laquelle il ne faut pas garder trop d'illusions. Le Cardinal souhaitait que le Roi tourne ses regards vers Mlle de Chémerault pour remplacer La Fayette, mais il se trouve qu'elle ne lui plaît pas. Le Roi aurait répondu que « son visage ne lui revenait pas » et qu'à tout prendre, il aimait mieux se « raccommoder » avec moi. Cette reprise-là pourrait bien n'être pas très solide.

— Est-ce que cela ne dépend pas beaucoup de

vous ? Vous preniez plaisir, me disiez-vous, à malmener votre amoureux autrefois, d'où sa préférence pour Mlle de La Fayette. Soyez plus douce !

Marie éclata de rire.

— Voyez-moi la jolie prêcheuse ! Il faut me prendre telle que je suis, petit chat, ou me laisser. D'ailleurs, si je changeais, le Roi trouverait cela bizarre. Il est habitué à mes manières.

Sylvie n'insista pas mais en s'éloignant, une heure plus tard, en compagnie d'une Jeannette enchantée, elle éprouva un sentiment de soulagement et de libération. Le vieux Louvre bourré d'intrigues, où ne cessaient de se croiser haines, amours et intérêts de toutes sortes avait quelque chose d'oppressant. Chez Perceval, elle espérait retrouver un peu de la joyeuse insouciance de l'enfance. Un peu seulement, car elle avait pris soin d'emporter la fiole de poison dont le seul contact suffisait à gâcher toute joie mais qu'il lui était impossible de laisser derrière elle. De son côté, Jeannette était au moins aussi contente qu'elle, le contact quotidien avec la domesticité du palais et surtout les servantes des filles d'honneur ne constituant pas une réelle source de félicité.

La chambre tendue de brocatelle jaune où Nicole Hardouin introduisit Sylvie à son arrivée rue des Tournelles plut à la jeune fille au premier regard : elle donnait sur le jardin et n'avait jamais été occupée depuis que Raguenel avait acheté la maison. Il l'avait alors fait repeindre et retapisser dans l'espoir qu'un jour, peut-être, sa fille adoptive pourrait l'habiter. Le soin apporté dans les plus petits détails, comme le miroir de Venise et les jolis objets de toilette en argent, toucha Sylvie : c'était la preuve d'une vraie tendresse et elle en remercia son parrain quand, après le souper, ils se retrouvèrent tête à tête dans le cabinet de Perceval. Mais il refusa les remerciements.

— C'est à moi que j'ai fait plaisir. J'étais heureux d'imaginer qu'un jour vous prendriez possession de cette chambre. J'ai donc tout fait pour vous convaincre qu'ici vous seriez chez vous.

— Vous avez réussi. Je me sens tellement bien ! soupira-t-elle en caressant les bras du fauteuil où elle était assise.

— Mieux qu'au Louvre ?

— Oh ! le Louvre...

Elle eut un geste évasif qui en disait long.

— Vous n'y êtes pas heureuse et c'est ce que je craignais. Je n'étais pas d'accord pour que vous deveniez fille d'honneur si jeune, mais quel moyen avais-je de l'empêcher ? La Reine vous demandait, le duc César y tenait pour je ne sais quelle obscure raison...

— Elle n'avait rien d'obscur : il voulait se débarrasser de moi.

— C'est possible, mais j'ai eu aussi l'impression que vous-même souhaitiez prendre cet état ?

— Rien de plus vrai. Je me demande, à présent, si j'avais raison ou tort. Tout est si compliqué, si difficile autour de moi, au point que je finis par ne plus savoir qui complote avec qui et pourquoi !

— À ce point ? Mais la Reine ?

Sylvie faillit dire qu'elle complotait plus encore que tout le monde, mais se contenta de soupirer :

— Oh ! la Reine est très bonne et j'ai la chance d'avoir, en sa dame d'atour, une amie.

— Mlle de Hautefort ?

— Oui. Toutefois, elle adore la Reine et son amitié, je pense, dépend entièrement de la qualité de mon dévouement à notre maîtresse.

— Si vous démêritiez, elle pourrait se changer en ennemie. Et une ennemie redoutable, soyez-en sûre. Mais vous n'avez rien à craindre : vous aimez Sa Majesté.

— Oui... oui, bien sûr.

La légère réticence n'échappa pas aux oreilles attentives de Perceval qui, cependant, ne releva pas. Il se pencha, prit la main de sa « fille » et la garda un instant dans les siennes, ce qui lui permit de constater qu'elle tremblait.

— Dites-moi maintenant comment vous en êtes arrivée, l'autre nuit, là où je vous ai trouvée. Si, comme vous me l'avez confié, vous suiviez... François depuis l'abbaye du Val-de-Grâce, c'est qu'apparemment il y était, comme dirait M. de La Palice. Alors, si vous vouliez lui parler, pourquoi pas là-bas ? Pourquoi faire tout ce chemin en vous cachant ? Il vous avait vue au Val, je suppose ?

— Oui. En arrivant, mais quand il est parti j'étais censée être dans mon lit.

— Il est donc resté si longtemps ?

D'un seul coup, Sylvie s'empourpra. Elle crut

entendre la voix de Marie affirmer : « Nous ne sommes que trois à savoir : vous, moi et La Porte. » Par la faute de sa folle équipée de l'autre nuit et des quelques mots prononcés pour l'expliquer, Raguenel était entré, lui aussi, dans le secret... mais était-ce grave ? Le regard qu'elle leva sur son parrain était si chargé d'angoisse qu'il s'en émut, comprenant qu'il venait de toucher un point très sensible.

— Venez là ! dit-il en l'attirant vers lui. Venez tout près de moi afin de mieux sentir combien je vous aime et désire vous aider ! Vous n'avez que quinze ans et vous n'avez personne à qui demander conseil, sinon moi, moi qui aimerais mieux mourir que vous trahir ou vous faire du mal...

Sylvie alors éclata en sanglots et, se laissant glisser à terre, vint poser sa tête sur les genoux de Perceval. Elle savait qu'elle pouvait tout lui confier, qu'il serait plus discret qu'un confesseur et que le poids devenait trop lourd pour un cœur de quinze ans. Alors, à voix basse comme si elle craignait que les murs même puissent entendre, elle lâcha sa charge : la correspondance secrète avec l'ennemi, les visites nocturnes et surtout celle, interminable, de Beaufort.

— Si vous l'aviez vu marcher par les rues quand il est reparti ! Il avait beau être masqué, on aurait dit qu'il était devenu le roi du monde.

— C'est un peu ça. Et la Reine, quelle était sa mine, au matin ?

— Oh ! rayonnante ! Jamais je ne lui ai vu l'air si heureux. On aurait dit qu'elle venait de recevoir des nouvelles merveilleuses. Il est vrai qu'elle ignorait le succès de nos armes sur les Espagnols, succès que le Roi lui a annoncé hier sans le moindre égard. Ensuite, il a pris la main de Mlle de Hautefort afin de lui parler en privé... Mais, pour François, que pensez-vous ?

— Qu'il est devenu l'amant de la Reine ! gronda Perceval sans ménagement. Ce qui constitue une véritable folie !

C'était exactement ce qu'imaginait Sylvie, pourtant elle fit une dernière tentative, bien féminine pour sauver ses illusions naufragées.

— Mais elle a quinze ans de plus que lui !

— Cela ne compte pas, Sylvie ! Elle est très belle, elle est la Reine et vous saviez déjà qu'il l'aimait. À présent, nous savons aussi qu'elle l'aime. Reste à savoir jusqu'à quel point ?

— Que voulez-vous dire ?

— Que les risques courus sont énormes. Qu'arrivera-t-il si Richelieu, toujours à l'affût, découvre qu'elle trompe le Roi ?

— Un scandale, je suppose, et la répudiation pour adultère ?

— Sans doute, et elle est assez intelligente pour mesurer les risques qu'elle court. Et pourtant, elle les court à un moment où sa situation n'est pas brillante. C'est cela qui est prodigieux !

— D'autant plus que Mlle de Hautefort prétend que tout cela fait partie d'un plan conçu par elle au mépris de l'amour qu'elle porte, elle aussi, à François.

— Un plan ?

— C'est le mot qu'elle a employé. Elle a ajouté que c'est parce que François est le seul petit-fils d'Henri IV que la Reine regarde avec tendresse... Je vous avoue que je ne comprends plus rien et que je suis très, très heureuse d'être ici, avec vous. Loin de toutes ces intrigues qui me dépassent !

Perceval ne répondit pas, se contentant de caresser la tête soyeuse posée sur ses genoux. Il réfléchissait si profondément que Sylvie, surprise de ce soudain silence, le crut endormi. Non point, il avait les yeux grands ouverts, mais fixes, et même il prit sa pipe dans un pot de faïence placé sur une table auprès de lui et l'alluma. Elle n'osa pas troubler sa méditation. Au bout d'un moment, enfin, il demanda :

— Et Mlle de Hautefort, qui a un plan, est revenue dans la faveur du Roi ? Dites-moi, Sylvie, est-ce que Louis XIII rejoint souvent la Reine, la nuit ?

Elle hocha la tête :

— Pas depuis que je suis entrée aux filles d'honneur.

De nouveau le silence. Perceval tirait bouffée sur bouffée avec application et la pièce s'emplissait d'une fumée qui fit tousser Sylvie. Ce qui le ramena sur terre.

— Insensé ! lâcha-t-il enfin. Insensé ou génial. Si c'est ce que je pense, le plan de votre amie est le plus dangereux coup de dés que j'aie jamais vu tenter. Elle joue sa tête, celle de Beaufort, peut-être bien la vôtre et même celle de la Reine.

— Comment cela ?

— Oh ! c'est fort simple : elle espère que votre François fera un enfant à sa royale maîtresse.

— Quoi ? Le Roi serait fou de colère ?

— Mais elle a retrouvé son influence sur lui et compte dessus pour faire entendre raison à un homme qui a d'autant plus besoin d'un héritier que sa santé se délabre et que, s'il mourait maintenant, c'est Monsieur, l'incapable Monsieur, qui deviendrait roi de France. Que Beaufort engrosse la Reine et le sang de l'enfant sera tout de même celui de Saint Louis et d'Henri IV.

— Vous oubliez le Cardinal ? Son influence est beaucoup plus grande que celle de Marie.

— ... mais aurait pu tomber devant celle de Mlle de La Fayette. Ajoutez à cela que si le Roi meurt, il est lui-même perdu. Il sera chassé avant même l'entrée à Saint-Denis... ou pis encore ! Il accumule contre lui tant de haines ! Je me demande même si le coup d'audace de la dame d'atour ne finirait pas par lui agréer...

— Doux Jésus ! soupira Sylvie en revenant prendre place dans son fauteuil. Vous rendez-vous compte de ce que vous venez de dire, parrain ? Qu'adviendrait-il de François si vous aviez raison ?

Raguenel écarta les mains dans un geste d'ignorance.

— Je pense qu'il aura besoin de la protection divine et que le mieux serait qu'il passe en Angleterre ou aux Pays-Bas dans le plus bref délai. Allons, Sylvie, quittez cette mine de catastrophe ! Ce ne sont là que des suppositions.

— Mais qui résonnent comme des vérités. François ferait mieux de passer la Manche ou une frontière tout de suite. Rien qu'en venant à Paris, il commet une folie après ce duel où il a tué son adversaire.

— Un duel ? D'où tenez-vous cela ?

Cette fois, tenue par son serment, Sylvie ne pouvait révéler sa source. Elle eut un geste évasif et détourna la tête pour que son parrain ne pût lire le mensonge dans ses yeux.

— De chez les filles d'honneur. On en parlait, l'autre jour. À mots couverts, bien sûr, car François est très aimé chez ces demoiselles. Il aurait eu, à Chenonceau, une querelle à propos de Mme de Montbazon avec un gentilhomme de la région. Il semblerait que le Cardinal ne soit informé de rien sinon il serait déjà à la Bastille, mais c'est insensé de venir à Paris, même en secret.

Raguenel allongea les lèvres en une moue dubitative.

— Vous m'étonnez beaucoup ! Un événement comme celui-là ne peut pas rester secret longtemps. Mon ami Renaudot, qui entretient une grande correspondance avec la province, en aurait eu vent et, connaissant les liens qui m'attachent aux Vendôme, il me l'aurait dit.

— Il l'aurait surtout dit au Cardinal.

— Je ne crois pas. Il ne cache pas qu'il trouve que Son Éminence a parfois la main trop lourde. Mais je vais essayer de savoir. En attendant, ma petite enfant, chassez ces histoires de votre jolie tête et profitez de vos vacances. Demain, pour commencer, nous irons nous promener tous les deux...

Lorsque l'on habitait le Marais, et même plus loin, se promener indiquait une seule destination : la place Royale, lieu de tous les délices, centre de la vie élégante. Bâtie par Henri IV sur un ancien marché aux chevaux, cette magnifique place offrait l'ensemble architectural le plus achevé. Le rose des briques s'y alliait avec grâce à la blancheur des pierres de chaînage et au gris bleuté des ardoises coiffant les hauts toits d'une suite de pavillons aristocratiques unis entre eux par une agréable galerie couverte, une sorte de cloître où flânait toute la haute société parisienne quand le temps ne permettait pas l'accès aux jolies allées d'ormes taillés avec soin. Au centre, d'harmonieux entrelacs de buis enfermant des plates-bandes fleuries rappelaient les villas de la campagne romaine ou florentine.

Sur la place, on vendait de la limonade fraîche, des darioles, des échaudés, des macarons de Naples. Avant les édits du Cardinal on s'y battait aussi en duel, mais l'habitude de s'y donner rendez-vous subsistait, à cette différence près qu'il s'agissait surtout de rendez-vous galants. Les plus jolies femmes de Paris s'y montraient, parées à ravir et entourées d'élégants soupirants. Elles y avaient instauré une sorte de code de la coquetterie au moyen de nœuds de rubans dont la signification changeait selon l'endroit où on les plaçait. Ainsi le « favori » posé sur le haut de la tête affichait les couleurs du soupirant préféré, le « mignon » s'épinglait sur un cœur à prendre, le « badin » pendait à l'éventail dans une liberté pleine de défi...

Quant aux heureux propriétaires — ou locataires parfois ! — des pavillons de la place, ils appartenaient à la haute noblesse ou à la grande magistrature, car il fallait être fort riche pour avoir le droit de contempler de son balcon la joyeuse animation quotidienne ou les fêtes publiques données par le Roi ou par la Ville à l'occasion d'un mariage ou d'une visite royale. Il y avait là le duc de Rohan, la princesse de Guéménée, le comte de Miossens qui deviendrait plus tard le maréchal d'Albret, la marquise de Piennes, la maréchale de Saint-Géran, le maréchal de Bassompierre — en dépit du fait qu'il logeait à la Bastille depuis une dizaine d'années — le président Aubry, le président Larcher, la comtesse de Saint-Paul et quelques autres, tous jouissant des somptueux hôtels où la richesse de la décoration et de l'ameublement répondait à la grâce extérieure des bâtiments.

Quand Sylvie y parut au bras de son parrain, elle ne passa pas inaperçue tant le couple qu'ils formaient était agréable à regarder, bien qu'il ne fût pas, et de loin, le plus somptueux, mais la robe de satin de la jeune fille, de ce jaune lumineux qu'elle affectionnait et qu'elle éclairait encore avec des rubans blancs, s'harmonisait avec le pourpoint et les grègues en épaisse soie gris nuage de Raguenel. En l'honneur de sa jeune compagne, celui-ci avait renoncé momentanément à ses draps bruns, gris foncé ou noirs pour retrouver l'aspect d'un gentilhomme élégant. Ainsi, son col, ses manchettes et le revers de ses bottes s'ornaient de guipure et, sur son feutre gris, moussaient des plumes jaunes et blanches assorties aux rubans qui nouaient son épée.

Dès leur entrée sous les ormes, ils eurent à donner et à rendre de nombreux saluts. Ce beau jour du tout début de l'été semblait avoir vidé les salons de leurs précieuses, à l'exception de la marquise de Rambouillet qu'aucune force humaine n'aurait pu arracher à sa célèbre Chambre bleue. Ses deux rivales principales, la vicomtesse d'Auchy et Mme des Loges, tenaient cercle sous les arbres en grignotant des petits gâteaux et en buvant de la limonade, tandis qu'un des poètes attachés à la maison disait des vers. Cependant, Sylvie commençait à regretter que l'on n'eût pas choisi un but de promenade plus tranquille. Depuis qu'ils étaient entrés sous les arbres, Perceval ne cessait de saluer ou de baiser des mains tandis que sa marche à elle se ponctuait de révérences chaque fois qu'on la présentait à quelque dame. Toutes s'accordaient d'ailleurs à la trouver « si charmante !... Tellement fraîche et jeune ! ». Quant aux hommes, ils frisaient leur moustache avec des clins d'œil qui se voulaient assassins mais qui l'amusaient bien.

Soudain, les attentions se détournèrent d'eux pour se porter sur deux jeunes gens qui venaient de faire leur apparition. C'étaient Henri de Cinq-Mars et Jean d'Autancourt. Où qu'il aille, le jeune ami du Cardinal attirait tous les regards. Il était tellement beau que l'on en oubliait qui était son protecteur et, pour un peu, on eût remercié Richelieu d'avoir sorti de son Auvergne natale un tel chef-d'œuvre... Aujourd'hui, satin bleu pâle et toile d'argent, feutre blanc ombragé de plumes azurées, il avait l'air d'un ange. Et d'un ange secourable, car il soutenait son ami dont les traits tirés et la pâleur disaient assez qu'il relevait de maladie ou peut-être même d'une blessure.

Nombreux étaient les signes d'amitié, les gestes d'appel qui auraient dû attirer les deux jeunes gens vers l'un ou l'autre cercle, pourtant ce fut vers Sylvie et son parrain qu'ils se dirigèrent sans hésiter.

— Mademoiselle de L'Isle hors du service de la Reine, mademoiselle de L'Isle à la place Royale ! s'écria Cinq-Mars après l'échange des saluts protocolaires. Voilà du nouveau ! Voilà de l'agréable ! N'est-ce pas, mon cher Jean ?

Son regard plein de malice cherchait celui de son ami dont les joues pâles venaient de rougir, mais dont le visage entier exprimait une véritable joie.

— Il faut vous dire, continua le jeune homme, que je vous amène un véritable héros que toutes les dames vont s'arracher. Il nous arrive tout droit des portes de la mort.

— Vous avez été blessé, monsieur ? s'inquiéta Sylvie en souriant à ce jeune homme qu'elle trouvait si sympathique.

— Une misère, mademoiselle... mais dont je

remercie Dieu puisqu'elle me vaut un instant d'intérêt de votre part.

— Une misère ? se récria Cinq-Mars. Un coup de mousquet en pleine poitrine essuyé sous Landrecies alors qu'il chargeait seul contre une redoute espagnole !...

— Vous avez de la chance d'en être sorti vivant, remarqua Perceval. Cette charge n'était-elle pas une folie ?

— Je ne pense pas, monsieur le chevalier. Elle a détourné l'attention des Espagnols tandis qu'un groupe des nôtres allait placer des explosifs sous ladite redoute...

— Magnifique ! applaudit Sylvie. Mais, monsieur, vous pouviez vous faire tuer ?

— C'est le cas de chaque soldat quand il est à la guerre, mademoiselle... et je trouve que l'on parle beaucoup trop de moi, ici. Ce serait si agréable de parler de vous.

— Nous allons en parler autant que tu voudras. Sachez seulement encore que le Roi lui-même l'est allé voir chez monsieur son père où il était soigné et l'a embrassé. Un héros, vous dis-je, que vous pouvez être fière, mademoiselle, d'avoir su charmer...

Voyant Sylvie s'empourprer à son tour, Raguenel se hâta d'aiguiller la conversation vers d'autres sujets après avoir offert de chaleureuses félicitations au jeune homme mais, tout le temps que dura la conversation, il s'attacha à observer discrètement ce grand garçon blond si visiblement amoureux de sa Sylvie. Ce fut plus intéressant encore lorsque apparurent deux nouveaux personnages dont l'un était l'abbé de Boisrobert et l'autre le baron de La Ferrière.

Le premier, fort connu sur la place, réalisait l'exploit d'être à la fois homme d'Église et libertin reconnu : il adorait les jeunes garçons. Mais, homme de grand esprit comme de grand savoir — il s'était constitué dans sa prime jeunesse une importante bibliothèque en prélevant une dîme sur les livres rares des seigneurs de sa parentèle ou de sa connaissance, en pratiquant l'art subtil de l'ouvrage prêté et jamais rendu — il était devenu le conseiller littéraire de Richelieu. C'était à l'abbé que l'on devait la création toute récente de l'Académie française.

Il ne tenait qu'à lui de rejoindre tel ou tel groupe répandu sous les arbres où sa présence eût été fêtée, pourtant, avisant l'éblouissant Cinq-Mars dont la beauté le fascinait, il alla vers lui comme la mouche vers le miel, traînant à sa suite son reître dont on pouvait se demander ce qu'il faisait en sa compagnie. Mais c'était seulement le jeune capitaine qui l'intéressait et, avec une insolence bien dans sa manière, il le tira à part après avoir adressé, de la main, un signe désinvolte à ses compagnons. La Ferrière en profita pour s'approcher de Sylvie :

— C'est un bonheur rare que de vous rencontrer, mademoiselle, fit-il en négligeant de saluer les deux hommes qui l'encadraient. Si rare que j'ose vous demander de faire quelques pas avec moi. L'air est si doux et nous avons tant de choses à nous dire.

Tout en parlant, il tentait de prendre sa main, mais Sylvie n'eut pas le temps d'ouvrir la bouche. Déjà, Jean d'Autancourt levait sa canne pour maintenir le malotru à distance :

— Tout beau, monsieur ! Mademoiselle n'est pas de celles que l'on peut prendre par la main pour l'emmener on ne sait où et qui n'y voient aucun inconvénient. Commencez donc par saluer M. le chevalier de Raguenel ici présent, qui est son parrain et son parent !

— Et qui êtes-vous vous-même pour vous mêler de ce qui ne vous regarde pas ? Mlle de L'Isle me connaît, puisque j'ai toujours l'honneur de briguer sa main, et elle n'a que faire de votre intervention. Ou bien préférez-vous que nous en discutions l'épée à la main dans un endroit plus calme ? Mais vous ne m'avez pas l'air en état de soutenir votre cause ? ajouta-t-il avec un sourire mauvais.

En dépit de sa blessure, le jeune homme s'élançait déjà, mais Perceval le retint :

— S'il vous plaît, marquis, ceci me regarde ! Quittez, monsieur, une place où vous n'êtes pas souhaité. J'ajoute que ni lui ni moi ne croiserons le fer avec le provocateur que vous êtes ! Allez-vous-en !

— Et moi, je ne suis pas disposé à m'éloigner. D'ailleurs, mademoiselle n'a rien dit et...

Le ton montait, mais Cinq-Mars avait entendu :

— Emmenez donc votre ami, l'abbé ! Sinon, j'aurai le regret de dépeindre à Son Éminence les manières de ses gardes lorsqu'ils se trouvent en liberté...

— Et vous aurez mon appui ! grogna l'abbé. Je ne vous demanderai pas si vous perdez l'esprit, La Ferrière, vous n'en avez jamais eu.

— Voilà bien des histoires pour une donzelle ! Comme si on ne savait pas ce que vaut la vertu des filles d'honneur de la...

Il n'acheva pas, le souffle coupé par la gifle que venait de lui assener d'Autancourt de toute la force de sa colère :

— Dussé-je monter ensuite à l'échafaud, je vous tuerai, misérable, pour cette insulte ignoble !

L'autre allait riposter mais Cinq-Mars, avec une poigne inattendue chez lui, maîtrisait l'un de ses bras tandis que l'abbé se chargeait de l'autre.

— Messieurs, messieurs ! se hâta de plaider celui-ci, nous sommes entre gens de bonne compagnie...

— C'est moi qui te tuerai, blanc-bec ! écuma La Ferrière. Et avant qu'il soit longtemps... Tu me rendras raison !

— Raison ? Ce serait un grand miracle car vous ne semblez pas en avoir beaucoup plus que d'esprit.

L'incident n'était pas passé inaperçu. On s'approchait. Avec un bel ensemble, l'abbé et le jeune capitaine entraînèrent à toute allure le forcené vers la sortie du jardin. Par-dessus son épaule, Cinq-Mars lança joyeusement :

— Pardon de vous abandonner, mon cher Jean, mais l'abbé n'y arrivera pas tout seul ! M. de

Raguenel consentira sans doute à vous ramener à votre carrosse ?

— Avec plaisir, monsieur !

Sylvie, qui s'était accrochée à son bras, murmura :

— Rentrons, s'il vous plaît, parrain ! Ce scandale ! Je n'ai plus envie de voir quiconque...

— C'est bien naturel. Mais plus personne ne nous regarde, maintenant que cet enragé a été enlevé.

C'était vrai. Tous ces gens de bonne compagnie n'auraient eu garde de se comporter comme de vulgaires badauds et les conversations, un instant suspendues, reprenaient.

— Vous avez raison mais je préfère partir. Monsieur, ajouta-t-elle en s'efforçant au sourire, je vous rends grâces de m'avoir protégée de ce furieux. Je ne suis pas craintive, pourtant, je l'avoue, il me fait très peur. Et je vous dis un grand merci, ajouta-t-elle en tendant sa petite main gantée de dentelle qu'il prit avec une émotion visible, sans rien trouver à dire.

— Où est votre voiture, marquis ? demanda Perceval. Nous allons vous y ramener.

— Toute proche. Juste au bout de cette allée, mais si vous le permettez, c'est moi qui vais avoir l'honneur de vous ramener chez vous.

— Oh ! c'est si près...

— Peut-être, mais mademoiselle est encore mal remise de son émotion... et puis ce me sera un tel plaisir !

Cela, Perceval voulait bien le croire. Il offrit son

bras au jeune homme qui le refusa en montrant sa canne :

— Merci, je peux marcher seul. N'abandonnez pas Mlle de L'Isle.

À la sortie du jardin, ils trouvèrent un carrosse d'une sobre élégance, vert foncé avec des lisérés rouges, l'intérieur et les rideaux en velours assorti ; pour seule décoration, les armes des ducs de Fontsomme. Les laquais étaient habillés aux mêmes couleurs.

En arrivant, il fut impossible d'empêcher le blessé de descendre pour offrir sa main à Sylvie puis, s'adressant à Raguenel :

— Puis-je espérer, monsieur, que vous voudrez bien m'autoriser à venir vous saluer un jour prochain ?

Perceval lui sourit de bon cœur. Ce garçon, décidément, lui plaisait de plus en plus.

— Vous serez toujours le bienvenu ! N'est-ce pas, Sylvie ?

— Toujours.

Le soir venu, tandis qu'ils achevaient de souper, Perceval qui n'avait fait aucun commentaire jusque-là remit le sujet sur le tapis :

— Alors, Sylvie, que pensez-vous de notre jeune marquis ?

— Que voulez-vous que j'en pense ? sourit la jeune fille en roulant une fraise dans du sucre écrasé. Le plus grand bien, naturellement.

— Moi aussi. Voyez-vous... lorsque vous songerez à prendre époux, j'aimerais que vous pensiez à lui. N'importe quelle femme serait fière de l'attacher à son char, comme disent nos beaux esprits. Et il vous adore.

Sylvie mit ses coudes sur la table, appuya son menton sur ses doigts croisés et darda sur son parrain un regard malicieux.

— Je me demandais combien de temps vous mettriez à m'en parler ! Cela vous trotte dans l'esprit, n'est-ce pas ? Cela dit, vous allez peut-être un peu vite en besogne. La coutume n'est pas qu'une fille demande un mari et, jusqu'à présent, je n'ai pas remarqué que l'on vous ait demandé ma main. Ou qu'on y songe seulement. Je suis d'assez petite noblesse pour un futur duc... et je n'ai guère de dot.

— Cela m'étonnerait fort qu'il soit homme à se soucier de ces détails...

L'entrée soudaine de Jeannette flanquée de Corentin lui coupa la parole. La soubrette s'excusa de paraître ainsi sans y avoir été invitée, mais elle et son compagnon avaient quelque chose à dire et, en fait, ils semblaient tous deux très excités :

— L'homme qui nous suit chaque fois que nous sortons dans Paris, lâcha Jeannette, eh bien, je l'ai vu tout à l'heure : c'est le valet qui a aidé votre ami à remonter en voiture !

— Tu es sûre ? demanda Sylvie.

— Oh ! tout à fait ! Vous auriez pu le reconnaître vous-même, nous savions qu'il avait l'air d'un laquais de grande maison, mais nous ignorions laquelle. À présent, nous le savons...

— Mais pourquoi M. d'Autancourt me ferait-il

suivre ? s'écria la jeune fille déjà prête à se fâcher. C'est un procédé...

La main de Perceval vint se poser sur la sienne, ferme et apaisante.

— Ne vous emballez pas ! Cela pourrait être un procédé d'amoureux ? De toute façon, je crois que nous ne tarderons pas à éclaircir ce petit mystère.

Cela ne tarda guère en effet. Le lendemain, alors que Sylvie aidait Nicole à préparer une grande bassine de confiture de fraises et que Jeannette, assise dans un coin de la cuisine, lui brodait une chemise, le portail s'ouvrit devant le bel équipage de la veille : Jean d'Autancourt priait le chevalier de Raguenel de bien vouloir lui accorder un moment d'entretien. Et, pour un garçon timide, il n'y alla pas par quatre chemins :

— Je suis venu demander, monsieur, si vous accueilleriez avec faveur une visite de M. le maréchal-duc de Fontsomme, mon père ?

Perceval se mit à rire en indiquant un siège au jeune homme :

— Faveur quand il s'agit d'un tel honneur ? Mon cher marquis, vous rêvez ! Et pourquoi donc monsieur votre père me viendrait-il voir ?

— Pour vous demander la main de Mlle de L'Isle. Vous êtes son parrain, son tuteur aussi, je crois, et le seul homme au monde qui détienne la clef de son bonheur...

Cette fois, Perceval cessa de sourire.

— Peste ! Vous ne perdez pas de temps ! Il se

peut même que vous vous hâtiez un peu trop. Êtes-vous bien certain que le maréchal accepterait la démarche que vous prétendez lui imposer ? Ses vues sur votre avenir dépassent sûrement l'alliance avec une orpheline d'assez petite noblesse et dont...

— Vous ne connaissez pas mon père, monsieur, je le vois bien ! En ce cas, vous sauriez que c'est l'homme le meilleur qui soit au monde : dévoué au Roi, bon chrétien et père attentif — ce qui est rare dans nos familles, je vous le concède — il a, depuis la mort de ma mère, reporté sur moi toute sa tendresse. Il ne veut que mon bonheur et quand il aura vu Sylvie... je veux dire Mlle de L'Isle, il sera conquis comme je l'ai été moi-même au premier regard.

— Je veux bien le croire mais, tant qu'il ne me l'aura pas appris lui-même, je n'en serai pas absolument certain...

— Est-ce à dire... que vous refusez ma demande ?

— Nullement. Cependant, je ne l'accepte pas non plus. Je serais très heureux d'une union entre vous et ma petite Sylvie, mais tant qu'une demande officielle, c'est-à-dire venue de votre père, ne m'aura pas été présentée, je ne pourrai envisager une réponse ferme. En outre, vous n'ignorez pas que Sylvie a été élevée par et chez Mme la duchesse de Vendôme dont l'opinion doit compter aussi...

Jean fit la grimace !

— La duchesse ou le duc ? Je ne vous cache pas

qu'on ne l'aime guère chez nous. C'est un trublion, un personnage dangereux...

— J'ai fait allusion à la duchesse. Seule son approbation compte pour moi. Enfin, si tous ces éléments se trouvent réunis, il restera le plus important : Sylvie elle-même. C'est elle et elle seule qui acceptera ou refusera. Je l'aime trop pour lui imposer un mariage sans amour...

— C'est fort naturel mais, en ce cas, laissez-moi une chance de me faire aimer en attendant que mon père revienne de guerre.

— Comment l'entendez-vous ?

— Permettez-moi de venir la voir. À la Cour cela n'est guère facile, et j'y vais rarement. À ce propos... s'il vous paraît que je mets trop de hâte à vous présenter ma prière, c'est aussi à cause de son poste de fille d'honneur.

— Ne me dites pas que vous partagez les idées de ce La Ferrière sur les filles d'honneur ?

— Dieu m'en garde ! Mais le palais bourdonne d'intrigues. Elle y est seule... et elle est si jeune !

Le souci se peignait sur le visage régulier, un peu sévère même, du jeune homme, ce qui toucha Perceval mais il voulut en savoir plus. Avec une soudaine brutalité, il demanda :

— Est-ce pour cela que vous la faites suivre ?

S'il avait cru décontenancer d'Autancourt, il se trompait. Le jeune homme rougit mais sa réponse fut sans hésitation :

— Oui. Que vous l'ayez remarqué ne m'étonne pas. Mes gens n'avaient pas reçu l'ordre de se cacher. Et votre terme est impropre : je ne la fais pas suivre : je la fais protéger. Depuis que je l'ai rencontrée dans le parc de Fontainebleau, elle m'est infiniment précieuse... et elle paraît si fragile ! En outre, elle ne dispose ni d'un carrosse ni de serviteurs mâles. Seulement d'une jeune servante qui l'accompagne dans un Paris presque aussi dangereux que le Louvre. Je voulais qu'il y ait toujours auprès d'elle quelqu'un prêt à la secourir. Alors j'ai loué une petite maison rue d'Autriche et j'y ai installé mes plus fidèles serviteurs : deux frères, Séverin et Saturnin, qui se ressemblent assez et qui me sont tout dévoués. Ils se relaient pour assurer, avec carte blanche, la sécurité de Mlle de L'Isle, surtout lorsque je suis aux armées. Cela vous paraît-il offensant ?

Admirant en son for intérieur la puissance de la fortune placée au service de l'amour, Raguenel pensa qu'il lui faudrait remercier Dieu d'avoir mis sur le chemin de sa petite Sylvie ce garçon de vingt ans qui faisait preuve d'une telle maturité. Il serait, à coup sûr, un époux idéal, mais Sylvie l'accepterait-elle tant que son cher François ne serait pas lui-même marié ? À moins que... Après tout, un cœur de quinze ans, même épris, ne pouvait-il être sujet à changement ?

— Pas le moins du monde, soupira-t-il enfin. Bien au contraire même, car vous me prouvez ainsi la profondeur de votre amour. Dans ces conditions, je crois honnête de confier à cet amour comme à votre honneur de gentilhomme la vérité concernant ma pupille, car cette vérité confortera certainement en vous ce besoin de la protéger qui est le mien.

Instinctivement, Jean rapprocha son siège de celui de Perceval qui alla prendre dans une armoire un flacon de vin d'Espagne et deux verres qu'il remplit. Il en offrit un et revint s'asseoir.

— Le nom et le fief de L'Isle ont été conférés à Sylvie par les Vendôme lorsqu'elle avait quatre ans, à la suite du drame dont elle venait d'être l'inconsciente victime. Elle s'appelle en réalité Sylvie de Valaines. Elle est la fille...

— ... du baron de Valaines dont la famille a été si mystérieusement décimée il y a... une dizaine d'années ?

— On a en effet laissé planer le mystère pour couvrir le plus affreux des meurtres. Moi seul et les Vendôme connaissons la vérité. Une vérité que je partagerai avec vous dès que vous m'aurez donné votre parole de ne la révéler à quiconque, même au duc votre père, jusqu'à nouvel ordre.

— Vous l'avez ! Parlez, je vous en prie ! Vous ne le regretterez pas.

— Voici : le jour même où leur suzerain légitime, le duc César, était arrêté à Angers, en 1626, la baronne de Valaines qui m'était une amie chère, et toute sa famille, étaient assassinés. Seule la petite Sylvie put échapper et fut recueillie par celui qui est aujourd'hui le duc de Beaufort...

Longtemps, Perceval parla, suivi avec une attention passionnée par Jean d'Autancourt. Il dit tout : le vol des lettres de Marie de Médicis, le martyre de Chiara et la flétrissure imposée par son bourreau, sa propre quête de la vérité et, enfin, les liens de tendresse unissant Sylvie à François depuis qu'il l'avait ramenée à Anet.

— C'est trop naturel ! commenta Jean sans broncher.

— J'ajoute qu'elle a oublié ce drame de sa petite enfance. Ou, tout au moins, les souvenirs qu'elle en garde sont aussi flous que ceux d'un cauchemar.

— Et les assassins ? Les connaissez-vous ?

— J'en connais un : ce La Ferrière qui s'intéresse si fort à ma petite. Il s'est fait donner le château sous prétexte qu'il en portait le nom et qu'il aurait dû lui appartenir depuis des années. Quant à l'autre, l'assassin au cachet de cire, je peux vous dire que si j'ignore toujours qui il est, j'ai la certitude qu'il se trouve à Paris et qu'il continue à tuer, de la même façon. La seule différence est qu'il s'attaque à présent aux ribaudes. Tout cela vous explique pourquoi je ne tenais pas à ce que Sylvie devienne fille d'honneur aussi jeune. À l'hôtel de Vendôme ou dans les châteaux de la famille, elle était beaucoup mieux protégée parce que rien ne l'y mettait en lumière. J'aurais cent fois préféré qu'elle vive auprès de moi.

— Mais vous n'étiez pas le maître ?

— Non. Surtout dès l'instant où la Reine souhaitait l'avoir auprès d'elle.

— Il faut faire avec ce que nous avons ! soupira le jeune homme. Pour commencer, mes gens ne relâcheront pas leur surveillance.

— C'est une petite personne très vive et très obstinée.

— Dites plutôt qu'elle est adorable...

— Et que vous l'adorez ? J'en suis bien certain, mais vous devez savoir qu'elle n'est pas prête pour le mariage, avec qui que ce soit, et qu'il sera peut-être difficile de détacher son cœur de l'ami d'enfance qu'il pare de toutes les qualités...

— Vous essayez de me dire que je devrai être patient ? Je le serai, soyez-en sûr... mais laissez-moi quand même tenter ma chance !

— Pourquoi pas ? Peut-être arriverez-vous à l'amener doucement à... partager vos projets d'avenir. Ce soir, je lui dirai seulement que vous m'avez rendu visite et que je vous ai autorisé à venir la distraire chaque fois que vous le désirerez.

Le jeune marquis rougit de nouveau mais ses yeux gris s'illuminèrent :

— Vous croyez qu'elle acceptera ma présence ?

— Le contraire m'étonnerait. Elle vous trouve charmant. Et puis vous êtes un peu son héros, à présent ?

En effet, Sylvie, flattée au fond d'inspirer un sentiment sincère, découvrit avec plaisir un compagnon agréable dans le futur duc de Fontsomme. Il ne manquait ni d'esprit, ni de culture, ni de gaieté. Il aimait la musique, toutes les musiques comme celle des vers, et se révélait un admirateur passionné de M. Corneille. Sylvie passa auprès de lui des moments charmants, à la maison ou à l'extérieur. Chaperonnés par Perceval de Raguenel et Jeannette, on les vit ensemble à la comédie, chez les libraires de la rue Saint-Jacques, dans les boutiques de curiosités du Marais, à la place Royale ou, en carrosse, à la promenade du Cours-la-Reine... On alla un peu partout, sauf dans les salons, en dépit de quelques invitations suscitées surtout par la curiosité, afin de ne pas officialiser une relation qui se voulait de pure amitié. D'ailleurs Jean sut, avec une sagesse au-dessus de son âge, s'interdire la moindre allusion à ses sentiments profonds envers sa jeune compagne : il était là pour la distraire durant les vacances qu'on lui avait accordées...

Mais qui, au bout d'un mois, prirent fin par l'arrivée d'un billet de Mlle de Hautefort suppliant Sylvie de revenir au plus tôt. « J'ai grand besoin de vous, écrivait l'Aurore, et vous manquez à Sa Majesté. »

Que faire après cela, sinon ses bagages ? Sylvie et Jeannette quittèrent la rue des Tournelles en soupirant et retournèrent au Louvre.

CHAPITRE 9

ÉCHEC À LA REINE !

Mlle de Hautefort s'était fait une entorse en descendant le Grand-Degré sans considération pour ses mules neuves à hauts talons mais, indomptable à son habitude, elle n'en avait pas abandonné pour autant ses fonctions de dame d'atour. Assise, par dérogation spéciale du Roi, sur un tabouret [1], son pied bandé posé sur un coussin, elle menait à un train d'enfer le ballet des femmes de chambre qui n'avaient pas trop à se louer de son humeur. Elle accueillit Sylvie avec la grâce d'un chien à qui l'on a retiré son os :

— Vous voilà tout de même ? Ma parole, je commençais à croire que l'on ne vous reverrait plus !

— Vous aviez tort. Je suis revenue dès que vous m'avez appelée.

— C'est bien ce que je vous reproche : il a fallu vous appeler ! Apparemment, l'idée que l'on pouvait avoir besoin de vous ne vous a pas effleurée.

1. Seules les duchesses et princesses pouvaient s'asseoir en présence des souverains. Le tabouret était le symbole de la dignité ducale.

Il est vrai que vous étiez trop occupée à vous assurer un brillant avenir !

— Moi ? Un brillant avenir ? fit Sylvie un peu surprise de l'algarade.

— Et quoi d'autre ? On vous voit en tous lieux avec le futur duc de Fontsomme...

— Ce qui ne veut rien dire du tout ! M. d'Autancourt m'a secourue dans une pénible circonstance ; je lui en suis des plus reconnaissante et nous sommes devenus amis. Rien de plus !

Une flamme de gaieté brilla enfin dans l'œil bleu de l'Aurore.

— Je sais cela aussi... et ne prenez pas l'air guindé, Sylvie, cela ne vous va pas du tout ! J'ajoute, afin d'éviter tout malentendu, que je ne vous souhaite rien de mieux que de devenir l'épouse de ce gentil garçon. À présent, parlons d'autre chose ! La Reine désire se rendre demain au Val-de-Grâce. Je m'y ferai porter avec elle mais vous devez bien vous douter que nous aurons besoin de quelqu'un de plus ingambe.

— La Reine a une trentaine de filles d'honneur. Avez-vous tellement besoin de moi pour... faire oraison dans un couvent ? dit mi-figue mi-raisin Sylvie que la perspective n'enchantait pas. Mais, du coup, Marie changea de couleur :

— Qu'est-ce que ce langage ? Auriez-vous laissé votre fidélité sous les arbres de la place Royale ? Les Fontsomme sont dévoués au Roi et...

— Ils sont soldats ! coupa Sylvie. Il ferait beau voir que des officiers ne lui fussent pas dévoués. Autant d'ailleurs qu'à la Reine et ce n'est pas auprès d'eux que je prendrai des leçons de trahison. Nous devons aller au Val ? Eh bien, allons au Val ! J'ai seulement voulu vous taquiner un peu. Mon côté « petit chat », sans doute ? Je suis très espiègle ! conclut-elle avec un sourire ironique.

— Ce n'est pourtant pas le moment, je vous l'assure. Lors de notre dernière visite là-bas, pendant votre absence, La Porte qui avait rendez-vous avec Auger a failli se faire prendre par un détachement du guet à la poursuite d'un voleur qui avait franchi les murs de Paris par un éboulis...

Sylvie brûlait de savoir si François était revenu mais, à la mine de sa compagne, elle comprit qu'elle risquait de se faire rembarrer. D'ailleurs, Mlle de Pons venait d'entrer et, bien que ce fût quelqu'un de tout à fait anodin, ce n'était vraiment pas le moment. D'autant qu'on l'invitait à se rendre dans la chambre dc la Reine qui venait de se lever et qui l'accueillit avec beaucoup de bonté :

— Savez-vous que vous me manquiez, mon enfant ? dit-elle en lui tendant une main sur laquelle Sylvie s'inclina. Votre voix possède le miraculeux pouvoir de chasser le souci et d'apaiser le chagrin. Ne me quittez plus !

— Votre Majesté sait à quel point je désire lui plaire. Je serais revenue plus tôt si j'avais osé penser que la Reine pouvait avoir besoin de moi.

— Plus que vous ne croyez ! Ce soir vous chanterez pour moi et demain vous m'accompagnerez à l'abbaye où vous chanterez les louanges de la Reine du Ciel. Nous avons grand besoin de son aide...

Anne d'Autriche semblait nerveuse et Sylvie constata que l'atmosphère du Louvre avait changé durant ce mois. Il y avait moins de monde autour de la Reine. L'été étant revenu, Paris se vidait sans doute au bénéfice des châteaux, mais il était bizarre que le cercle de Sa Majesté se limitât à une demi-douzaine de personnes. Sylvie ne put s'empêcher d'en faire la remarque à Marie. Celle-ci haussa les épaules :

— Vous oubliez que nous devrions, nous aussi, être à Fontainebleau ou à Chantilly que le Roi a désigné comme séjour d'été cette année, et où il désire que nous nous rendions au plus vite.

— Pourquoi n'y sommes-nous pas, alors ?

— Ne posez pas tant de questions ! La Reine s'est excusée sur ses bagages qui ne sont pas prêts... et sur votre absence puisque je suis assez empêchée, mais nous allons devoir quitter Paris prochainement. Et nous avons d'autant plus à faire. Puis, baissant la voix, elle ajouta : « Nous attendons des courriers... »

En effet, si le Louvre semblait un peu assoupi, le Val-de-Grâce se révéla plein d'activité. Installée dans le salon à une table couverte de papiers, Mlle de Hautefort, entre deux massages de son pied, rédigeait de longues dépêches cependant qu'Anne d'Autriche recevait nombre de visiteurs. Ceux du jour relevaient surtout de la charité. La Reine écouta des doléances, distribua des subsides, mais Sylvie savait que la vie nocturne était la plus intéressante. Le premier soir, la jeune fille introduisit un Anglais de haute mine, lord

Montagu, qui était à la fois un ancien ami de Buckingham, un ancien amant de Mme de Chevreuse et un fidèle ami de la souveraine. Elle le reçut dans sa chambre mais la visite ne fut pas très longue : Walter Montagu venait seulement faire part à la Reine des inquiétudes de sa belle-sœur, la reine Henriette d'Angleterre, touchant les bruits de prochaine répudiation arrivés jusqu'à elle ; il lui apportait l'assurance qu'en cas de malheur, le royaume britannique serait disposé à l'accueillir. Après son départ, Anne fit ses prières, procéda à son coucher, et l'on éteignit tout à la surprise enchantée de Sylvie qui dormit comme un ange dans l'étroite couchette qui lui était attribuée. Le lendemain, la journée présenta le même profil : des offices d'autant plus nombreux que c'était la fête de sainte Anne, mère de la Vierge Marie, en l'honneur de qui Mlle de L'Isle fut invitée à chanter avec les nonnes, des repas bien sûr et quelques visites diurnes. Le soir venu, en voyant que La Porte s'apprêtait à sortir, Sylvie crut qu'il allait à la rencontre de François, mais comprit qu'il n'en était rien quand il prévint qu'il ne rentrerait qu'à l'ouverture normale des portes du couvent. D'ailleurs, la Reine déclara son intention de se coucher après le dernier office : elle se sentait lasse et désirait prendre un long repos.

— Nous n'attendons personne, cette nuit ? demanda Sylvie en aidant sa compagne à se mettre au lit. Elle en était si ravie que Marie se contenta de sourire :

— Non. Allez dormir !

La petite ne se le fit pas répéter. Elle était à la fois déçue et soulagée de ne pas voir François, mais des deux sentiments c'était le soulagement qui l'emportait. Un soulagement qui n'excéda pas le retour de la messe du lendemain.

— J'espère que vous avez bien profité de votre nuit, lui glissa l'Aurore. Parce que, aux approches de minuit, vous devrez vous trouver près de la petite porte. Nous attendons... un moine !

En se retrouvant dans le jardin à l'heure indiquée, Sylvie eut l'impression d'être seule au monde. À la fin de l'après-midi, un orage avait détendu l'atmosphère. L'air nocturne sentait bon la terre et l'herbe mouillée. À cause de la chaleur qui avait régné depuis plusieurs jours, les fenêtres de l'abbaye étaient ouvertes. Celles de la Reine aussi, mais la prudence avait commandé de tout éteindre, comme si le pavillon était plongé dans le sommeil. Ce silence, cette solitude avaient quelque chose d'angoissant et Sylvie avait peine à tenir en place.

Soudain, au quatrième coup de minuit, le signal se fit entendre et elle se hâta d'ouvrir la porte. Une haute silhouette encapuchonnée était derrière, qu'elle reconnut au battement accéléré de son cœur. Cependant, le moine eut un mouvement de recul :

— Vous n'êtes pas Marie ! chuchota-t-il.

— C'est évident, il me semble ? Entrez. Je suis Sylvie...

— Ah ! mon chaton ! Quelle joie ! On m'avait

dit que vous aviez quitté votre poste pour aller vivre chez votre parrain et peut-être vous marier ?

— Et vous, on m'a dit que vous vous étiez battu en duel et que vous aviez tué votre adversaire. Alors que faites-vous ici, fou que vous êtes ?

Ça y est ! C'était dit ! Sylvie se sentit un peu mieux car il fallait qu'elle sache. Elle l'entendit rire tout bas :

— Cette double circonstance nous prouve qu'il ne faut pas trop écouter les bruits de la Cour. En général, il suffit de les couper en deux : vous n'êtes pas chez Raguenel et moi je n'ai tué personne !

— Vous ne vous êtes pas battu ?

— Si, mais M. de Thouars s'en tire avec une estafilade dont il ne me tient pas rancune parce qu'il espère bien que nous reprendrons notre entretien à une occasion prochaine. Quand j'aurai le temps !

Il allait s'élancer, mais elle le retint :

— Pourquoi, François ? Pourquoi tant d'imprudences ?

Alors il lui prit le menton comme il avait coutume de le faire jadis et, avec une infinie douceur :

— Mais parce que je l'aime comme le fou que je suis, petit chat. Et parce qu'elle m'aime aussi. Du moins je le crois... Vous comprendrez mieux quand vous serez plus âgée. Vous n'êtes encore qu'une petite fille.

Et il s'éloigna à longues enjambées silencieuses sans se douter de la tempête de chagrin et de fureur qu'il venait de soulever chez cette « petite fille ». Son excuse était qu'il ignorait tout des sentiments profonds de Sylvie, et l'orage intérieur se calma au rythme des excuses qu'elle s'efforçait de lui trouver. De leur bref entretien, cependant, quelque chose demeurait qui la consolait un peu : il n'avait pas tué son adversaire et ne risquait donc pas de tomber sous la terrible justice du Cardinal. Mais alors pourquoi le duc César était-il venu jusqu'à elle depuis son exil doré, au risque lui aussi de se faire prendre, s'il n'y avait pas eu mort d'homme ? Et pourquoi la fiole de poison ? Tout cela était incompréhensible, compliqué surtout... à moins que son brevet de fille d'honneur ne lui ait été donné à la demande de la Reine, non à cause de ses talents de chanteuse ou de sa connaissance de l'espagnol mais pour qu'il y ait auprès d'elle quelqu'un d'aveuglément dévoué à la maison de Vendôme... et surtout à François de Beaufort ?

Elle resta là jusqu'au chant du coq, assise sur un banc mouillé. À cet instant, le faux moine reparut, fila vers la porte où elle le rejoignit et qu'elle ouvrit sans un mot. Mais avant de la franchir, il se pencha, posa un baiser sur le front de Sylvie et disparut dans l'obscurité dense qui précède l'aube. Un baiser qui ne fit aucun plaisir à la jeune fille. Fallait-il que François fût heureux pour avoir eu ce geste spontané ! Une façon comme une autre de partager sa joie et aussi de la remercier d'avoir ouvert pour lui la porte du Paradis...

Alors, Sylvie retourna sur son banc et pleura jusqu'à ce que la fraîcheur de l'aube la chasse vers un lit et des vêtements secs...

Cinq jours plus tard, on quittait enfin Paris pour Chantilly. La Reine eut beau essayer de gagner du temps en se disant souffrante, il fallut tout de même en venir à rejoindre un époux qui s'impatientait. Mais, n'en ayant pas fini avec les affaires qu'elle pensait traiter au Val, elle laissa La Porte derrière elle avec plusieurs lettres à acheminer. Enfin, on se mit en route, sans grand enthousiasme.

— Je n'aime pas beaucoup Chantilly, confia la Reine à Sylvie, chemin faisant. Le domaine est magnifique, les pièces d'eau ravissantes et la forêt superbe, mais tout cela a été confisqué quand le Cardinal a fait tomber sur l'échafaud la tête d'Henri de Montmorency et j'éprouve toujours un sentiment de malaise en y entrant...

— La Reine croit aux fantômes ?

— Oh ! oui ! j'y crois ! Et les plus jeunes sont les plus douloureux.

Le beau regard vert s'évada. Sylvie n'osa pas poursuivre. Elle se demandait seulement à quelle ombre pensait Anne d'Autriche : celle de Montmorency... ou celle jamais oubliée de Buckingham ?

La nouvelle arriva comme une bombe, portée à Marie de Hautefort par M. de Chamblay qui était son cousin et lui servait à l'occasion de courrier : La Porte venait d'être arrêté rue Coquillière avec, sur lui, une lettre importante de la Reine à la duchesse de Chevreuse. On l'avait incarcéré à la Bastille où il attendait d'être interrogé. Mais il y avait pis encore : accompagné de l'évêque de

Paris, Mgr de Gondi, le garde des Sceaux avait investi le Val-de-Grâce, fouillé le pavillon de la Reine et soumis la mère de Saint-Étienne à un interrogatoire en règle, toutes opérations qui ne donnèrent pas grand-chose : quelques vieilles lettres de Mme de Chevreuse ou d'amis peu appréciés du Roi, mais rien qui eût trait à l'Espagne. On devait d'ailleurs apprendre par la suite que Mgr de Gondi, grand ami des Vendôme et peu suspect de tendresse envers le Cardinal, avait prévenu la mère de Saint-Étienne qui avait fait le ménage. Il n'en fut pas moins obligé de la destituer et de demander aux religieuses de procéder à l'élection d'une nouvelle abbesse, après quoi, la mère et trois de ses moniales furent transférées dans un autre couvent.

Il n'entrait pas dans le tempérament de la fière Espagnole de laisser malmener ses fidèles sans réagir. Sachant que l'attaque était encore la meilleure défense, elle alla demander des comptes à son époux.

— Tout cela est indigne ! De la basse police comme le Cardinal l'aime. Que cherche-t-on, à la fin ?

— La preuve de votre collusion incessante avec l'ennemi. Une collusion qui, dans votre cas comme dans n'importe quel autre, s'appelle trahison.

— Trahison ? Parce qu'il m'arrive d'écrire à mes frères ? Ne saviez-vous pas que j'étais espagnole quand vous m'avez épousée ? Il fallait choisir quelqu'un d'autre.

— Je ne vous ai pas choisie. La politique l'a fait pour moi. Cela dit, c'est moins votre correspondance avec le Cardinal-Infant, qui est assez normale en effet dès qu'elle ne dépasse pas l'affection familiale, que celle avec le comte de Mirabel ! Celui-là n'est pas de votre famille, que je sache ?

En dépit de l'angoisse mortelle qu'elle éprouvait, la Reine fit bonne contenance.

— Je n'ai jamais écrit au comte de Mirabel depuis qu'il a été renvoyé de France à la reprise des hostilités.

C'était faire preuve d'aplomb, car elle ignorait si l'on avait trouvé, en fouillant chez La Porte, la cachette où il gardait son chiffre et son cachet, mais apparemment elle avait misé juste. Louis XIII haussa les épaules et lui tourna le dos pour signifier que l'entretien était terminé :

— C'est ce que nous saurons, dit-il seulement. Je vous souhaite une bonne nuit, Madame !

En dépit de son courage, la Reine ne dormit guère cette nuit-là, d'autant qu'avec cette belle opportunité des courtisans, la plus grande partie des femmes de son service d'honneur se découvrirent d'étranges maladies aussi subites qu'incommodantes. Seules restèrent Mlle de Hautefort, Mme de Senecey et Sylvie. La première écumait de fureur :

— Des lâches ou des traîtresses vendues au Cardinal ! s'écria-t-elle. On aura des comptes à me rendre dès que nous serons sorties de ce mauvais passage.

— Si nous en sortons jamais ! soupira Anne d'Autriche.

Mais le pire était à venir. Il apparut le lendemain en la personne du garde des Sceaux flanqué d'un greffier. Chancelier de France depuis un an et demi, Pierre Séguier était le membre le plus en vue d'une grande famille parlementaire. Ce n'en était pas moins, aux approches de la cinquantaine, un parvenu sans manières ni diplomatie, imbu de sa puissance et, en apparence au moins, totalement dépourvu de sentiments. Une lourde machine à faire régner la loi au pied de la lettre, sans nuances et sans souci de ce qu'il lui arrivait d'écraser sous ses gros pieds. Introduit chez la Reine qui le reçut assise dans un haut fauteuil aux allures de trône flanqué de Marie et de Sylvie, il salua avec tout juste ce qu'il fallait de politesse pour une dame mais certainement pas pour une souveraine, détail qui n'échappa pas à l'Aurore dont les beaux sourcils se froncèrent. L'attaque fut immédiate et cinglante.

— Eh bien, monsieur, que venez-vous faire ici avec votre robe rouge et vos papiers ? Ne savez-vous pas qu'il faut obtenir audience pour avoir l'honneur d'être reçu par la Reine ?

— L'urgence, madame, est mon excuse et aussi les ordres que j'ai reçus du Roi.

— Du Roi ou du Cardinal ?

— Du Roi, madame, et je vous prie de me laisser accomplir les devoirs de ma charge. C'est à la Reine que je veux parler, non à vous !

— Eh bien, parlez ! Que voulez-vous ? dit calmement Anne d'Autriche dont la main apaisante s'était posée sur celle de sa fidèle dame d'atour.

— Comme vous le savez, Madame, le sieur La Porte, votre portemanteau, a été arrêté, conduit à la Bastille et soumis à plusieurs interrogatoires, ayant été trouvé en possession de lettres compromettantes.

— Compromettantes pour qui ? Je suppose qu'il s'agit d'une lettre d'amitié destinée à Mme la duchesse de Chevreuse dont j'ai appris qu'elle était souffrante...

— La duchesse est exilée, Madame, et vous ne l'ignoriez pas ?

— En effet, mais cela doit-il porter atteinte à la grande amitié que je lui ai toujours portée... et que je lui garde ? Et le Roi le sait.

— Comme il sait la... tendresse que vous portez à nos ennemis mais...

— Le roi Philippe IV est mon frère ainsi que le Cardinal-Infant, son épouse est la sœur de votre Roi, coupa la Reine avec colère. Les dissensions politiques ne peuvent entamer les affections familiales. Mais peut-être ignorez-vous ce que ces mots-là signifient ?

— Nullement, Madame, nullement. Ma famille reçoit l'affection qui lui est due mais ce qui vaut pour un particulier ne saurait valoir lorsque l'on porte couronne. Seul le Roi, votre époux, Madame, et le royaume doivent occuper votre cœur. Au surplus, garder quelque tendresse à vos frères, le leur faire savoir même ne serait pas un grand crime s'il ne se cachait d'étranges révélations sous les élans du cœur...

Au prix d'un énorme effort de volonté, la Reine éclata d'un rire qu'un observateur attentif eût jugé un peu forcé :

— D'étranges révélations sous... pour le coup, monsieur le chancelier, vous êtes fou !

— Ne le prenez pas sur ce ton, Madame. Votre serviteur a déjà été entendu à plusieurs reprises...

— Il a été interrogé, murmura la Reine qui pâlissait. L'a-t-on...

— Soumis à la question ? Pas encore, mais cela ne saurait tarder s'il continue à s'obstiner. Il a, cette nuit, été entendu par son Éminence qui l'a fait extraire de sa prison afin de l'interroger en personne.

— On peut avouer n'importe quoi sous la torture ! Que ne diriez-vous pas, monsieur, si l'on vous posait les brodequins, si on vous enflait sous des pintes d'eau, si...

— Quand on n'a rien à se reprocher, on n'a rien à craindre ! émit vertueusement Séguier. Je crains cependant qu'il n'ait beaucoup à se reprocher... et vous aussi, Madame !

Incapable de se contenir, Marie de Hautefort bondit :

— Vous vous adressez à la Reine, monsieur ! Respectez au moins cette couronne dont vous vous dites si fidèle serviteur !

— Je n'en disconviens pas, mais je dois au Roi toute la lumière sur cette pénible affaire. Nul plus que moi ne souhaite trouver Sa Majesté innocente de tout crime, mais nous avons là une lettre...

Sans le regarder, il tendit le bras vers son greffier qui lui remit aussitôt un papier préparé dont la Reine suivit des yeux le cheminement avec une angoisse qu'elle avait peine à contrôler.

— Qu'est-ce que cette lettre ?

— Un... billet plutôt, écrit par la Reine à l'ancien ambassadeur d'Espagne, le comte de Mirabel. Et ce qu'il contient n'est pas de... nature à... apaiser la colère du Roi...

Il faisait mine de relire le document. Poussée alors par une frayeur soudaine, Anne d'Autriche commit une faute grave. Se levant vivement, elle arracha le dangereux papier des mains de Séguier et le fourra dans son décolleté. Surpris par la rapidité de l'attaque, le chancelier resta les mains ouvertes mais, aussitôt, ses yeux se rétrécirent.

— Il faut me rendre ce papier, Madame. Il est d'une importance extrême.

La reine releva le menton avec insolence :

— Quel papier ? Je n'ai vu aucun papier. À présent, monsieur le chancelier, veuillez vous retirer.

Mais Séguier ne bougea pas d'une ligne. D'une voix que la colère enflait peu à peu, il gronda :

— Ne jouez pas ce jeu avec moi, Madame ! Le Roi m'a donné tout pouvoir pour trouver la vérité. Je dois fouiller cet appartement.

— Eh bien, fouillez ! lança dédaigneusement Anne. Vous ne trouverez rien.

— Sans doute, puisque vous vous êtes emparée de ma preuve. Un geste bien irréfléchi, Madame, qui est en lui-même une preuve... Vous allez devoir me la restituer. Sinon...

— Sinon, quoi ? Vous ne pensez pas, j'imagine, porter la main sur moi ?

— Ne m'y forcez pas, Madame ! Je vous l'ai dit : j'ai tous les pouvoirs !

De pâle, la Reine devint blême mais, d'un élan, Marie de Hautefort lui fit une barrière de son corps.

— Vous insultez votre reine ! C'est crime de lèse-majesté...

— Ôtez-vous de là si vous ne voulez pas que je vous fasse saisir par les gardes qui sont devant la porte !

— Ils ne vous obéiraient pas.

— C'est ce que nous allons voir ! Appelez, greffier !

— Non !

La Reine avait poussé ce cri. Elle repoussa doucement sa dame d'atour, ne tenant nullement à voir les gardes se mêler d'une scène si déshonorante, puis elle se tint droite en face de Séguier, le foudroyant de son regard vert :

— Je vous ai déjà ordonné de vous retirer !

— Et moi je vous ai dit de me rendre cette lettre !

Avant qu'elle ait pu faire un geste, il s'était jeté sur la Reine, arrachait le billet caché entre ses seins puis d'une main hâtive tâtait les poches dissimulées dans la robe, mais déjà Marie de Hautefort était sur lui, toutes griffes dehors, et cette fois Sylvie, d'abord pétrifiée de terreur, s'en mêla. À elles deux, elles lui arrachèrent leur maîtresse qui était en train de s'évanouir. D'un geste violent, Marie repoussa le chancelier si brutalement qu'il trébucha :

— Hors d'ici, misérable ! Vous avez fait assez de mal... mais vous en répondrez !

— Je n'ai fait que mon devoir, glapit Séguier qui avait perdu toute superbe et battait en retraite. J'ai obéi au Roi !

— Le Roi est gentilhomme et vous, vous êtes un maraud ! Dehors !

Cette fois, il disparut avec son greffier qui n'avait pas fait un mouvement tout le temps quc dura la scène. Sylvie, penchée sur la Reine tombée à terre, s'efforçait de la ranimer.

— Il faudrait un médecin ! s'écria-t-elle. Une pareille injure ! Mon Dieu ! Elle peut en mourir !

— Allez chercher Mme de Senecey. Moi je vais chez le Roi et croyez-moi, il va m'entendre.

— Le Roi chasse. N'avez-vous pas entendu partir les chiens et les chevaux ?

— J'en ramènerai au moins le médecin Bouvard. Quant à lui, il ne perdra rien pour attendre !

Mais ni ce soir-là ni le lendemain, Marie ne put accomplir son devoir de vengeance. D'ailleurs, sous le poids de l'inquiétude, elle l'oublia un peu : durant les deux jours qui suivirent, la Reine fut quasi inconsciente. Prostrée au fond de son lit, les yeux grands ouverts, elle refusait toute nourriture, n'avalant, avec peine, qu'un peu d'eau sucrée. Bouvard diagnostiqua un violent ébranlement nerveux, la saigna par deux fois sans obtenir, et pour cause, d'autre résultat que de l'affaiblir un peu plus. Pendant ce temps, les gens de justice fouillaient ses appartements, hormis sa chambre où veillaient les femmes fidèles. Et personne à l'exception de M. de Guitaut, son capitaine des gardes, et de M. de Brienne qui avait été jadis un bon conseiller pour elle, ne vint seulement prendre de ses nouvelles. Elle vécut enfermée dans sa chambre comme une pestiférée tandis que ses anciens courtisans se livraient, à deux pas d'elle, à l'agréable jeu des pronostics : qui donc deviendrait reine de France lorsque le Roi l'aurait répudiée ? Il fallait bien, n'est-ce pas, un héritier au royaume ? Quelqu'un osa même lancer — Dieu sait pourquoi — le nom de Mlle de Chémerault et reçut pour sa peine une gifle magistrale de la belle main de l'Aurore :

— On ne remplace pas une infante par une putain quand on est roi de France ! ajouta-t-elle aimablement avant de disparaître dans un grand envol de taffetas gorge-de-pigeon, laissant tout le monde sur place et inquiet.

Pendant ce temps, le garde des Sceaux se faisait tancer d'importance par le Cardinal dans le silence ouaté de son cabinet :

— Vous avez osé porter la main sur la reine de France ? Mais vous êtes devenu fou ! Pour cette insulte dont l'Espagne pourrait nous demander un compte sanglant, je devrais vous faire tirer à quatre chevaux ! D'autant que vous saviez très bien que votre billet n'était qu'un faux imitant son écriture.

— Je devais la faire avouer. C'étaient vos ordres, monseigneur !

— Je ne vous ai jamais rien ordonné de semblable. Il y a d'autres moyens pour faire avouer, mais qui demandent de la subtilité. À présent, je vais devoir me rendre à Chantilly un jour prochain, quand ce maudit La Porte se sera décidé à parler, pour essayer d'effacer l'effet de votre inqualifiable maladresse !

Il était rare que le Cardinal s'emportât à ce point, surtout envers un des maîtres du Parlement, mais il détestait la force brutale et les bévues incontrôlables qu'il lui arrivait de susciter. La Reine, il la haïssait mais il ne voulait pas sa perte. Ce qu'il voulait, c'était lui inspirer une sainte terreur, une peur suffisante pour la ramener à sa main, enfin disciplinée dans l'attelage que, de gré ou de force à présent, elle devait former avec le Roi. Il voulait la soumettre enfin, cette fière Espagnole qui le bravait depuis si longtemps et ne cessait de conspirer contre lui, donc contre le Roi, mais, l'alerte passée, il voulait qu'elle donne un héritier au trône. Or le Roi n'approchait plus sa femme...

Richelieu se sentait vieux, tout à coup, mais il n'était pas homme à se lamenter longtemps sur ses innombrables soucis. Il alla se verser quelques gouttes de ce vin d'Alicante qu'il appréciait, prit son chat favori et s'assit près d'une fenêtre ouverte sur les beaux jardins. Oui, il se rendrait bientôt à Chantilly ! Après tout, la stupidité de Séguier lui permettait à présent de jouer les pacificateurs auprès de la belle Espagnole dont il savait que tous ou presque l'abandonnaient. Cette fois, en caressant son chat, le Cardinal souriait...

À Chantilly, cependant, la ronde des faux bruits continuait. On disait que la Reine allait être non seulement répudiée mais aussi arrêtée et conduite à la forteresse du Havre pour y attendre un jugement solennel.

Le jour où ce courant d'air commençait à circuler, Marie de Hautefort trouva dans son livre d'heures un billet fort pittoresque, puisque ainsi rédigé :

« Vous devé aitre lasse de vivre enfermée par un si beau temp. Vené donc raispirer l'air pur du côté de la mèson de Sylvie en compagnie de l'autre Sylvie qui doit avoir besoin de remuer. Il y fait frai... même à trois heures... »

Pas de signature, bien entendu, mais le ton de la lettre et l'orthographe extravagante annonçaient un ami facile à identifier. Aussi, à l'heure chaude de l'après-midi, laissant la Reine à la garde de Stéfanille et de Mme de Senecey tandis que la Cour se livrait aux joies de la sieste, les deux amies munies d'un petit panier quittèrent-elles le château posé sur son étang calme, par le pont du Roi, et se dirigèrent-elles vers la forêt sous prétexte d'aller cueillir des fraises des bois afin de tenter l'appétit de leur chère malade.

La « maison de Sylvie », c'était, loin du double château [1], un pavillon à l'italienne entouré d'un

1. Le connétable de Montmorency avait construit un château Renaissance à côté de l'ancien château féodal.

jardin fleuri dominant un petit vallon où coulaient deux ruisselets se rejoignant dans une fontaine de marbre dont l'eau se perdait dans un étang. Construite au siècle précédent par François de Montmorency, le fils aîné du connétable, elle devait son nom au poète Théophile de Viau qui, poursuivi pour ses écrits et même menacé du bûcher, y avait été caché quatorze ans plus tôt par la jeune et charmante épouse du dernier duc de Montmorency, décapité cinq ans auparavant pour avoir conspiré contre le Cardinal, bien entendu avec Gaston d'Orléans ! Elle s'appelait Maria-Félicia, princesse Orsini, d'une grande famille romaine, et elle avait tant de grâce que le malheureux poète, voyant en elle une nymphe des bois, l'avait surnommée Sylvie, en était tombé amoureux et avait écrit un petit recueil d'odes à sa bienfaitrice :

> Je passe des crayons dorez
> Sur les lieux les plus reverez
> Où la vertu se refugie
> Et dont le port me fut ouvert
> Pour mettre ma teste à couvert
> Quand on brusla mon effigie...

La voix claire de Mlle de Hautefort détaillait les vers avec talent. De tout temps elle avait aimé les poètes, peut-être en mémoire de son ancêtre, le vicomte troubadour Bertran de Born. Un troubadour qui n'avait rien de mièvre et dont les sirventes furieux soufflaient la guerre ou l'amour suivant l'état de ses relations avec son suzerain bien-aimé Richard au cœur de lion... Marie avait hérité sa flamme, son insolence et son goût de la rébellion.

— Qu'est devenu ce Théophile ? demanda Sylvie.

— Il est mort à Paris, voici bientôt onze ans, le 25 septembre 1626, dans le petit hôtel de Montmorency, d'une fièvre que d'aucuns ont trouvée bizarre. Il n'avait que trente-six ans. La veille de sa mort, il avait demandé à son ami Boissat de lui apporter des anchois...

— Décidément, vous le connaissiez bien ?

— J'aime ses vers. Et puis, il était de l'Agenois. Ce n'est pas si éloigné de nos terres de Hautefort...

Tout en devisant, les deux jeunes filles approchaient de leur but. En découvrant la charmante demeure, Sylvie pensa qu'elle aimerait une maison semblable. Que c'était l'endroit idéal pour panser des blessures, essayer d'oublier, reprendre goût à la vie. L'air y semblait plus pur, plus transparent que partout ailleurs. Elle ferma les yeux pour mieux le respirer, mais un éclat de rire de son amie les lui rouvrit. Marie lui désignait un pêcheur, habillé comme l'un des gardes-chasse, qui avait l'air de somnoler au bord de l'étang, le chapeau enfoncé si bas que l'on ne voyait même pas la couleur de ses cheveux. Et en même temps, elle récitait :

> En regardant pescher Sylvie
> Je voyais battre les poissons
> À qui plus tost perdrait la vie
> En l'honneur de ses hameçons.

— On dirait que la gentille duchesse a beaucoup changé. Voyons un peu qui se cache sous ce chapeau ! ajouta-t-elle en prenant la main de son amie pour courir vers l'homme qu'elle aborda rituellement : « La pêche est bonne ? »

L'homme releva la tête et le cœur de Sylvie manqua un battement bien qu'il s'y attendît un peu : c'était François. Il leur sourit.

— Vous êtes exactes. C'est bien !

Déjà Marie s'emportait :

— Je me doutais que c'était vous ! Quel insensé êtes-vous donc, mon cher duc, pour vous livrer à ce genre de plaisanterie dans un moment pareil ? Ne savez-vous pas en quelle situation nous nous trouvons ?

— C'est justement pour cela que je suis ici. Il faut que la Reine quitte le château cette nuit même. J'ai tout préparé et...

— Une fuite ? Rien que ça ? Vous voulez que la reine de France s'enfuie comme une coupable qui a peur ?

— Pas de grands mots, ma chère ! Il y a des précédents et elle n'aura pas besoin de descendre d'une fenêtre avec une échelle de corde comme fit jadis, à Blois, la reine mère qui était beaucoup plus vieille et beaucoup plus lourde. Il suffira que, ce soir, vous reveniez ici à la brune pour respirer l'air frais. Là vous changerez d'habits dans la forêt et ce ne sera pas Mlle de Hautefort qui en sortira : ce sera la Reine sous les habits de Mlle de Hautefort. Vous êtes blondes toutes deux et de même taille. Vous conduirez Sa Majesté ici où tout sera préparé. Sylvie, ajouta-t-il en se tournant vers la jeune fille qui le regardait sans mot dire, vous partirez avec elle. Je craindrais trop qu'on ne s'en prenne à vous une fois la fuite découverte !

— Un semblable souci ne vous effleure pas en ce qui me concerne ? remarqua Marie.

— Non, répondit François avec une belle franchise. Et cela pour plusieurs raisons ; vous êtes la femme la plus courageuse que je connaisse, vous êtes de grande maison et, surtout, le Roi vous aime !

— Parlons-en ! Je n'arrive même pas à le rencontrer au détour d'une porte. Il chasse toute la journée, rentre à la nuit close et les consignes sont sévères : aucun membre de la maison de la Reine ne doit l'approcher. Et où comptez-vous l'emmener... en admettant que nous acceptions votre offre ?

— Vous n'avez pas le choix. À moins que vous ne préfériez voir votre maîtresse jetée en prison en attendant un jugement préparé à l'avance ? Moi, je l'emmène aux Pays-Bas où son frère la recevra avec joie. Elle pourrait ensuite gouverner la province en remplacement de feue l'infante Isabelle-Claire.

— Et vous reviendriez en triomphateur à la tête d'une armée espagnole, vous un prince français, pour mettre le royaume à feu et à sang ? C'est ça dont vous rêvez ? Car vous rêvez, je vous le dis tout de suite.

— Ce que je ferai est de peu d'importance. C'est la Reine qui compte... et elle seule !

— Je n'en doutais pas. Vous êtes fou, mais vous l'aimez sincèrement !

— Dites que je l'adore ! lança-t-il d'une voix si passionnée que le cœur de Sylvie en trembla.

— Alors, apprenez-moi comment il se fait qu'étant devenu son amant vous ne lui ayez pas encore fait un enfant ?

Brutalement ramené sur terre des hauteurs de ses rêves, Beaufort eut le souffle coupé. Il s'en étrangla presque en répondant :

— Je crois que c'est vous qui êtes folle ! Vous voulez qu'on la désigne à l'Europe entière comme femme adultère ? Qu'on la traîne peut-être à l'échafaud ou qu'on la jette dans un couvent jusqu'à la fin de ses jours ? Sachez, mademoiselle, que je fais tout pour que nos amours n'aient aucune suite !

— Et vous êtes le petit-fils du Vert-Galant ! soupira Marie. Permettez-moi de vous dire, mon cher ami, que si vous êtes un parfait amant et un vrai paladin vous n'en êtes pas moins un benêt ! Pourquoi donc croyez-vous que je vous ai facilité l'accès de sa chambre ? Voilà des semaines que je guette les menstrues de la Reine, mais elles sont toujours exactes au rendez-vous, hélas !

— C'est... c'est de la démence, bafouilla François choqué.

— Non, monseigneur, c'est de la politique ! Ma politique à moi ! Car, sachez-le, je suis prête à pallier le moindre retard pour que le Roi puisse se croire le père... ou tout au moins fasse semblant ! Mais comprenez donc à la fin que la Reine enceinte, c'est la Reine sauvée ! Voilà vingt ans qu'on attend l'enfant qui ne vient jamais ! Je suis certaine que le Cardinal lui-même l'accepterait comme le Messie, cet enfant, quitte à faire taire à jamais tous ceux qui auraient pu participer à sa conception. Vous voulez parier ?

— C'est de la démence, répéta François.

S'éleva alors la douce voix de Sylvie :

— Non, monseigneur, puisque, tout comme notre Roi, vous descendez de Saint Louis. Ce que l'on ne peut accepter de n'importe quel gentilhomme, on peut le recevoir d'un prince du sang si le bien du royaume l'exige...

— Vous aussi ?

— Là, que disais-je ? Elle est intelligente, cette petite ! triompha Marie.

— Plus que moi, sans doute ? soupira François avec amertume. De toute façon, il est trop tard ! À moins que vous ne suiviez mon plan : j'enlève la Reine cette nuit...

— Et vous lui faites un enfant à Bruxelles ? Oh ! la bonne idée ! De toute façon, il ne peut être question que vous l'enleviez ! Comprenez donc, à la fin, que ce serait pour elle la meilleure façon de s'avouer coupable. D'ailleurs, elle n'acceptera pas...

— Essayez toujours ?

— Elle n'acceptera pas, parce que je saurais bien l'en empêcher si elle en avait envie. Elle doit rester où elle est : reine de France envers et contre tous !

— Et moi, que vais-je devenir ? Je n'aurai plus jamais la possibilité de l'approcher seul à seule. Le Val-de-Grâce a été investi. On a découvert et muré la petite porte...

— Au besoin vous pourriez passer par-dessus le mur ! La porte n'était qu'une commodité supplémentaire... Je saurai bien m'arranger pour vous ménager quelques moments, pauvres amants ! Pas ici ! Dans la situation où nous nous trouvons c'est impossible mais, pour le Louvre même, j'ai une idée... à moins que vous ne jugiez la porte des cuisines et un déguisement approprié indignes de vous ?

— Du moment que vous m'ouvrez le paradis, vous pouvez me faire passer par l'enfer si vous voulez mais, par pitié, ne me laissez pas trop attendre ! Je meurs sans elle et je n'ose aller la saluer...

— C'est la sagesse ! En ce moment, vous aggraveriez son cas. D'ailleurs, vous avez autre chose à faire.

Tirant d'une poche un petit livre couvert de maroquin rouge, elle le lui tendit :

— Puisque vous avez envie de voyager, courez en Touraine, au château de Couzières ! Vous remettrez ceci, sans autre explication, à Mme la duchesse de Chevreuse. Elle comprendra ce que cela veut dire.

— Et cela veut dire ?

— Dieu que vous êtes curieux ! Qu'elle doit fuir,

bien sûr, et le plus loin possible ! Richelieu est tout à fait capable de la faire arrêter si La Porte parle.

— Ce qui est à craindre, si l'on emploie certains moyens.

— Je pense que non. Quoi qu'il en soit, je vais m'en assurer. À présent, nous vous laissons à vos poissons et nous allons chercher des fraises. Dieu vous garde, mon ami !

Les yeux sur Sylvie, il la retint :

— Je souhaite surtout qu'il vous garde, vous et d'abord cette enfant...

La réaction fut immédiate :

— Je ne suis plus un bébé, monsieur le duc ! Et je suis très capable de me garder moi-même !

Elle tourna les talons sur la dernière phrase mais, en dépit de sa colère apparente, elle éprouvait soudain une douceur, une chaleur : il se souciait d'elle. C'était déjà quelque chose !

Le lendemain était le 15 août. Le Roi et la Reine se rendirent en cortège à la chapelle sous les yeux avides d'une Cour aux aguets. C'était la première fois que les deux époux se rencontraient depuis l'insultante visite de Séguier. Ils n'échangèrent que des saluts. Vêtue de satin rose ancien et portant au cou les énormes perles offertes par son père au moment de son mariage, Anne, admirablement coiffée et discrètement maquillée, était très belle. Sereine aussi, en apparence, et la noblesse de son attitude força le respect de ces gens qui, pour une bonne partie, ne souhaitaient que la déchirer pour peu qu'ils eussent, dans leur manche, une candidate à sa succession. Aux côtés de son époux, elle communia puis, la messe achevée, ordonna que l'on fît venir son secrétaire des commandements et lui dicta une lettre adressée au cardinal de Richelieu où elle jurait n'avoir jamais entretenu d'intelligences avec l'étranger...

C'était assez énorme, bien sûr, mais elle était prête à tout pour sauver son fidèle La Porte et la mère de Saint-Étienne.

Mlle de Hautefort partit dans la même voiture que ledit secrétaire. Elle annonça un court voyage à Paris pour porter les aumônes que, à l'occasion de l'Assomption de la Vierge Marie, la Reine faisait toujours parvenir à plusieurs communautés religieuses, et rentrerait aussitôt. En réalité, elle allait se livrer à une activité bien différente : sachant que, sous certaines conditions, il était possible aux prisonniers de la Bastille de communiquer entre eux, elle se rendit chez l'une de ses amies, Mme de Villarceaux. Celle-ci avait l'autorisation de rendre visite au chevalier de Jars, emprisonné depuis plusieurs années et qui était de ses amis. Ce qu'elle fit le soir même, accompagnée d'une de ses servantes chargée de douceurs et qui n'était autre que l'Aurore affublée d'une perruque brune et grimée. Marie remit au chevalier un billet destiné à La Porte et contenant les instructions de la Reine sur ce que savaient ou ne savaient pas leurs persécuteurs et sur ce qu'il convenait d'avouer ou de ne pas avouer. Après quoi, l'esprit allégé, elle reprit son aspect habituel et la route de Chantilly où l'atmosphère était toujours aussi pesante, la Reine et ses rares fidèles restant tenus dans un ostracisme que l'Espagnole n'était pas près d'oublier. Quelqu'un cependant fit chez elle une entrée remarquée : Jean d'Autancourt qui vint, entouré de l'apparat d'une maison ducale, saluer la Reine au nom du maréchal, son père, et en son nom personnel... et aussi prendre congé de Sylvie : suffisamment guéri de sa blessure, il retournait aux armées. Ensuite, seulement, il alla faire ses adieux au Roi qui rentrait tout juste de sa chasse quotidienne.

Un peu confuse de ce qui était presque une déclaration officielle, Sylvie n'en fut pas moins fière de son ami et triste aussi de le voir partir : ils avaient passé ensemble des moments si agréables !

— Prenez bien soin de vous, je vous en prie, lui dit-elle avec dans la voix une inquiétude qui le ravit. Je ne suis pas certaine que vous soyez tout à fait remis...

— Oh si ! je suis remis ! Grâce à vous en grande partie, mais il m'est doux de vous entendre vous soucier de moi. Me donnerez-vous un gage d'amitié pour me porter bonheur ?

— Un gage ?

— Oui... Votre mouchoir, ou un ruban.

Perplexe, Sylvie contempla un instant le carré de batiste dont elle avait fait une boule serrée dans sa main. Impossible de donner ça ! Alors, d'un geste vif, elle dénoua l'un des rubans de satin jaune qui retenaient la masse de ses boucles de chaque côté de son visage et le lui tendit. Le geste avait été si nerveux que quelques cheveux demeurèrent attachés au satin clair. Jean s'en empara, l'effleura de ses lèvres avant de le glisser contre sa poitrine.

— Ce sera mon talisman ! Il me portera bonheur et ne me quittera jamais ! Merci, oh ! merci !

Et il s'enfuit en courant pour ne pas se laisser aller devant celle qu'il aimait à l'émotion qui le bouleversait. Après son départ, Sylvie resta songeuse un long moment, regrettant que son cœur ne soit pas libre de se donner à ce garçon auprès de qui la vie serait sans doute fort douce...

Lorsque Marie de Hautefort revint de Paris, Sylvie éprouva un vif soulagement. Sans elle, l'atmosphère auprès de la Reine qui demeurait prostrée dans les moments qu'elle ne passait pas à la chapelle était irrespirable. Mme de Senecey, impressionnée par cette attitude accablée, osait à peine les formules indispensables à la vie quotidienne. Et, naturellement, l'ostracisme continuait.

— Dirait-on pas que nous sommes des pestiférées ! s'irritait la dame d'honneur. Ces gens doivent avoir perdu la tête pour se comporter de la sorte envers leur reine !

— Oh non ! ils ne l'ont pas perdue, mais je croirais volontiers que c'est par peur de la perdre qu'ils agissent ainsi. Ce qui est tout à fait ridicule, dit Sylvie. Je n'ai pas peur pour la mienne. Et vous ?

— Il ferait beau voir ! Le Roi est homme d'honneur, que diable !

— Sans aucun doute, mais je me demande s'il n'a pas besoin d'être rassuré, lui aussi ?

Le retour de Marie allégea l'air. Elle apportait d'excellentes nouvelles. La Porte, quand il ne gardait pas le silence, ne révélait que des faits en parfait accord avec ce que sa maîtresse consentait à avouer. Dans l'espoir d'en tirer davantage, on lui avait montré les instruments de torture assortis d'un mode d'emploi fort détaillé, mais on n'avait obtenu de lui qu'un dédaigneux haussement d'épaules :

— Quand la douleur est insupportable, on doit finir par avouer n'importe quoi, dit-il. Mais en ce cas, où est la vérité ?

On lui avait même montré un billet de la Reine — faux bien entendu ! — l'adjurant de tout avouer comme elle l'avait fait elle-même. Cette fois, on le fit rire :

— Ne me prenez pas pour un benêt. Je connais la main et le style de Sa Majesté. Elle n'a jamais écrit cela...

On en était là lorsque le Cardinal conseilla au Roi d'interroger lui-même son épouse. Louis XIII refusa net :

— C'est une tâche trop douloureuse pour moi. Je me sens incapable de la mener à bien. Chargez-vous-en vous-même !

Richelieu n'en demandait pas plus. Il partit pour Chantilly et sollicita une audience de la Reine avec toutes les formes du respect. Il s'y rendit avec deux secrétaires d'État, Chavigny et Sublet de Noyers, et demanda que Mme de Senecey fût elle aussi témoin de l'entretien... au grand déplaisir de Marie de Hautefort. Elle savait bien qu'en privant la Reine de son assistance, on la désarmait. Il fallut pourtant en passer par là. Sylvie, elle, avait été renvoyée dès que le carrosse du Cardinal avait franchi l'enceinte lacustre de Chantilly. Elle en avait profité pour aller revoir la jolie maison au bord de l'étang, dans l'espoir secret mais improbable d'y retrouver certain pêcheur à la ligne.

Il n'y avait personne en dehors d'une famille de canards effectuant une promenade en procession sur l'eau et d'un couple de sarcelles qui s'envola à l'approche de la jeune fille, mais l'endroit n'en gardait pas moins un charme certain, et Sylvie, assise au milieu des joncs dont elle mâchonnait un long brin souple, pensait qu'elle aimerait que cette maison soit vraiment sienne pour pouvoir y accueillir qui elle aimait. Le joli pavillon qui avait servi de refuge à un poète devait pouvoir abriter de tendres amours et s'entendre à panser les blessures ? Il devait être possible, comme naguère la jolie duchesse de Montmorency, d'y oublier un rang princier pour se soucier seulement d'y prendre du poisson en écoutant chanter les oiseaux...

Pendant ce temps, un véritable drame se jouait au château. Face au Cardinal, Anne d'Autriche commença, assez sottement, par protester de sa parfaite innocence et, dans son affolement, jura sur le saint sacrement qu'on la soupçonnait à tort. Mais elle avait affaire à trop forte partie. Doucement, patiemment, Richelieu fit tomber une à une toutes ses défenses jusqu'à ce qu'enfin elle demandât à n'être entendue que de lui seul ! Ce qui bien sûr fut accordé. Alors, sans plus retenir des larmes de colère et de honte, la Reine finit par avouer qu'elle avait écrit bien sûr au Cardinal-Infant mais aussi, une ou deux fois, à Mirabel « qui [lui] avait toujours montré respectueuse amitié et dévouement ». Richelieu, satisfait du résultat et d'ailleurs ému devant le trouble d'une si haute dame, lui assura qu'il ne venait pas en justicier, qu'il ne souhaitait que son bonheur et celui du Roi auprès de qui il allait intercéder sans délai afin que cette vilaine histoire soit vite effacée et que l'harmonie revienne dans le couple royal...

Surprise d'une mansuétude qu'elle n'attendait pas, la Reine s'écria :

— Quelle bonté faut-il que vous ayez, monsieur le Cardinal !

Et elle lui tendit une main sur laquelle il s'inclina respectueusement sans oser la prendre. Ensuite, il se retira pour aller rejoindre le Roi. Dans la galerie, à peu près déserte à son arrivée, il vit que nombre de courtisans s'étaient massés. Avant de passer au milieu de leurs échines courbées, il lança, avec un froid mépris :

— Je suis heureux de voir, messieurs, que vous venez enfin prendre des nouvelles de Sa Majesté la Reine ! Je vous les donne moi-même : la Reine est encore un peu lasse mais peut-être, demain, vous fera-t-elle la faveur d'accueillir vos hommages...

Marie de Hautefort qui, dès la sortie du ministre, s'était précipitée chez la Reine entendit cependant ce que disait la voix, cinglante comme un fouet, et sourit : allons, l'alerte avait été chaude mais elle s'achevait sans dégâts majeurs. Ce qui ne voulait pas dire que la partie était terminée !

Le Cardinal partait satisfait. Il avait suffisamment effrayé l'Espagnole pour qu'elle renonçât à ses perpétuelles trahisons et, par sa clémence, il en faisait son obligée. Restait à savoir comment réagirait Louis XIII aux aveux de sa femme ! En vérité, celui-ci n'avait guère le choix : la traiter en criminelle d'État était impensable, la répudier serait dangereux car l'Espagne crierait bien haut à la machination. Il ne restait que le pardon. Et ce ne fut pas sans quelque peine que Richelieu l'obtint. Avant de l'accorder, le Roi exigea des aveux écrits ainsi que la promesse formelle de ne plus recommencer. Ce qui fut fait, après quoi les bruits de Cour reprirent leur activité habituelle : la thèse officielle fut que la Reine, piégée par des sentiments familiaux bien naturels, s'était laissée manipuler par ces incorrigibles Espagnols !

Le séjour à Chantilly s'acheva dans la paix et, le 4 septembre, Leurs Majestés partaient de conserve pour Fontainebleau où le Roi comptait donner de grandes chasses durant une quinzaine...

François de Beaufort avait disparu par prudence — celle de Marie de Hautefort car lui n'en avait aucune. Mieux valait éviter les sujets de fâcherie à une époque aussi délicate. Le Roi s'efforçait de faire bon visage à sa femme mais on voyait que le cœur n'y était guère. Ce n'était pas le moment de lancer Louis XIII sur une autre piste, et la jeune dame d'atour s'était employée avec sa fermeté habituelle à faire entendre raison à l'amoureux frénétique.

— Allez donc revoir le ciel bleu de Touraine ! lui conseilla l'Aurore. Au début de l'automne, le pays est charmant ! Pendant ce temps-là, les choses rentreront dans l'ordre...

— Quand la reverrai-je ?

— Je vous le ferai savoir mais, pour l'amour de Dieu, prenez patience !

— Je croyais que vous vouliez au contraire que je me hâte ?

— Chaque chose en son temps ! Il nous faut voir d'abord si le Roi se décide à reprendre le chemin de la chambre de la Reine...

— Et s'il le reprend, moi vous me jetez dehors ? s'écria le jeune duc furieux. Que suis-je pour vous, un étalon ?

Elle lui offrit le plus impertinent des sourires :

— C'est un peu ça. Avec vous, nous serions sûres d'avoir un enfant magnifique. Mais comprenez donc, jeune étourdi, que si le Roi se remet à honorer sa femme, nous aurons besoin de vous plus que jamais ! Les rares moments où il la rejoignait, il n'a réussi que des fausses couches. Et là, si je sais m'y prendre, vous pourrez être heureux sans danger. Vous avez compris ?

— Je crois. Mais par pitié ne me faites pas trop attendre ! J'en meurs !

— La résurrection n'en sera que plus douce !

Et François regagna Chenonceau où l'on avait beaucoup vu cet été Monsieur et la petite Mademoiselle, une fillette intelligente et futée qui amusait tout le monde. La duchesse Françoise ayant rejoint son époux avec sa fille, les relations se faisaient plus intimes entre les deux familles et Beaufort, privé de son ami Soissons passé à l'ennemi, d'humeur mélancolique, entama une sorte d'amitié avec Monsieur dont il savait cependant qu'il ne valait pas grand-chose. Mais Gaston d'Orléans savait, quand il le voulait, déployer beaucoup de charme.

Cependant, cet automne réservait de grandes joies au Roi comme au Cardinal. Les bonnes nouvelles militaires se succédaient. Le duc de Savoie, beau-frère du Roi, avait remporté une victoire sur les Espagnols, les Français en remportèrent une autre à La Capelle, dans le Nord. Enfin, au sud, le duc d'Halluin sortait vainqueur de la bataille de Leucate, en Roussillon.

Transporté de joie, Louis XIII fit chanter un *Te Deum* à Notre-Dame, au milieu d'un faste propre à réjouir le cœur de son peuple qui ne ménagea pas ses acclamations. Malheureusement, la Reine arriva fort en retard, alléguant comme excuse qu'elle ne savait pas qu'il lui fallait venir...

Entendant cela, Mlle de Hautefort soupira, en levant bien haut ses beaux sourcils. Par moment, elle se demandait si celle à la cause de qui elle se dévouait corps et âme était aussi intelligente qu'elle l'aurait voulu croire... Une question que la petite Mlle de L'Isle se posait déjà depuis un moment...

Troisième partie

L'HEURE DU DÉMON

CHAPITRE 10

LES SECRETS DE MARIE DE HAUTEFORT

François rongea son frein à Chenonceau jusqu'à la mi-novembre. Sourde aux soupirs de la Reine, aveugle aux billets délirants que l'amoureux désespéré lui faisait passer, Mlle de Hautefort entendait laisser la place libre au Roi dans l'espoir qu'il se déciderait à passer avec sa femme cette nuit que la Cour guettait depuis trois ans avec une avide curiosité. Malheureusement, il n'en était rien. Louis XIII faisait bon visage à son épouse, lui montrait tout le respect désirable mais ne se décidait plus à se comporter en mari. Et cela en dépit des objurgations dont l'accablait Marie dont le regain de faveur ne se démentait pas.

En revanche, au moins deux fois la semaine, il se rendait au couvent de la Visitation, rue Saint-Antoine, pour y causer avec sœur Louise-Angélique, naguère Louise de La Fayette. Il était seul admis à s'approcher de la grille dans l'obscur parloir. Elle lui apparaissait, ombre blanche derrière les barreaux où parfois il s'accrochait dans l'espoir insensé de la ramener auprès de lui.

En dépit des victoires qui se succédaient,

l'atmosphère de la Cour redevenait irrespirable. D'abord, on était de nouveau en deuil : cette fois, il s'agissait du beau-frère du Roi, le duc Victor-Amédée de Savoie qu'il aimait beaucoup. Cette mort allait fort compliquer les affaires d'Italie, car le duc laissait pour héritier un enfant de cinq ans dont il faudrait défendre les droits.

Lasse de prier sans obtenir satisfaction, Marie de Hautefort décida qu'il était temps de faire plaisir à la Reine et rappela Beaufort qui accourut de toute la vitesse de son cheval. En même temps, elle se rendit au couvent de l'ancienne fille d'honneur, demanda à lui parler et resta avec elle de longues minutes. Elle en revint satisfaite et entreprit de préparer pour François un exploit périlleux : rejoindre la Reine la nuit et en plein Louvre.

Il s'y était déjà introduit une fois, déguisé en médecin, à propos du prétendu malaise de Stéfanille, mais il n'était resté qu'un moment, le temps d'un bref entretien et de prendre quelques lettres. À présent, il s'agissait de procurer aux deux amants un peu de vrai bonheur en priant Dieu qu'il soit fructueux. Par chance, le Roi continuait à galoper d'un château à l'autre aux alentours de Paris. Sa dernière fantaisie l'entraînait à se rendre fréquemment au petit château de Saint-Maur qui avait appartenu jadis à Catherine de Médicis. C'était, sur une boucle de la Marne, un endroit charmant où regrets et rêveries s'épanouissaient en une douce mélancolie. À deux ou trois reprises, déjà, il s'y était rendu depuis

Versailles, sans oublier de faire une halte rue Saint-Antoine.

Les craintes de Marie se révélèrent vaines. La nuit où François vint, tout se déroula sans la moindre anicroche. Entré le matin au palais sous l'aspect terreux d'un garçon de maraîcher apportant des choux à la cuisine, il réussit de là — grâce à un cuisinier acheté ! — à gagner un réduit où un habit de laquais et une perruque brune l'attendaient. Il y resta tout le jour, jusqu'à ce que ce vieux Louvre truffé de cachettes et de passages secrets s'endorme enfin. Marie vint l'y chercher et assura qu'elle le ramènerait avant le jour levé. Ce qui se produisit point par point.

Le lendemain, la Reine était épanouie, s'efforçant toutefois de ne pas trop montrer sa joie intérieure à ces centaines d'yeux — filles d'honneur ou autres — qui ne cessaient de l'épier. Elle s'était réchauffée à la flamme de ce garçon, jeune et si amoureux qu'elle en retrouvait ses vingt ans et oubliait les quinze années qui les séparaient. Cependant, Marie n'était pas entièrement satisfaite :

— Je me demande si les choses ne se sont pas trop bien passées ! confia-t-elle à Sylvie qui l'interrogeait sur sa mine soucieuse.

— Mais qu'auriez-vous voulu qu'il se produise ?

— Je ne sais pas, mais dans une demeure comme celle-ci, la nuit, il y a toujours de menus incidents... des rencontres ! Or, aussi bien à l'aller qu'au retour, il n'a rencontré personne sinon des gens endormis, des gardes appuyés à leurs hallebardes aussi peu curieux que possible...

— Est-ce que vous n'exagérez pas ? Il était habillé en valet et accompagné par vous. Qui vouliez-vous qui s'intéresse à lui ?

L'Aurore passa sur son front pur une main blanche... qui tremblait.

— Il se peut que vous ayez raison, mais, Sylvie, l'aventure de cette nuit sera la seule à se dérouler ici. J'ai eu trop peur !

— Moi aussi, confessa la jeune fille, mais croyez-vous que tous deux se contenteront de ces quelques moments ? Je l'ai guetté, lui... et elle je l'ai vue au matin, quand je suis entrée dans sa chambre pour le lever. Le même bonheur était inscrit sur leurs visages...

Elle retenait ses larmes en achevant sa phrase. Marie, alors, eut pour elle un geste inattendu : chaleureux, plein d'affection. Elle emprisonna dans ses mains celles de sa jeune compagne.

— Pauvre chaton ! Je suis tellement attachée à sa gloire, à vouloir pour elle le plus grand triomphe d'une reine : donner un héritier à ce royaume contre vents et marées, que j'en oublie votre pauvre petit cœur qu'en amants égoïstes ils ne cessent de piétiner ! Et vous ne m'en voulez pas ? Et vous continuez de m'aider ?

— S'ils marchent sur mon cœur, ils marchent aussi sur le vôtre, mais leur excuse est qu'ils l'ignorent. Et puis, vous êtes la seule amie que je possède en ce palais. Dans ces conditions, que ne ferais-je pour vous aider ?

Un même élan les jeta dans les bras l'une de l'autre. Une étreinte sans phrases, sans mots inutiles, venue du cœur et qui scellait une sorte de pacte. Marie le contresigna en disant :

— Je prierai Dieu qu'il me donne de vous aider un jour... En attendant, la prochaine rencontre aura lieu au Val-de-Grâce ! Je serai plus tranquille.

— À l'abbaye ? Mais comment ferons-nous ? La supérieure a été changée, la porte murée...

— Mais le mur n'a pas été relevé. Avec une bonne corde, un garçon de vingt ans doit en venir à bout sans difficulté. Surtout s'il est aussi épris que l'est ce fou !

Trop heureuse pour ergoter, la Reine s'en remit à sa fidèle dame d'atour. Elle aussi aimait mieux le Val. Même avec une abbesse revêche ! On décida que le prochain revoir aurait lieu dès que le Roi annoncerait son intention d'aller passer quelques jours à Versailles. La Reine alors irait se recueillir dans son couvent favori. Elle n'y resterait qu'une seule nuit, afin de ne pas éveiller de nouveaux soupçons.

Le Roi étant parti le 1er décembre, ce fut le 2 que la Reine annonça son intention d'effectuer cette brève visite du jeudi 3 au vendredi 4, afin de se recueillir en un lieu qui lui était cher, au moment où l'on entrait dans le temps de l'Avent. Comme d'habitude, elle n'emmènerait que peu de monde.

À sa grande surprise, et à son grand soulagement, Sylvie ne fut pas du voyage. Au dernier moment, la Reine décida qu'elle serait accompagnée par sa dame d'honneur et sa dame d'atour. Ce qui fit ricaner les autres filles d'honneur. Elles y voyaient l'annonce d'une prochaine disgrâce, mais Marie de Hautefort fit taire tout cela en disant que, la Reine n'allant au Val que pour quelques heures, une aussi courte visite ne nécessitait pas la présence de sa chanteuse favorite : il n'y aurait à la chapelle que les offices ordinaires. Puis, elle prit Sylvie à part :

— Étant donné les derniers événements, une dame plus mûre était souhaitable. Ce qui ne changera rien à ce qui est décidé, ajouta-t-elle en riant. Mme de Senecey a besoin de beaucoup de sommeil et je puis vous assurer qu'elle dormira comme un ange. J'y veillerai !

Le bagage qu'elle emportait en ces circonstances étant prêt, Sylvie choisit d'aller passer la nuit chez son parrain. L'idée de rester au Louvre en la seule compagnie de ses pareilles, facilement jalouses et souvent en quête d'une méchanceté, ne lui souriait pas. Elle partit donc pour la rue des Tournelles, toujours flanquée de Jeannette...

Dame Nicole et Corentin les y reçurent à bras ouverts et essayèrent de compenser la déception qui l'y attendait : elle ne verrait M. le chevalier que le lendemain matin.

— M. Renaudot, qui est son ami, est venu le chercher il y a un moment, expliqua Corentin, comme cela lui arrive assez souvent. Ils soupent ensemble et ensuite je ne sais trop ce qu'ils font mais cela les mène toujours fort tard...

— Et vous ne savez pas où ils vont ? demanda Sylvie.

— Ma foi non. Cela me peine un peu, car j'ai dans l'idée qu'ils vont courir je ne sais quelles aventures et je n'aime pas beaucoup que M. Perceval me fasse des mystères...

— Des mystères ? À vous qui êtes son compagnon de toujours ?

— Eh oui ! Il dit qu'il ne veut pas que Nicole reste seule la nuit. Bien que le quartier soit élégant, il n'est pas toujours sûr. Mais c'est peut-être son ami qui ne veut pas de moi ?

— Qu'allez-vous chercher là ? s'écria Sylvie en riant. La première raison me paraît de beaucoup la plus valable. Vous devez veiller sur la maison. Cette nuit, vous veillerez aussi sur Jeannette et moi... et puis vous direz à Nicole que je souperai avec vous. J'espère qu'elle nous cuisinera quelque chose de bon ?

— N'ayez crainte, fit Corentin, sa bonne humeur retrouvée, elle est déjà plongée jusqu'au cou dans la pâtisserie !

La maison embaumait le beurre et le caramel. Sylvie alla se reposer dans sa chambre en attendant l'heure de passer à table. Le temps gris, maussade et venteux n'attirait pas vers le jardin où les feuilles étaient à terre.

L'absence de Perceval l'inquiétait tout de même. Était-il toujours à la recherche de ce mystérieux criminel auquel il avait fait allusion quand ils s'étaient rencontrés au bord de la Seine, près de la porte de Nesle ? Ce fut la question qu'elle lui posa quand, le lendemain matin, elle le retrouva devant la table du petit déjeuner.

On parla de choses et d'autres, mais ce fut seulement lorsque Perceval regagna son cabinet où Corentin venait d'allumer un bon feu que Sylvie posa la question qui lui brûlait les lèvres :

— Je n'ai pas oublié notre rencontre à la porte de Nesle, mon parrain. Vous m'aviez dit que vous cherchiez un assassin. Est-ce toujours à ses trousses que vous courez la nuit, avec M. Renaudot, ou bien est-ce un autre ?

Le visage fatigué de Raguenel s'étira en un sourire las :

— C'est toujours le même, malheureusement. Un monstre qui semble posséder le pouvoir de disparaître dans les ténèbres une fois son forfait accompli. Ce misérable s'attaque aux filles de joie qui travaillent dans les rues. Il les viole, les égorge et les marque au front d'un cachet de cire rouge où il imprime une lettre grecque : un omega.

— Quelle horreur ! Mais vous vous attaquez là à une tâche démesurée. Paris est grand ! Le guet ne vous aide pas ?

— Ils ne sont pas assez nombreux pour surveiller tous les endroits dangereux. Et puis ils sont souvent corrompus. Il nous faudrait une vraie police !

— Mais enfin, pourquoi vous intéressez-vous au sort de ces malheureuses femmes ? Est-ce pour aider Mme de Vendôme qui se voue de plus en plus à leur rédemption ?

— Non. Je lui en ai parlé mais elle ne peut rien.

Nous songeons, Renaudot et moi, à nous rendre une nuit dans le quartier des Innocents, à la cour des Miracles, pour rencontrer le Grand Coesre, le chef des truands, et tenter d'obtenir son aide...

— Vous êtes fous ! Vous n'en sortirez pas vivants !

Il lui offrit un sourire qui ressemblait assez à une grimace.

— C'est ce qui nous fait hésiter. Si l'on nous assassine pour nous détrousser, les pauvres victimes n'y gagneront pas grand-chose. Nous avons remarqué cependant que les meurtres avaient lieu surtout les nuits de pleine lune. C'est assez étonnant, car ce sont les nuits les plus claires...

Sylvie se laissa glisser à ses pieds et prit ses mains dans les siennes :

— Je vous en supplie, cessez de mettre votre vie en danger de cette façon ! Je sais bien que c'est affreux mais ces femmes savent qu'elles courent des risques puisque le plus simple promeneur attardé en court la nuit dans Paris. Et s'il vous arrivait quelque chose... je n'aurais plus personne au monde. Et... je vous aime beaucoup !

Touché, il la fit asseoir sur ses genoux comme lorsqu'elle était toute petite et l'embrassa doucement :

— Ne vous tourmentez pas, mon cœur ! Nous savons nous défendre et nous sommes toujours bien armés. Le pire, c'est cette loi du silence que l'on rencontre dans les bas-fonds. Personne ne veut nous aider parce que tout le monde a peur...

— Alors, renoncez !

— Non. C'est impossible ! Je ne peux pas renoncer : je l'ai juré et...

Il se tut en comprenant qu'il s'engageait dans un chemin épineux, mais Sylvie avait très bien entendu :

— Vous avez juré ? À qui ?

La voix de Corentin qui venait d'entrer sans qu'on l'entendît avec un panier de bûches s'éleva soudain :

— Vous devriez lui dire la vérité, monsieur le chevalier ! Elle est assez grande, maintenant, et comme elle vit à la Cour elle doit tout savoir d'elle-même afin de se mieux protéger.

— Tu crois ?

— Oui. Il est temps...

Perceval repoussa Sylvie pour lui faire prendre place dans le fauteuil en face de lui.

— Après tout, tu as raison.

Alors il raconta : son amitié pour les Valaines, le tendre sentiment qu'il vouait à Chiara et puis le drame de La Ferrière, le sauvetage de Sylvie par François, son installation chez les Vendôme et la décision prise de changer son nom et de ne rien négliger pour effacer de sa mémoire ce qui pouvait demeurer des souvenirs de sa petite enfance.

Elle l'avait écouté avec une attention passionnée mais, quand il eut fini, elle garda un moment le silence.

— Sylvie de Valaines ! soupira-t-elle enfin. C'est vrai que je m'appelais ainsi. Je me souviens maintenant ! C'est comme si vous veniez de déchirer un rideau de brumes accumulées autour de moi...

Tout reparaît... Oh ! c'est étonnant ! Et Jeannette qui n'a pas parlé durant ce temps !

— Elle vous aime et elle a juré de se taire, comme vous allez me jurer de garder tout cela au fond de votre mémoire sans lui permettre jamais de revenir en surface. Ce serait trop dangereux ! Il suffit que ce La Ferrière sorti on ne sait d'où ait osé un jour demander votre main.

— Vous croyez qu'il sait ?

Perceval sourit tendrement à sa filleule :

— Il n'y a pas besoin de savoir pour avoir envie de vous épouser, mon petit chat ! Vous êtes si mignonne ! Demandez plutôt à notre ami d'Autancourt !

— Ainsi, vous pensez que le misérable qui assassine dans les rues est celui qui a tué ma mère ?

— J'en suis persuadé. Le procédé est le même, la signature est la même...

— Mais enfin, pourquoi ? Quand on aime quelqu'un...

— L'amour chez un être foncièrement mauvais peut être le pire des maux. Le malheur de votre mère est de s'être trouvée mêlée sans le vouloir à ce que l'on peut appeler un secret d'État.

— Déjà ? soupira Sylvie.

— Pourquoi déjà ?

Elle haussa les épaules :

— Vous savez bien ce que je vous ai confié, mon parrain ! Je commence à me demander si les femmes de ma famille n'y sont pas vouées de mère en fille ! En tout cas, je viens, grâce à vous, de comprendre pourquoi, lorsque nous séjournions à Anet, on nous a toujours interdit d'aller du côté de ce château qui s'appelle La Ferrière...

En rentrant au Louvre, raccompagnée jusqu'au corps de garde par Perceval, Sylvie trouva la Reine et ses dames dans une grande et joyeuse agitation qui n'avait rien à voir avec ce qui avait dû se passer au Val-de-Grâce la nuit précédente : des courriers étaient arrivés de Rome, précédant un convoi de statues et de bronzes antiques destinés au Palais-Cardinal. Les sacs dont ils étaient chargés et dont la destinataire était la Reine venaient de révéler des trésors : gants, parfums, dentelles de Venise, brocarts de Milan, coraux destinés à faire des colliers et d'autres encore de ces menus objets très chers dont raffolaient les femmes. Le cabinet de la Reine, ce soir-là, ressemblait à une volière... ou à une boutique de mode.

— Cela vient de Rome ? s'étonna Sylvie. Est-ce le pape qui les envoie ?

Marie de Hautefort éclata de rire :

— Mais non, petite bécasse ! Ces présents viennent d'un personnage qui a trouvé le moyen d'être au mieux avec le Cardinal et de plaire à la Reine. C'est monsignore Mazarini...

— Je n'ai jamais entendu ce nom.

— Comment le pourriez-vous ? Il s'est fait remarquer par Richelieu au moment de l'affaire de Casale où il a joué un rôle diplomatique. Ensuite, il nous est revenu, voici... trois ans je crois, comme vice-légat de Sa Sainteté, et peu après le pape l'envoyait comme légat extraordinaire. Le Cardinal l'apprécie...

— Et malgré cela il plaît à Sa Majesté ?

— Eh oui ! Il est de petite naissance, mais il a beaucoup de charme et, si vous voulez tout savoir — l'Aurore se pencha sur sa jeune compagne pour murmurer à son oreille — il ressemble un peu au défunt duc de Buckingham !

— Mon Dieu, mais alors ?

— Tst tst tst ! Du calme. Personne n'est menacé par son souvenir. Encore que ce Mazarini fasse tous ses efforts pour qu'on ne l'oublie pas. D'après ce que je sais, il brûlerait de revenir en France... et même de se faire naturaliser pour travailler avec notre ministre dont il proclame partout que c'est le plus grand homme qu'il ait connu. Je le hais !

Cette opinion sans appel mettait fin au dialogue. Sylvie l'oublia vite. La Reine distribuait quelques-uns des présents romains qui, visiblement, l'enchantaient. Il y avait longtemps qu'on ne l'avait vue aussi gaie. Armée d'un ravissant miroir à main en ivoire ciselé, elle examinait son image avec un sourire plein de complaisance. Elle se trouvait belle et elle l'était...

— Inutile de demander si tout s'est bien passé cette nuit, murmura Sylvie qui rejoignait Marie auprès d'un cabinet à bijoux.

— Le mieux du monde. Bien que l'on ait perdu beaucoup de temps dans une pique de jalousie touchant Mme de Montbazon. Aussi notre amoureux n'était-il qu'à moitié content. Surtout parce que l'on ne se reverra pas avant longtemps. Nous sommes entrés dans l'Avent. Bientôt viendront les fêtes de la Nativité. Nous allons pouvoir nous reposer un peu, Sylvie. Surtout si demain les choses tournent comme je l'espère...

— Qu'y aura-t-il demain ?

— Vous le verrez bien. Enfin... je crois !

Sylvie n'osa pas insister. L'Aurore avait sa mine déterminée. Elle n'en dirait pas plus. Aussi la soirée s'étira-t-elle de façon interminable pour la jeune curieuse, encore que la Reine l'eût invitée à chanter. Anne d'Autriche se sentait surexcitée, le besoin d'une voix douce et d'une tendre musique se faisait sentir. Tandis que Sylvie interprétait une romance, elle se demandait à qui pouvait rêver celle qui l'écoutait en caressant distraitement les turquoises incrustées dans le beau miroir reçu ce tantôt : à celui qui l'avait envoyé, à l'amant de cette nuit, ou au souvenir mal éteint du bel Anglais dont, depuis des années, elle n'était pas parvenue à effacer l'image ?

Le lendemain se leva, gris, terne, traversé d'un vent aigre qui ne donnait guère envie de sortir. Les heures se traînèrent entre le lever, la messe et les différents exercices de dévotion, les audiences, les repas et les visites de l'après-dîner au nombre desquelles furent Mme de Vendôme et Élisabeth que Sylvie n'avait pas vues depuis longtemps. Elles revenaient de Saint-Lazare, où monsieur Vincent s'inquiétait du nombre croissant des enfants abandonnés, avec l'intention de faire appel à la générosité de la Reine. Ayant obtenu pleine satisfaction, elles ne prolongèrent pas leur visite et se contentèrent d'embrasser Sylvie avant de repartir. Le temps d'ailleurs se gâtait sous la poussée de vents tourbillonnants qui n'annonçaient rien de bon :

— Nous allons avoir un bel orage ! remarqua Hautefort en regardant, sur la Seine, les mariniers qui se hâtaient d'accoster. Puis, elle ajouta, tout bas : « Je commence à croire que le Ciel est avec nous ! »

Dès lors, elle resta sans bouger dans l'embrasure profonde d'une fenêtre, observant les progrès du mauvais temps. Vers quatre heures, l'orage éclata avec une violence qui fracassait les branches des arbres, arrachait les bâches des échafaudages dans la cour du Louvre et faisait envoler les ardoises de plusieurs maisons. Il dura longtemps, au point que le confesseur de la Reine conseilla aux dames de se mettre en prières. Seule Marie de Hautefort resta où elle était, mais si droite, si absente, si tendue vers le ciel noir dont elle semblait écouter les voix furieuses que nul n'osa la déranger...

Et puis, soudain, le vacarme du dehors s'augmenta de celui du palais. Des appels, des ordres après le galop d'un cheval, des claquements d'armes et l'annonce d'une approche relayée de porte en porte jusqu'à ce que celles de la Reine s'ouvrent devant un cavalier trempé dont, quand il salua, les plumes sans forme du chapeau envoyèrent des gouttes à tous les horizons.

— Eh bien, monsieur de Guitaut, que venez-vous nous dire en si grande hâte ? demanda Anne d'Autriche qui avait reconnu le capitaine des gardes.

— J'annonce le Roi, Madame... si toutefois Votre Majesté veut bien lui offrir l'hospitalité de son appartement ?

— Où se trouve mon époux ?

— Au couvent de la Visitation, Madame. Le Roi se rendait de Versailles à Saint-Maur où son service l'a précédé depuis ce matin, mais l'orage est si terrible que les dames du couvent ont supplié Sa Majesté de ne pas s'aventurer à travers la forêt de Vincennes où les arbres s'abattent. Le chemin est trop long. Le Louvre beaucoup plus proche...

Le sourire de la Reine alla rejoindre celui de Mlle de Hautefort qui s'était décidée à quitter son embrasure et l'avait rejointe avec un visage quasi rayonnant.

— Le Roi est partout chez lui, monsieur de Guitaut. J'espère qu'il ne doute pas du plaisir que je vais avoir à l'accueillir ?

— Non... En vérité non, mais le Roi craint de déranger fort Votre Majesté dans ses habitudes [1]. La Reine soupe tard, se couche tard et...

— Et mon époux n'aime ni l'un ni l'autre, conclut Anne d'Autriche en riant franchement. Retournez à son devant... ou plutôt envoyez quelqu'un de plus sec lui dire que les ordres vont être donnés et qu'il trouvera toutes choses à sa convenance.

1. Lorsqu'elle était seule — et c'était souvent ! — la Reine vivait à l'heure espagnole.

— J'y vais moi-même car on ne peut être plus mouillé que je le suis ! Et je rends grâces à Votre Majesté !

Aussitôt, ce fut le branle-bas de combat. On envoya aux cuisines donner les ordres nécessaires à faire presser les préparations, on fit « mettre le chevet » dans la chambre de la Reine et le palais, avec la mine la plus riante qui soit, attendit son souverain dans une sorte de fièvre. L'événement que l'on attendait depuis si longtemps allait-il enfin se produire ? Le Roi se contenterait-il de dormir auprès de sa femme, ou bien... ?

Cette question, Sylvie ne put s'empêcher de la formuler tandis que, dans la garde-robe de la Reine, elle aidait la dame d'atour à rassembler les éléments de la toilette que leur maîtresse réclamait. Marie lui rit au nez :

— Comment voulez-vous que je vous réponde ? L'important c'est qu'il vienne et je suppose que notre sœur Louise-Angélique a dû tout faire pour en arriver là, comme je le lui avais demandé. Quant au reste, je peux seulement vous dire que notre roi dormira bien...

— Dormir ? Mais...

— Il n'a sûrement pas d'autre intention mais, sachez-le, on peut très bien dormir... et aussi faire de beaux rêves. J'y veillerai, soyez-en sûre !

L'air béat de la Cour contrastait fort avec celui, plutôt renfrogné, de Louis XIII quand il fit son entrée dans la cour Carrée à la tête de ses cavaliers. Le descendant de Saint Louis n'avait pas la figure de quelqu'un qui va faire de beaux rêves. Sans doute sa courtoisie fut-elle sans défaut et même exquise quand il fit compliment à sa femme de son teint, de son éclat et de ses ajustements, mais il ne souhaitait de toute évidence qu'une chose : que cette nuit à laquelle Louise et les éléments déchaînés le contraignaient passe le plus vite possible !

On soupa en petit comité, à la grande déception de la foule des courtisans qui pensait repaître sa curiosité de chaque parole, de chaque expression du royal visage. Après quoi Leurs Majestés se retirèrent pour la nuit, escortées de leurs dames et gentilshommes, en moins grand nombre sans doute mais comme cela s'était produit au soir de leur mariage. En fait, c'était un peu cela : il y avait trois ans pleins que le Roi n'était venu dans le lit de sa femme... Pourtant, la dernière image que l'on eut du couple royal n'avait rien d'encourageant : après avoir fait peser un regard noir sur les saluts et les révérences, Louis XIII souhaita la bonne nuit à la Reine, enfonça son bonnet sur ses yeux, s'établit dans son coin et s'endormit aussitôt, en homme qui a vécu une longue journée.

Chacun s'éloigna en commentant l'événement à voix basse afin de ne pas éveiller le Roi, mais surtout les échos du palais. Le bataillon des filles d'honneur bruissait comme un essaim d'abeilles. Sylvie se contenta, en rejoignant son amie, de lever de fins sourcils interrogateurs. Presque aussi laconique, Marie lui dédia un sourire goguenard :

— C'est long, une nuit ! murmura-t-elle.

Personne ne dormit au Louvre. Le Roi avait ordonné qu'on l'éveille de bonne heure afin qu'il pût aller rejoindre ses meubles et ses serviteurs à Saint-Maur. Pour ne pas manquer le moment où il se rendrait à la messe, les courtisans choisirent de ne pas rentrer chez eux et s'établirent du mieux qu'ils purent dans les antichambres, les galeries et les salles de réception. Gagné par la fièvre, le chapelain coucha là, lui aussi.

D'autres encore veillèrent. Dans la chapelle de la Visitation Sainte-Marie, comme au Val-de-Grâce, comme dans les communautés de Paris, on pria à la lumière des cierges qui n'arrivaient pas à réchauffer les dallages glacés. On pria heure après heure pour que le couple royal enfin réuni donne un héritier au royaume. Les prières de sœur Louise qui s'efforçait de faire taire en elle les cris d'un cœur en proie à une bien terrestre jalousie réclamèrent inlassablement à Dieu un fils. Surtout que ce soit un fils, pour que les supplications dont elle avait accablé son royal ami dans la journée ne soient pas à recommencer !

Enfin, le courant d'air ne s'étant pas limité aux abbayes et monastères, dans les tavernes on but gaillardement à la santé du Roi. Une nuit pas comme les autres, en vérité, qui déboucha sur un jour gris et froid mais calme. La violente tempête venue de la mer poursuivait son chemin vers l'est : il ne restait plus qu'à ôter les traces de son passage.

Lorsque Louis XIII fit son apparition, botté, sanglé dans ses vêtements de daim de coupe militaire, impeccable à son habitude, il laissa peser un instant son regard sombre sur la foule fripée, défaite et exténuée que pliaient devant lui les rites du protocole. Le spectacle devait être assez divertissant car l'ombre d'un sourire passa sous sa moustache :

— Si j'étais de vous, messieurs, j'irais dormir !

Et il passa avec ses gardes, ses cent-suisses, sa maison militaire qui, n'en étant pas à une nuit sans sommeil près, cachaient mal leur gaieté. Sans se décourager cependant, la Cour reprit sa faction : on n'avait rien pu lire sur le visage indéchiffrable du Roi ; il fallait voir celui de la Reine, et celle-ci dormit plus tard que d'habitude.

Tellement longtemps même que la plupart se décidèrent à rentrer faire un peu toilette quand on sut que la Reine entendait la messe dans son oratoire privé. Mais, dans la journée, le tout-Paris qui avait ses entrées à la Cour se précipita au Louvre dans le sillage du carrosse de Mme la princesse de Condé. Les plus hautes dames, les plus grands seigneurs — ceux qui n'étaient pas en exil, aux armées, auprès du Roi ou en poste en province — accoururent pour offrir leurs félicitations à la Reine comme si elle venait d'accomplir un exploit. La duchesse de Vendôme vint des premières. Emportée par son enthousiasme, elle serra Anne dans ses bras :

— Ma sœur ! Quel grand jour ! Je viens de voir monsieur Vincent. Il est transporté de joie. Il a eu, ces jours, la révélation que vous seriez grosse !

Le dernier à venir fut celui que l'on attendait le

moins : François de Beaufort, à son tour, apportait ses hommages, mais son aspect lorsqu'il entra fit trembler Sylvie et ôta le sourire des lèvres de l'Aurore. En dépit de sa haute stature et de ses cheveux clairs, il ressemblait à une ombre. Somptueusement vêtu de velours gris brodé d'argent, il montrait sur la blancheur immaculée du collet empesé un visage tendu dont le hâle tournait au gris. Le chapeau d'une main, l'autre tourmentant le nœud de satin à la poignée de son épée, il s'avançait très droit, presque arrogant, et devant lui le cercle qui entourait la Reine se brisa, s'écarta.

— Mon Dieu, pria silencieusement Sylvie, faites qu'il ne commette pas de sottise ! Il a sa figure des mauvais jours...

— Ah, monsieur de Beaufort ! dit la Reine avec un grand sourire. Il y a longtemps qu'on ne vous a vu céans. Venez-vous aussi nous offrir vos compliments ?

— Certes, Madame ! J'ai appris avec une joie profonde que le Roi s'est enfin souvenu qu'il avait pour épouse la plus belle des dames. Et comme le bonheur est inscrit sur le visage de la Reine, je ne peux que m'estimer le plus heureux des hommes !

— Quel bon sujet vous faites, mon cher duc !

— Pas meilleur que les autres, Madame ! Je fais seulement comme tout le monde... Puis-je aussi complimenter Votre Majesté du ravissant éventail qu'elle manie avec tant de grâce ? Une très jolie chose en vérité !

— Et qui vient de loin. De Rome, pour ne vous rien cacher.

— Serait-ce mon oncle, le maréchal d'Estrées, qui en est l'envoyeur [1] ?

— Nullement. C'est un présent de monsignore Mazarini dont tous ici se souviennent avec plaisir, ajouta-t-elle en élevant la voix. Ce bibelot nous est arrivé avant-hier avec mille autres objets... N'est-ce pas qu'il est ravissant ?

De gris, Beaufort devint rouge brique. Ses yeux bleus étincelèrent de colère.

— Quelle audace chez ce fils de laquais qui n'est même pas prêtre d'oser faire des présents à la reine de France ! N'y a-t-il pas assez de bons gentilshommes chez nous pour offrir à notre souveraine tout ce qui pourrait lui plaire ?

Ce fut au tour de la Reine de rougir :

— Vous oubliez à la fois qui vous êtes et à qui vous parlez ! Vous insultez un absent, ce qui est grave puisqu'il ne peut vous répondre, et, ce qui l'est davantage encore, vous vous permettez de critiquer nos amitiés !

— Amitié ? Ce Mazarini est fort lié avec M. le Cardinal. Je ne savais pas que Votre Majesté partageait ses goûts.

— Il suffit, monsieur ! Retirez-vous. Votre présence ne nous est pas agréable !

L'apparition d'un couple retardataire — le gouverneur de Paris et sa femme, la ravissante duchesse de Montbazon — vint détendre l'atmo-

1. Il était alors ambassadeur à Rome.

sphère. François, très malheureux, recula, et plus encore qu'il ne l'eût voulu car Marie de Hautefort l'avait discrètement saisi par la ceinture et le tirait après elle jusqu'à ce qu'ils trouvent l'asile d'une encoignure où Sylvie vint les rejoindre.

Coincé entre une cariatide soutenant la grande tribune des musiciens et l'angle de la galerie, l'endroit, un peu à l'écart du tohu-bohu, était bien choisi. Quand Sylvie y arriva, Marie venait de passer à l'attaque :

— N'êtes-vous pas fou de venir ici avec une mine longue d'une aune et de vous en prendre à Sa Majesté comme si elle vous devait quelque chose ? En vérité, mon cher duc, je commence à regretter de m'être déclarée de votre parti. Vous n'êtes bon qu'à faire des sottises !

Aussitôt, Sylvie se glissa dans la robe de l'avocat :

— Ne soyez pas trop dure, Marie ! Ne voyez-vous pas qu'il est au supplice ?

— Et pourquoi, s'il vous plaît ? Parce que nous avons enfin obtenu que la Reine soit hors du danger d'être répudiée ? Vous venez là avec des airs de propriétaire et c'est tout juste si vous ne faites pas une scène de jalousie en règle.

— Quand on souffre, on ne raisonne pas vraiment... Il faut avoir pitié et consoler plutôt que d'accabler !

Vivement, François saisit la main de Sylvie pour y poser un baiser dévotieux puis la garda dans la sienne.

— Vous ne pouvez pas savoir ce que j'ai enduré

cette nuit à la pensée de ce qui se passait ici. Je les imaginais dans les bras l'un de l'autre, je...

— Vous avez beaucoup trop d'imagination, duc ! fit l'Aurore. Et pas assez de cervelle ! Quand donc comprendrez-vous que cette nuit était nécessaire pour qu'on ne risque pas d'être chassée pour adultère ?

— Sans doute, mais, depuis qu'elle est à moi, je ne supporte plus l'idée qu'un autre entre dans son lit.

— Un autre ? Le Roi ? souffla Marie indignée. Pour le coup, mon ami, vous êtes fou !

— Peut-être, mais je regrette surtout de vous avoir écoutée à Chantilly. J'aurais dû l'enlever et, à cette heure, elle serait gouvernante des Pays-Bas et ...

— Elle serait surtout une femme salie, décriée, abandonnée peut-être comme l'est la reine mère...

— Jamais ! Je lui aurais conquis un royaume...

— Balivernes ! Vous oubliez l'Inquisition ! Croyez-vous qu'une fois aux Pays-Bas, elle aurait toléré votre adultère affiché ? Le Cardinal-Infant non plus et, à cette heure comme vous dites, vous auriez sans doute été remis à des séides de notre Cardinal, à moins que l'on ne vous ait proprement tranché la gorge dans quelque coin bien noir !

— Vous êtes impitoyable ! Dites-moi au moins... comment cela s'est passé, car je suppose que vous avez épié le couple royal toute la nuit ?

— Il est vrai que je n'ai guère dormi mais je ne

vous dirai rien de ce que je sais. Il s'agit de mes souverains et je suis leur fidèle sujette !

— Et vous ? Me direz-vous ? pria François en attirant Sylvie presque contre lui. Vous deviez être là, vous aussi ?

— Pour qui me prenez-vous ? coupa Marie. Les secrets d'alcôve ne conviennent pas à d'aussi innocentes oreilles. Sur mon ordre, Mlle de L'Isle est allée se coucher. C'est, je suppose, la seule à avoir bien dormi cette nuit !

— Quand la reverrai-je ?

— Pas de sitôt, je le crains. Ou plutôt je le souhaite. D'une part nous entrons dans l'Avent et ensuite, si Dieu le veut, la Reine sera trop surveillée. Il faut vous éloigner !

— Ne me demandez pas l'impossible !

— Je vous demande l'indispensable pour sa sécurité... et la vôtre ! De toute façon et jusqu'à nouvel ordre, il ne faut plus compter sur moi... ni sur Sylvie bien entendu. Tâchez de vous distraire, faites un voyage, allez vous battre sous un nom d'emprunt ou mariez-vous !

Les yeux de François flambèrent de colère :

— Merci de votre aide, madame ! Je vais suivre, je crois, votre dernier conseil et songer à ma propre lignée !

Lâchant la main de Sylvie après l'avoir portée une dernière fois à ses lèvres, il se dirigea vers le groupe qui entourait la princesse de Condé. Sylvie et Marie le regardèrent s'éloigner.

— Ouf ! fit la seconde qui ajouta d'une voix

bizarre : « Fasse le Ciel que l'enfant qui viendra — si il vient ! — ne lui ressemble pas trop !... »

Comme la dame d'atour retournait avec décision vers la Reine, Sylvie ne put que suivre sans demander l'explication de ces paroles sibyllines. Explication qu'on ne lui donnerait sans doute pas. Le secret de la nuit royale était aussi celui de Marie et elle ne le partagerait avec personne. Surtout si, comme Sylvie le supposait, elle avait fait avaler au Roi, durant le souper ou dans le vin aromatisé du soir, une drogue quelconque...

À dater de ce jour, la Cour comme la Ville retinrent leur souffle. C'est tout juste si, dans les demeures royales, on ne marchait pas sur la pointe des pieds de peur d'effaroucher les fragiles esprits présidant à la gestation. La Reine passait en prières plus de temps que d'habitude. Le Roi, lui, changea de confesseur : au lendemain de la fameuse nuit, le père Caussin qui avait été aussi celui de Louise, se méprenant sur le contenu des recommandations de la jeune novice, crut bon de venir demander à son auguste pénitent de rappeler la reine mère d'exil, de rompre ses alliances avec les Hollandais et les princes protestants d'Allemagne, de baisser les impôts et de faire la paix avec l'Espagne : en résumé, de renvoyer Richelieu voir du côté de Luçon si l'herbe poussait mieux. Pour un jésuite, le digne homme faisait preuve de peu de discernement : Louis XIII l'envoya, non sans humour, discuter de ses projets avec le Cardinal, après quoi, une lettre de cachet exila l'imprudent à Rennes où il fut d'ailleurs traité avec beaucoup de respect. Un autre jésuite, le père Sirmond, prit sa place. Celui-là était d'âge canonique, un peu dur d'oreille, ce qui obligea Louis XIII à clamer ses confessions, mais au moins il ne se mêlait pas des affaires de l'État.

Quant à François, il entreprit de noyer son chagrin dans les plaisirs. On le vit beaucoup à l'hôtel de Condé, près du Luxembourg, et plus souvent encore place Royale, dans le tripot de luxe tenu par la Blondeau. Il y jouait gros jeu, buvait comme une éponge mais sans jamais perdre le contrôle de lui-même, ce qui lui permettait au moins d'éviter des querelles souvent fatales. Inquiet, son frère aîné voulut le ramener à une plus sage conception des choses :

— Vous êtes en train de devenir un « libertin », mon frère ! Croyez-vous que ce soit le bon moyen d'obtenir la main de Mlle de Bourbon-Condé ?

— Qui vous dit que j'en aie envie ?

— Quand vous n'êtes pas chez la Blondeau, vous bourdonnez autour d'elle comme une abeille autour d'une fleur. Elle vous plaît, j'imagine ?

— Elle est très belle mais son humeur me déconcerte : elle est plus froide et plus hautaine encore que Mlle de Hautefort, et offre un bizarre mélange d'infernale coquetterie et d'austère dévotion...

— Auriez-vous quelque chose contre la dévotion ? Notre mère en souffrirait beaucoup.

— Rien. Je suis moi-même un homme pieux, mais j'estime qu'il ne faut pas mélanger les genres.

En résumé, mon frère, je n'ai pas très envie de devenir l'époux de la belle Anne-Geneviève. En revanche, il me plaît assez que l'on m'y croie très disposé...

Mercœur n'insista pas. Il savait que la logique de son jeune frère n'était pas celle de tout le monde. François retourna à ses plaisirs.

Les fêtes qui marquèrent la fin de cette année 1637 si favorable aux armes de la France furent brillantes. Il y eut bal à Saint-Germain : Mlle de Hautefort, que le Roi s'était remis à courtiser, y brilla de mille feux et Mlle de L'Isle, dont la voix se fit entendre à plusieurs reprises, dansa pour la première fois avec une grâce qui enchanta la Cour. Cependant, comme François n'y vint pas — et pas davantage Jean d'Autancourt qui avait rejoint son père en Provence —, elle ne prit pas autant de plaisir qu'elle l'aurait cru à ce petit triomphe. En effet, amie de la favorite et proche d'une reine que tous adulaient à présent, la petite fille aux pieds nus de jadis devenait, sinon une puissance, du moins quelqu'un de tout à fait charmant qu'il était bon de courtiser... D'autant que le Cardinal n'avait pour elle que des sourires.

Son Éminence, elle aussi, participait à la gaieté générale. En son château de Rueil, Richelieu donna une grande fête où le Roi qui s'occupait volontiers de monter ces grands spectacles de Cour donna — et dansa — son ballet des Nations, dans lequel se produisirent toutes les belles dames. Sylvie, elle aussi, y joua un petit rôle, cependant que l'Aurore éclipsait les autres femmes par son éclat.

Et puis... et puis, dans sa première gazette de février 1638, Théophraste Renaudot écrivit : « Le 30 tous les princes, seigneurs et gens de condition se sont allés conjouir avec Leurs Majestés à Saint-Germain, sur l'espérance conçue d'une très heureuse nouvelle à laquelle, Dieu aidant, nous vous ferons part dans peu de temps. »

Enfin ! La Reine était enceinte ! Paris éclatait de joie. Soulagées d'un grand poids, Marie et Sylvie en pleurèrent dans les bras l'une de l'autre. François, lui, se soûla comme toute la Pologne à lui tout seul. Au point qu'il fallut que ses écuyers le ramènent, inconscient, à l'hôtel de Vendôme.

Il prétendit ensuite que c'était sa façon à lui de fêter l'événement, mais son « allégresse » ressemblait beaucoup à celle de Monsieur. Au château de Blois, en effet, on s'efforçait de faire contre mauvaise fortune bon cœur devant une nouvelle qui abattait les espérances du duc d'Orléans. Des espérances que, cependant, il s'efforçait de ranimer en pensant que la Reine n'avait fait jusqu'à présent que des fausses couches et que, au pire, si elle s'obstinait à garder son enfant, celui-ci avait une chance sur deux d'être une fille. Aussi les prières de l'héritier inquiet ainsi que ses confessions prirent-elles une drôle de tournure.

Dans la première quinzaine de février, on porta chez la Reine, en grande pompe, la ceinture de la Vierge du Puy-Notre-Dame — au sud de Saumur —

qui, rapportée de Jérusalem au temps des Croisades, possédait, assurait-on, le pouvoir de diminuer les douleurs de l'enfantement. De ce jour, les appartements d'Anne d'Autriche embaumèrent l'encens au point qu'il fallut souvent ouvrir les fenêtres.

Ce fut au lendemain de ce beau jour que Corentin, ravagé d'angoisse, accourut à Saint-Germain pour annoncer à Sylvie une terrible nouvelle : la nuit précédente, Perceval de Raguenel avait été arrêté par le guet et le Lieutenant civil en personne pour avoir assassiné une prostituée...

CHAPITRE 11

UN PIÈGE IMMONDE...

Cette nuit-là qui était de pleine lune, Perceval et son ami Théophraste visitaient du côté de la porte Saint-Bernard les abords du Petit Arsenal où le Roi avait installé depuis peu la fabrication de poudre à canon, jusqu'alors intégrée au Grand Arsenal des environs de la Bastille. De ce fait, le lieu, désert et plutôt inquiétant, avait été adopté par des truands avides de tranquillité et quelques courageux cabarets où se traitaient de fructueuses affaires. Tout naturellement, des filles s'étaient intégrées à cette faune.

Le hasard n'entrait pour rien dans le choix de ce nouveau terrain d'exploration : un court billet griffonné sur du papier sale et froissé était arrivé sur la table du gazetier. L'écriture tremblée laissait supposer que le correspondant inconnu mourait de peur. Celui-ci recommandait d'ailleurs à Renaudot la plus grande prudence, le tueur au cachet de cire étant dangereux.

— Pourquoi vous prévenir, vous ? objecta Raguenel qui trouvait le procédé bizarre. Vous ne remplacez pas, j'imagine, les archers du guet ?

— Je ne sais pas si vous l'avez remarqué mais, chez ces messieurs chargés de la paix nocturne de Paris, on n'est pas très courageux. Et cette histoire répand un parfum de soufre bien propre à glacer la moelle des os. Et puis, il se peut aussi que notre correspondant n'ait pas la conscience très pure et ne souhaite pas approcher de trop près des autorités portées parfois à confondre indicateur et coupable.

— C'est sagement pensé. Nous irons donc ce soir.

Humide et doux pour la saison, le temps annonçait déjà le printemps quand la barque de Renaudot déposa les deux hommes au port Saint-Bernard. Des nuages se poursuivaient d'un bout à l'autre du ciel, cachant parfois le disque blanc de la lune. Le Petit Arsenal, long bâtiment flanqué de maisons basses, apparaissait dans une sorte d'isolement silencieux mais le quartier voisin offrait une collection de masures plus ou moins lépreuses où l'on n'avait pas l'air de dormir : quelques lumières brillaient derrière les carreaux sales et, dans une taverne dont l'enseigne grinçait, quelqu'un chantait...

Les deux amis parcouraient les ruelles creusées d'ornières d'où émergeaient plus de détritus que de pavés sans avoir rien rencontré de suspect quand, soudain, un cri, le terrible cri qu'ils connaissaient déjà, se fit entendre.

— C'est par là ! souffla Théophraste en indiquant une artère qu'ils avaient visitée peu de temps auparavant.

Ils s'élançaient, guidés par un gémissement qui se poursuivait, quand un autre cri, plus affreux encore que le premier, éclata dans la direction opposée. Cette fois, c'était près de l'Arsenal...

— Continuez seul ! J'y vais, décida Perceval qui prit sa course vers le bâtiment militaire. En tournant le coin, il aperçut une ombre qui, tel un rat, se faufilait dans un boyau entre deux maisons basses, et naturellement l'y suivit. Mais à peine était-il entré dans l'étroit passage qu'il buta sur quelque chose et tomba de tout son long sur ce qui était un cadavre encore chaud. Au même instant, il recevait sur le derrière du crâne un coup violent qui lui ôta toute conscience.

Naturellement, de ce qui s'était passé en réalité, Corentin ne savait rien. Il ne put donc rapporter à Sylvie que ce que lui avait confié l'exempt de police Desormeaux, qui était le bon ami de Nicole Hardouin et qui, par chance, avait été chargé de la perquisition au domicile du prétendu coupable. Une chance, en effet, parce que, grâce à lui, les chers livres et papiers de Perceval, sa jolie maison, n'avaient subi que peu de dommages. Il n'empêche que ce qu'avait dit Desormeaux était grave : le guet, prévenu par un billet anonyme, s'était porté à l'endroit indiqué et avait trouvé le chevalier évanoui sur le corps d'une fille égorgée et portant au front le fameux cachet de cire. Le couteau qui avait servi était à portée de sa main, comme s'il s'en était échappé, et, mieux encore, on avait trouvé dans sa poche un morceau de cire à cacheter, un briquet, une chandelle et un petit sceau ciselé à la lettre omega. Ce dernier détail mit un comble à l'indignation de Sylvie :

— Et personne ne s'est demandé qui avait pu l'assommer ? À moins qu'il n'ait fait ça tout seul ?

— On a conclu que quelqu'un l'avait surpris au moment de son forfait mais, terrifié par le spectacle, avait préféré se sauver.

— On n'a pas pensé non plus que le cachet et le reste pouvaient avoir été glissés dans ses poches par le meurtrier dont nous savons très bien, vous et moi, que ce ne peut pas être lui. Au fait, et M. Renaudot qui était avec lui ? Il n'a rien trouvé à dire ?

— Il en est incapable, car il est au lit avec une forte fièvre. On l'a découvert à quelques toises de l'Arsenal, couché à terre, avec une blessure à la tête. Lui aussi a dû être assommé.

— Et c'était aussi sur une femme égorgée ?

— Non. Il n'y avait rien. Le Lieutenant civil pense que notre maître a dû se prendre de querelle avec lui et qu'il a voulu le tuer avant d'aller commettre son forfait.

— Cela n'a pas de sens ! Tous deux cherchaient l'assassin au cachet de cire et, même s'il a une forte fièvre M. Renaudot doit pouvoir dire la vérité ?

— Eh non ! Il en est incapable car il n'a pas sa connaissance...

Terrifiée, Sylvie tourna vers Jeannette un regard lourd d'angoisse. Celle-ci demanda :

— Où est M. le chevalier à cette heure ?

— Au Grand Châtelet où on l'a ramené avec le

corps. Mais comme il est gentilhomme, on va le conduire à la Bastille pour y instruire son procès.

— C'est ridicule ! Un homme comme lui, arrêté pour ces crimes abjects ? Il faut être fou ou idiot pour ne pas croire ce qu'il dit !

— Les gens de police, vous savez, croient ce qu'ils voient sans chercher plus loin. Si Desormeaux s'est laissé aller à nous aider un peu, c'est parce qu'il tient à Nicole et qu'il sait très bien ce qu'elle lui réserverait s'il en allait autrement. Déjà, ce matin, elle a voulu lui taper dessus avec une bassinoire !

— Il doit exister un moyen de faire reconnaître son innocence ? La seule idée qu'il est aux mains de cet abominable Laffemas m'épouvante. C'est un homme affreux !

— Oui, mais... il est au service du Roi.

— Le Roi ! s'écria soudain Sylvie, éclairée par ce que venait de dire Corentin. Il faut que je voie le Roi !

— Vous n'ignorez pas, mademoiselle Sylvie, que le Roi est parti tôt ce matin pour Versailles.

— La Reine alors ! Maintenant qu'elle attend un enfant, son époux n'a rien à lui refuser !

— La Reine ne peut rien dans ce cas, objecta Corentin, et je serais étonné qu'elle fasse quelque chose ! En outre, on dit à Paris que notre Sire n'est pas aussi content qu'on pourrait le croire... Si j'osais vous donner un conseil...

— Eh bien, donnez ! Ne traînez pas !

— Ce serait de voir le Cardinal. Vous êtes en bons termes avec lui. Et puis, Rueil n'est pas aussi loin que Versailles ?

Sylvie, qui s'était mise à marcher de long en large en serrant ses mains l'une contre l'autre pour les empêcher de trembler, s'arrêta net.

— Vous pourriez bien avoir raison. Je vais y aller ! Mais il faut d'abord que j'obtienne la permission de sortir. Et puis il nous faut une voiture !

— Je ne suis pas venu à pied, mademoiselle Sylvie. J'ai pris la nôtre. Elle attend dehors sous la garde d'un gamin.

En se rendant chez la Reine, Sylvie avait dans l'idée de lui raconter l'histoire, dans l'espoir qu'elle parlerait à son époux. La malchance voulait que Marie de Hautefort, le meilleur avocat souhaitable pour plaider la cause de l'innocent Perceval, soit absente pour quelques jours, rappelée par sa famille au chevet de sa grand-mère, Mme de Flotte, dont elle avait reçu la survivance en tant que dame d'atour. Son influence sur le Roi était certaine et — Sylvie du moins le pensait — les choses avec elle se fussent arrangées plus aisément. Hélas, la jeune fille ne savait même pas où elle se trouvait. En outre, lorsqu'elle rejoignit le Grand Cabinet de la Reine, la pièce était remplie de monde, et pas des moins malveillants à son égard. Depuis l'annonce de la future naissance, la popularité d'Anne d'Autriche était remontée en flèche. Sylvie se contenta donc de demander à Mme de Senecey la permission de s'absenter du château pour quelques heures.

Elle entretenait de bonnes relations avec la dame d'honneur qui lui montrait beaucoup de gentillesse. Celle-ci n'eut besoin que d'un coup d'œil au charmant visage, toujours si souriant, du « petit chat » pour comprendre qu'il devait faire face à un problème sérieux.

— Vous n'avez pas l'air bien, mon enfant ! Que se passe-t-il ? Où voulez-vous aller, alors qu'il est déjà tard ?

— Je vais à Rueil, madame !

— Chez le Cardinal ? Vous a-t-il demandée ?

— Non. Pourtant, il faut que je le voie. Mon parrain, le chevalier de Raguenel, vient d'être arrêté pour un crime dont il est innocent. Je dois voir le Cardinal pour lui donner des explications qui, je l'espère, le convaincront.

— Mais, ma pauvre petite, on n'obtient pas une audience aussi facilement ! Il vous faut d'abord écrire, puis attendre une réponse, favorable ou non. Dans le premier cas, on vous indiquera une date, une heure...

— Quand il y va de la vie d'un homme, madame, c'est beaucoup trop long ! Chaque minute compte...

Sylvie montrait une telle détermination qu'elle impressionna Mme de Senecey.

— Bien ! soupira-t-elle. Dans ce cas, acceptez au moins un conseil. Quand vous serez à Rueil, essayez de savoir si M. de Chavigny se trouve au château. C'est, rappelez-vous, l'un des deux secrétaires d'État qui m'entouraient lorsque le Cardinal est venu à Chantilly. C'est un homme de bien et nous sommes amis. Je ne saurais trop vous conseiller de lui présenter votre affaire, mais s'il n'y est pas et puisque votre hâte est si grande, demandez le père Le Masle qui est le secrétaire de Son Éminence. Peut-être obtiendra-t-il que l'on vous reçoive ?

Vivement, Sylvie plia le genou pour une rapide révérence et, ce faisant, prit la main de la dame où elle déposa un baiser reconnaissant.

— Merci ! Oh ! merci, madame ! Je suivrai ce conseil-là !

Puis elle disparut dans un tourbillon de velours brun et de jupons blancs. Un moment plus tard, le petit carrosse de Perceval conduit par Corentin dévalait les hauteurs de Saint-Germain pour franchir la Seine au Pecq. À l'intérieur, Sylvie, enveloppée dans sa grande mante et assise auprès d'une Jeannette bien décidée à ne pas la quitter, s'efforçait avec peine de retrouver le calme obligatoire pour affronter l'homme le plus puissant du royaume dont elle savait qu'il pouvait être si redoutable. Afin de s'y aider, elle avait pris dans sa poche un chapelet et en égrenait les prières à mi-voix...

Pour y avoir figuré dans le ballet des Nations, quelques semaines plus tôt, Sylvie connaissait déjà le château de Rueil dont le Cardinal-duc avait fait un monument à sa gloire, si magnifique que d'importants événements s'y étaient déroulés, telles l'approbation des statuts de l'Académie française ou la signature du traité qui réunissait Colmar à la France. La demeure n'était pas immense, mais ses dépendances l'étaient. Entourée comme Limours de fossés profonds, elle disposait d'une chapelle, et aussi d'une oisellerie, d'un jeu de paume, d'une orangerie, de grandes écuries et surtout de jardins somptueux, plus beaux encore que ceux du Palais-Cardinal. Des grottes, des jeux d'eaux, des cascades les animaient, comme cette ravissante fontaine en forme de rose et cette haute « gerbe » jaillissant, devant la façade, d'un bassin octogonal. L'endroit était si charmant que le Roi aimait à s'y arrêter au retour de la chasse, pour causer avec son ministre en mangeant des tartes aux prunes.

Mais s'il lui était arrivé de le subir, ce charme, ce n'était plus le cas pour Sylvie, ce soir-là. Dans sa mémoire revenaient des récits entendus parfois, à voix basse, dans la chambre de la Reine. On disait que, sous le beau château, il y avait des oubliettes où le Cardinal faisait disparaître ceux qui le gênaient. On parlait d'exécutions secrètes, d'enterrements discrets dans le parc, de bourreaux masqués... Des légendes peut-être, mais à cette heure quasi nocturne où le jour déclinait, où les ombres prenaient de l'épaisseur, ces récits macabres devenaient singulièrement vivants et, dans son grand manteau, Sylvie frissonna.

Jeannette non plus n'était pas très rassurée. D'un voix un peu tremblante, elle murmura :

— Dieu que j'ai peur ! Pas vous, mademoiselle Sylvie ?

— Oh si ! Mais il faut y aller. Tu m'attendras dans la voiture.

M. de Chavigny n'était pas à Rueil, mais les gardes de la porte ne firent aucune difficulté pour aller prévenir le secrétaire de Son Éminence auprès de qui on la conduisit. C'était un religieux aimable, un peu replet, qui ne ressemblait en rien au père Joseph du Tremblay, fort heureusement. Il accueillit Mlle de L'Isle avec une surprise certaine mais une entière courtoisie.

— Son Éminence vous aurait-elle fait demander pour la distraire un moment ?

— Non, mon père. C'est moi qui, m'autorisant de la bonté qu'elle m'a toujours témoignée et, je l'avoue, avec une audace que je ne me serais pas permise en d'autres circonstances, souhaite obtenir d'elle un entretien.

— Maintenant ? Il est déjà plus de cinq heures et...

— Je sais qu'il est tard mais je vous supplie de croire qu'il s'agit d'une affaire très grave ! Dès l'instant où la vie d'un homme est en jeu...

— Ah ! Un homme ? Et qui vous touche de près ?

— C'est mon parrain ! Je l'aime et le respecte de tout mon cœur et il se trouve en ce moment victime d'une terrible erreur.

— Comment s'appelle ce bienheureux ?

— Bienheureux ? Alors qu'il risque l'échafaud ! Oh ! mon père !

— Ne vous offusquez pas. Je le disais bien heureux d'avoir su s'attirer tant d'affection de la part d'une si charmante jeune fille ! Alors, son nom ?

— Le chevalier Perceval de Raguenel. J'ajoute qu'il est un ami de M. Théophraste Renaudot que M. le Cardinal connaît bien.

— Et qui est fort malade, d'après ce que nous

savons ? fit le secrétaire d'un ton plus froid. Eh bien, attendez ici ! Je vais voir si Son Éminence consent à vous recevoir...

Guidée par le chanoine-secrétaire, Sylvie parcourut de riches appartements sans y prêter attention : le Palais-Cardinal et la soirée du mois de janvier l'avaient habituée aux fastueux décors dont aimait s'entourer le ministre. La seule chose qui l'étonna fut de ne rencontrer nulle part Mme de Combalet. Ce qui d'ailleurs la soulagea d'un grand poids. S'il avait fallu s'expliquer devant cette jolie femme au sourire cruel, l'épreuve eût été plus rude encore que prévu.

Autre surprise, la porte que l'on ouvrit devant elle était celle de la chapelle qu'une courte galerie reliait au bâtiment principal. Il y faisait assez sombre, le lieu n'étant éclairé que par une poignée de cierges brûlant devant un extraordinaire crucifix d'ébène et d'or et par la lampe signalant la Présence. Une longue forme rouge qui priait, agenouillée sur un prie-Dieu, se redressa au bruit des pas et se tint debout devant elle tandis que le chanoine s'éclipsait. Elle semblait barrer le chemin de l'autel, pourtant la jeune fille choisit de l'ignorer délibérément pour s'agenouiller un instant et adresser au Ciel une courte oraison qui était un appel au secours. Et ce fut seulement une fois relevée qu'elle offrit au Cardinal la protocolaire révérence qu'il attendait et dont il ne se pressa pas de la relever :

— Dieu premier servi ! murmura-t-il. C'est trop juste... et c'est très bien ainsi. Relevez-vous !

— Monseigneur, exposa Sylvie, je demande mille pardons à Votre Éminence d'avoir osé venir ici sans y être invitée. Je la supplie de croire qu'il m'a fallu une raison bien... terrible pour justifier une si grande audace. Et de la trouver ici ajoute à mon angoisse, car je crains vraiment d'être importune. Votre Éminence priait...

— Vous avez été surprise que l'on vous amène ici ?

— En effet, monseigneur...

— Vous qui disiez n'avoir pas peur de moi, je crois que ce soir, vous avez peur. Est-ce à cause de la présence de Dieu ?

La jeune fille planta dans celui du Cardinal son regard limpide.

— Je confesse que je suis pleine de crainte mais pas de Dieu qui est suprême justice, suprême miséricorde, parce que je sais qu'il lit en moi. Je voudrais tant que Votre Éminence puisse en faire autant !

— Pourquoi pas ? C'est difficile de mentir dans une chapelle. Surtout à votre âge. On y... confesse, comme vous venez de le dire. Eh bien, je vous écoute, ajouta-t-il en gagnant la haute chaise disposée à la gauche de l'autel et d'où il suivait les offices. Sylvie alors se trouva séparée de lui par la table de communion en bronze doré et les deux marches qui y menaient. Elle se sentit d'autant plus mal à l'aise, ne sachant plus par où commencer. Peut-être éprouva-t-il un mouvement de pitié pour cette enfant fragile qu'il avait placée dans une situation d'accusée, car il commença avec un peu d'impatience :

— On me dit que vous voulez m'entretenir du cas — grave ! — d'un sieur Raguenel, convaincu d'avoir commis en la ville de Paris plusieurs crimes d'inspiration satanique ?

« Seigneur ! pensa Sylvie affolée. Du satanisme à présent ? S'ils le condamnent, ce sera au bûcher ! »

L'horreur de la situation de son cher parrain lui rendit tout son courage. Elle commença par abandonner la troisième personne.

— Permettez, monseigneur, que je rectifie vos paroles. Le « chevalier » de Raguenel est un homme de bien. Sans doute le meilleur que j'aie jamais connu. Il craint Dieu, vénère son Roi, respecte Votre Éminence et jamais n'eut rien à voir avec... le démon. Là, elle se signa rapidement avant de reprendre avec force : « Il est d'autant plus innocent des horribles choses dont on l'accuse que voilà des mois qu'avec son ami M. Renaudot, il cherche à atteindre l'assassin... »

— Disons qu'il a fait semblant pour mieux commettre ses forfaits et, pour finir, il a assommé mon pauvre gazetier qui avait dû finir par comprendre.

— Et quoi encore ? s'écria Sylvie soudain hors d'elle au point d'en oublier où elle se trouvait. Il est facile, me semble-t-il, d'interroger M. Renaudot !

— Le Lieutenant civil n'y manquera pas, soyez-en sûre. Encore faudrait-il que le malheureux sorte de l'état lamentable où il se trouve par une autre porte que celle de la mort... ou de la folie. Mais, dites-moi ce qu'est pour vous ce Raguenel ?

— Mon parrain. Mon tuteur aussi de par la volonté de Mme la duchesse de Vendôme dont il était l'écuyer et qui le connaît bien. Peut-être pourriez-vous l'entendre elle aussi ?

Richelieu haussa les épaules :

— La duchesse est à la fois une brouillonne et une sainte femme. Quand elle prend quelqu'un sous sa protection, elle dirait n'importe quoi, la main sur la Bible, pour le sauver.

— Un faux serment ? Et sur le Livre saint ? Oh ! monseigneur ! On voit que vous ne la connaissez pas !

— Je la connais très suffisamment ! Est-ce tout ce que vous aviez à me dire pour la défense de votre... parrain ? Que c'est un brave homme ? Vous n'imaginez pas quelles tares se cachent parfois sous les aspects les plus bénins...

— Je n'ai pas seulement dit cela. Si Votre Éminence veut bien s'en souvenir, j'ai mentionné tout à l'heure que M. de Raguenel cherchait l'assassin au cachet de cire rouge depuis plusieurs mois. Je devrais dire depuis des années...

— Des années ? Pour ce que nous en savons, ce misérable ne sévit que depuis le dernier printemps...

— Il avait déjà sévi une fois au moins, il y a onze ans, aux environs d'Anet...

— ... qui est fief des Vendôme dont ce Raguenel était le serviteur. Je ne vois pas en quoi cette circonstance le déchargerait des crimes actuels ? Il me semble au contraire que cela l'accuse davantage.

— La victime était ma mère, que M. de Raguenel aimait. Elle et ses enfants ont été massacrés par une troupe d'hommes masqués afin de reprendre des lettres d'une grande importance pour un haut personnage. Leur chef était cet homme-là ! Et M. de Raguenel a juré de l'abattre un jour. C'est le hasard et M. Renaudot qui lui ont fait découvrir qu'à Paris l'homme commettait les mêmes meurtres...

— Votre mère et ses enfants ont été massacrés ? Et vous, alors ?

— Veuillez me pardonner : j'ai été la seule exception grâce à ma nourrice qui m'a couverte de son corps et ensuite à François de Vendôme qui m'a trouvée errant dans la forêt. J'avais quatre ans et lui dix !

Le Cardinal quitta soudain son siège, franchit la table de communion et prit Sylvie par le poignet :

— Venez avec moi ! Ce lieu sacré n'est pas fait pour que l'on y proclame de telles horreurs !

— N'entend-il jamais personne en confession ? Moi je dis la vérité et, ce faisant, je ne crains pas la colère de Dieu !

— Peut-être, mais je préfère que nous ne poursuivions pas ici. Vous comprendrez que nous allions dans mon cabinet...

Sylvie n'insista pas. La grande pièce de travail serait plus confortable pour cet homme vieilli avant l'âge dont la pâleur et les traits tirés, visibles en dépit d'un léger maquillage destiné à donner le change, l'avaient frappée lors du ballet. Et, de fait, revenu chez lui avec Sylvie à sa remorque, Richelieu enleva de son fauteuil de bureau son chat favori qui, réveillé, protesta. Le Cardinal s'installa à sa place et garda l'animal sur ses genoux. Quelques caresses le calmèrent rapidement.

— Il y a quelque chose de singulier dans votre histoire, mademoiselle de L'Isle. Je vous croyais originaire du sud du Vendômois où sont vos terres. Or vous me parlez d'un... château aux environs d'Anet ?

— En effet. Je porte un nom qui m'a été donné afin de me protéger...

— Êtes-vous en train de me dire que la Reine vous a prise à son service sans savoir votre identité véritable ?

— J'ignore ce qui s'est dit entre Mme la duchesse de Vendôme et Sa Majesté. Si elle sait, elle n'en a jamais rien témoigné. C'est d'ailleurs depuis peu que l'on m'a révélé ce qu'il en est de moi. Je m'appelle Sylvie de Valaines. Ma mère, une Florentine nommé Chiara Albizzi, était cousine de la reine Marie qui la prit à son service avant de la marier au baron de Valaines, mon père. Celui-ci n'était plus de ce monde quand le drame a eu lieu. Ma mère était seule à La Ferrière avec mon frère, ma sœur et moi, avec aussi nos serviteurs, dont ma nourrice. Tous ont été massacrés mais, avant de mourir, ma pauvre mère a subi un traitement ignoble : son assassin l'a violée et marquée au front d'un cachet de cire rouge portant la lettre omega...

Et soudain, avant même que le Cardinal eût pu placer un mot, une bouffée de colère l'enflamma :

— Et que l'on ne vienne pas me dire que ce misérable était Perceval de Raguenel qui adorait ma mère et qui, ce jour-là, n'a pas quitté un instant Mme la duchesse de Vendôme ! Personne n'a oublié ce jour horrible, à Anet, et tous pourront en témoigner ! Il n'est allé là-bas que sur l'ordre de la duchesse après que le prince de Martigues m'eut ramenée au château, pieds nus et vêtue d'une chemise ensanglantée. Ce qu'il a vu à La Ferrière l'a bouleversé, ravagé de chagrin, et il a juré de retrouver le bourreau pour lui faire payer son forfait...

— Et il l'a retrouvé ?

— Vous savez bien que non. C'est l'autre qui l'a trouvé et qui veut le charger de ses crimes ! Et maintenant, on prétend les lui faire payer ? Comment un homme de Dieu comme Votre Éminence peut-il condamner ainsi sans savoir ? Oh ! c'est infâme, c'est infâme !

La colère de Sylvie cassa net. Sa résistance nerveuse aussi et elle s'écroula sur le tapis, secouée de sanglots convulsifs. Richelieu se leva et vint jusqu'à elle mais laissa passer, sagement, le plus gros de l'orage. Ce fut seulement quand les sanglots commencèrent à s'espacer qu'il se pencha pour lui prendre le bras :

— Allons, levez-vous ! Il est temps de vous calmer ! Nous avons encore à causer...

Elle obéit à la légère traction qu'il exerçait sur son bras et se laissa guider jusqu'à un siège sur lequel elle se laissa tomber, vidée de ses forces. Le Cardinal considéra le flot de velours brun au milieu duquel la fragile silhouette semblait perdue. Quinze ans et déjà, derrière elle, une histoire si terrible ! Même un cœur cuirassé comme le sien pouvait s'en émouvoir...

Obéissant à un sentiment de pitié, il alla, comme elle l'avait fait plusieurs fois lorsqu'elle venait chanter pour lui, verser dans un verre un peu de malvoisie :

— Tenez... Buvez, mon enfant, vous vous sentirez mieux ! Il faut vous ressaisir.

Elle leva sur lui ses yeux inondés de larmes mais, en prenant ce qu'on lui offrait, rougit brusquement. Elle pensait soudain à la petite fiole de poison remise par le duc César et dont elle ne s'était pas débarrassée avec l'idée qu'un jour, cette porte ouverte sur la mort pourrait lui être secourable si elle en venait à trop souffrir. Ce soir, elle n'avait pas songé à l'emporter. Pour quoi faire, d'ailleurs ? Elle-même devait rester bien en vie pour veiller sur Perceval et la mort du Cardinal n'aboutirait qu'à précipiter son trépas. On le ferait disparaître sans la moindre hésitation !

Chassant ces pensées débilitantes, elle but un peu de vin et, en effet, se sentit mieux :

— Que de bonté, monseigneur ! Je prie Votre Éminence de me pardonner mon mouvement de colère ! Il tient tout entier dans la tendresse que je porte à mon parrain...

— C'est bien ainsi que je l'ai compris. Restez

assise, à présent, et causons !... Tout d'abord, comment s'appelle le château de votre enfance ?

— La Ferrière, monseigneur ! Il appartient maintenant au baron du même nom qui, voici peu, souhaitait obtenir ma main. Il estimait, paraît-il, que les Valaines n'y étaient que des intrus et il a réussi à obtenir de... du Roi qu'on le lui donne.

En dépit de son désarroi, Sylvie avait eu assez de présence d'esprit pour attribuer à Louis XIII un cadeau dont elle savait pertinemment qu'il venait du Cardinal. Les yeux de celui-ci parurent se rétrécir :

— Connaissiez-vous cela quand vous avez refusé M. de La Ferrière ?

— Nullement, monseigneur. Je n'ai su la vérité qu'il y a quelques semaines seulement. Je l'ai refusé parce que je ne l'aimais pas et que, même, il me faisait un peu peur. Non sans raison, car il n'a pas renoncé à me poursuivre. Cet été, à la place Royale, M. de Cinq-Mars s'est interposé entre lui et moi...

— Et il a bien fait ! Ce ne sont pas des procédés ! Autre chose, à présent ! À propos de la mort tragique de votre mère, vous parliez de lettres que l'on voulait lui reprendre. Savez-vous ce qu'étaient ces lettres ?

— Je ne sais pas grand-chose, monseigneur. Simplement qu'elles étaient de la main de la reine mère. C'était un peu normal, me semble-t-il, puisque ma mère lui était cousine, mais j'ignore ce qu'elles contenaient et à qui elles étaient adressées. Peut-être à ma mère ?

Le Cardinal eut une moue dubitative :

— Il faudrait qu'elles eussent contenu des confidences graves. Ce que j'ai peine à croire. Ne disiez-vous pas qu'elles étaient importantes pour un haut personnage ? De celui-ci, que savez-vous ?

— Rien du tout ! J'ai seulement pensé que c'était peut-être Sa Majesté le Roi, puisqu'il s'agissait de sa mère ?

— Le Roi eût envoyé des soldats commandés par l'un de ses grands serviteurs. Or, non seulement les gardes royaux n'ont pas vocation de massacrer les femmes et les enfants, mais vous avez mentionné des... inconnus masqués ?

— Oui, monseigneur. On a parlé d'une douzaine de cavaliers masqués et habillés de noir et...

— ... et mes gens à moi sont vêtus de rouge et je n'emploie pas de spadassins ! fit sèchement Richelieu.

— Pardonnez-moi, monseigneur, mais le Roi et Votre Éminence ne sont pas les seuls que de telles lettres pouvaient intéresser et les hauts hommes sont assez nombreux qui disposent de troupes plus ou moins régulières, ajouta Sylvie qui, sachant ce que lui avait appris Perceval, ne doutait pas que les meurtriers eussent agi pour le compte du ministre. Elle admettait cependant volontiers que leur chef, agissant en même temps pour son compte personnel, eût outrepassé ses ordres. Le malheur voulait qu'il soit impossible de donner le fond de sa pensée et d'interroger le Cardinal.

Savoir le nom de celui qu'il avait chargé de récupérer la dangereuse correspondance, c'était savoir celui de l'assassin au cachet de cire !

Sa réponse d'ailleurs avait l'air de convenir. Le dur visage se détendait un peu. Richelieu réfléchissait. Soudain, il demanda :

— Jureriez-vous sur l'Évangile qu'en cela vous m'avez dit la vérité ?

— Sans hésiter une seule seconde, monseigneur. Mettez-moi à l'épreuve !

Le regard sombre fouilla les prunelles claires au fond desquelles il ne réussit à déceler aucune ombre. Richelieu n'en avait pas encore fini pourtant avec l'affaire de La Ferrière.

— Ces cavaliers masqués, qui donc les a vus pour si bien les décrire ?

— Le village tout entier qu'ils ont terrifié. Ils sont venus en plein jour...

— C'est stupide ! Pour ce genre d'expédition, la nuit n'est-elle pas préférable ?

— Sans doute mais, dans la journée, surtout en été, portes et fenêtres sont ouvertes. En outre et pour ce que j'en sais, La Ferrière garde des défenses médiévales, des douves, un pont-levis...

— Pour ce que vous en savez ? N'y êtes-vous jamais retournée ?

— Jamais. Mme la duchesse de Vendôme tenait beaucoup à ce que j'oublie tout de ma petite enfance. Nous avions défense de diriger nos promenades de ce côté lorsque nous séjournions au château d'Anet.

— Et dans vos souvenirs, il n'y a rien ?

— C'est très vague. Depuis que je connais la vérité sur moi, je me suis efforcée de me rappeler, mais ce sont surtout des visages qui sont restés au fond de ma mémoire. Pour le reste, j'ai vu depuis tant de jardins et d'appartements qu'il m'est difficile de démêler tout cela...

— N'essayez pas ! Quand il s'agit de mauvais souvenirs, mieux vaut les laisser dormir !

— Pourtant, j'aimerais retrouver mon nom véritable, tout raconter à Sa Majesté la Reine. J'ai l'impression de porter un masque moi aussi !

— Outre que Mme de Vendôme ne donnerait sans doute pas son accord, je pense qu'il vaut mieux rester Mlle de L'Isle comme devant. Trop de questions se poseraient. Il faudrait expliquer trop de choses et, bien que vous n'y soyez pas depuis très longtemps, vous avez appris ce qu'est la Cour. Les secrets y sont difficiles à garder. Une excellente raison pour les préserver au mieux.

— Ne puis-je au moins me confier à la Reine ? Il m'est pénible de lui mentir...

— C'est tout de même préférable. Mais venons-en à Sa Majesté, puisque vous l'évoquez. Vous lui êtes dévouée, n'est-ce pas ?

— Tout à fait, monseigneur.

— Autant que Mlle de Hautefort dont vous êtes d'ailleurs l'amie ? Ce dont je vous félicite : ce n'est pas facile mais c'est un vrai privilège. Cela vous a valu de partager les secrets de votre maîtresse.

Le cœur de Sylvie manqua un battement devant le chemin dangereux que le Cardinal ouvrait à présent devant elle. Pourtant, l'attitude de celui-ci était bénigne, aimable même. Il la regardait avec l'un de ses rares sourires dont, en homme habitué à compter ses armes, il connaissait le charme. Mais ce charme, Sylvie n'y fut pas sensible. La peur lui revenant, elle ne vit qu'une chose : Son Éminence avait les dents jaunes !

— Encore faudrait-il que la Reine ait des secrets, répondit-elle. Ou, si c'est le cas, qu'elle juge à propos de les partager avec une fille de quinze ans. À cet âge... on n'est pas très fiable, peut-être ?

— Vous me donnez envie d'en juger. Parlez-moi un peu de vos séjours au Val-de-Grâce ! Vous y êtes allée à plusieurs reprises, il me semble ?

— Oui. Sa Majesté désirait m'entendre chanter avec les religieuses. Cela me plaisait beaucoup, c'était très beau...

— Et puis le jardin ne manque pas d'agréments. Et puis la petite porte était si commode, sous sa couverture de lierre ?

Sylvie se sentit frémir mais s'appliqua à garder bonne contenance. De toute façon, nier eût été stupide. Elle réussit à trouver un sourire :

— Ce n'était pas un bien grand secret. Elle permettait à la Reine de recevoir des nouvelles de sa famille et de son amie Mme de Chevreuse sans que tout le couvent en soit informé. Il y a parfois de mauvaises langues chez les moniales. Après tout, la Reine était chez elle dans cette maison qu'elle a construite, ajouta-t-elle audacieusement. Il était normal qu'elle y mène une vie moins épiée qu'au Louvre ou à Saint-Germain... et je ne comprends pas pourquoi la porte, comme je l'ai appris, a été murée sans qu'on lui demande son avis.

Les yeux du Cardinal se rétrécirent jusqu'à n'être plus que deux fentes brillantes, tandis qu'il considérait cette toute jeune fille dont il n'arrivait pas à démêler si elle était réellement ou faussement naïve. Pour en savoir plus, il choisit l'attaque brutale :

— Dans tout le royaume, le Roi est chez lui avant la Reine. Cette porte ne servait pas qu'à d'innocents courriers. Combien de fois l'avez-vous ouverte pour M. de Beaufort ?

L'épouvante qui se peignit sur le charmant visage encore mal rompu aux roueries de la Cour le renseigna mieux qu'un long discours. Et aussi la voix faiblissante, quand Sylvie demanda :

— Pourquoi M. de Beaufort ?

— Parce qu'il est l'amant de la Reine. Ne me dites pas que vous ne le connaissez pas ?

— J'ai dit tout à l'heure qu'il m'avait sauvée la vie toute enfant et Votre Éminence n'ignore pas que j'ai été élevée en partie auprès de lui. Mais, ajouta Sylvie en s'obligeant à reprendre pied, je ne le connais que comme serviteur dévoué de Sa Majesté. Je devrais dire Leurs Majestés car, lorsqu'il m'est arrivé de le rencontrer à la Cour, il s'est plaint souvent de ce qu'il n'avait plus le droit de combattre pour la plus grande gloire des armes du royaume.

— Jureriez-vous que vous ignorez tout de ses relations réelles avec votre maîtresse ?

— Je jurerais sans hésiter que je n'en ai jamais rien vu. Et je ne crois que ce que je vois !

— Autrement dit, vous ne croyez pas en Dieu ?

— Oh ! monseigneur, cette question est cruelle car elle me fait sentir que je me suis mal exprimée. Non, je n'ai jamais vu Dieu mais je n'ai pas à y croire ou non. Depuis toujours je sais qu'Il est présent en toutes choses, depuis le plus petit brin d'herbe jusqu'à la plus brillante étoile, et que je suis son enfant. Est-ce que l'on croit en son père ?... À ce propos, moi qui n'ai jamais connu le mien, puis-je demander humblement à Votre Éminence qu'elle veuille bien me rendre celui qui m'en tient lieu ?

— Je ne suis pas encore convaincu de son innocence. J'attendrai pour m'en assurer qu'il soit possible d'entendre M. Renaudot.

— Mais... s'il venait à mourir ?

— Priez ce Dieu dont vous sentez si bien la présence afin qu'il revienne à lui au plus tôt ! Le chevalier de Raguenel, lui, demeurera à la Bastille. Rassurez-vous, il ne lui sera fait aucun mal... Quant au duc de Beaufort dont il est évident que vous l'aimez, sachez qu'avant peu il rejoindra l'armée du nord...

— Il va en être si heureux !

— ... où il restera aussi longtemps qu'il le faudra. Il ne serait pas convenable, en effet, qu'on le voie dans les entours de la Reine durant sa grossesse dont je veux croire qu'elle donnera le résultat espéré. Sauf actions d'éclat exceptionnelles, il vaudra mieux qu'il s'y fasse oublier...

— Il a trop de bravoure pour cela, monseigneur !

— Je n'en ai jamais douté. Peut-être pourrait-il même y trouver une fin héroïque, grâce à quoi il deviendrait un exemple et la Reine pourrait chérir son souvenir en toute tranquillité !

— Une fin héroïque ? gémit Sylvie au bord des larmes. Votre Éminence souhaite qu'il se fasse... tuer ?

— Ce serait la meilleure solution... Ah ! j'y pense, vous saluerez Mlle de Hautefort lorsque vous la reverrez. Vous ajouterez qu'elle n'est pas aussi grand stratège qu'elle l'imagine et que, dans l'affaire des cuisines du Louvre par exemple, elle a reçu une aide qu'elle ne soupçonne même pas. Conseillez-lui donc de se taire à jamais sur ce qui s'est passé ces derniers mois si elle veut s'éviter un grand malheur. Quant à vous, je compte sur votre silence... total ! Sachez que le moindre bavardage intempestif serait une menace, non seulement pour votre vie mais, avant tout, pour celle de ce parrain qui vous est si cher ! Vous m'avez bien entendu ?

Devenue très pâle, Sylvie comprit que tout était dit, que l'audience était achevée, et elle plongea dans une profonde révérence :

— J'ai bien entendu, monseigneur ! murmura-t-elle en s'efforçant de ravaler ses larmes.

— Souvenez-vous toujours que rien n'est plus meurtrier qu'un secret d'État ! Je vais vous faire raccompagner à votre voiture.

Richelieu agita une petite cloche posée sur sa

table de travail et dont le son eut la vertu de faire apparaître un valet.

— Qui garde mon antichambre ?

— M. de Saint-Loup et M....

— Le premier suffira. Conduisez-lui Mlle de L'Isle et priez-le de l'accompagner.

Une dernière révérence et Sylvie, à peine plus rassurée qu'à son entrée, suivit son guide. Elle n'emportait qu'une assurance : celle que Perceval ne souffrirait aucun autre mal que la prison et, à la Bastille, il était toujours possible d'adoucir le sort d'un captif. Et puisque ce sort dépendait d'elle encore plus que de Théophraste Renaudot, si elle avait bien saisi la pensée du Cardinal, son cher parrain n'avait rien à craindre. Il n'en allait pas de même pour François. En le renvoyant aux armées, l'homme à la robe rouge n'avait d'autre idée que de l'expédier à la recherche d'un trépas qu'on l'aiderait peut-être à trouver. Comment attendre autre chose de Richelieu, puisqu'il n'ignorait rien des amours de la Reine ? Et Sylvie pensa soudain aux inquiétudes de Marie, au lendemain de la nuit du Louvre. N'avait-elle pas dit que les choses lui avaient semblé trop faciles, d'où sa décision de retourner au Val pour le dernier revoir des deux amants ? C'était folie, en effet, qu'espérer échapper à l'incessant espionnage qui était le climat même du palais ! C'était à croire vraiment que les murs, les portes, les fenêtres, les tentures étaient munis d'yeux et d'oreilles et qu'il n'existait de sûreté dans aucun recoin de l'antique demeure des rois de France...

Sans même prêter attention au garde en tabard rouge que l'on avait chargé d'elle, Sylvie parcourut sans les voir davantage les pièces somptueuses du château de Rueil. Ce n'est qu'en arrivant au grand escalier qu'elle sortit de ses tristes pensées, quand une voix désagréable se fit entendre à son côté :

— Monsieur de Saint-Loup, Son Éminence vient de changer d'avis. C'est à moi qu'elle confie Mlle de L'Isle ! Soyez donc remercié de votre obligeance et veuillez aller reprendre votre poste !

Avec horreur, Sylvie reconnut Laffemas. À la lumière des candélabres éclairant les nobles degrés, il lui parut encore plus sinistre et plus laid qu'à la Croix-du-Trahoir ou dans le parc de Fontainebleau. Pourtant, il s'efforçait d'être aimable. Le garde que l'on avait chargé d'elle s'inclinait déjà pour obéir au nouvel ordre qu'il recevait, et aussi pour la saluer.

— Venez, mademoiselle ! dit le Lieutenant civil en offrant une main qu'elle fit semblant de ne pas voir.

— Comment se fait-il, demanda-t-elle, que le Cardinal vous ait envoyé à la place de ce Saint-Loup ? Auriez-vous quelque chose à me dire ? ajouta-t-elle en se rappelant que c'était lui qui avait arrêté Perceval. Peut-être, pensa-t-elle aussitôt, devrait-elle faire quelque effort pour ne pas lui montrer à quel point il l'effrayait ? Même s'il était cruel, celui que l'on surnommait le « grand gibecier » n'était peut-être pas dépourvu de tout sentiment et pourrait lui donner des nouvelles du chevalier de Raguenel ?

— À vrai dire, fit Laffemas, c'est à ma demande

que Son Éminence a bien voulu m'accorder le plaisir que j'ai ôté à son serviteur. J'aimerais vous entretenir de... différentes choses qui pourraient être pour vous d'un intérêt extrême...

— Je veux bien vous croire, mais il se fait tard...

— Un moment ! Seulement un moment !

Ils arrivaient dans la grande cour mais, au lieu de la laisser se diriger vers sa voiture toute proche dont Corentin ouvrait déjà la porte, Laffemas s'empara de son bras et l'entraîna vers un autre carrosse qui se trouvait à quelques pas de là. Le procédé déplut à Sylvie :

— Que faites-vous, monsieur ? Si vous avez à me parler, faites-le maintenant.

— Pas au milieu de la cour. Il y a toujours tant de monde ! Venez jusqu'à ma voiture. Nous y serons tranquilles et je vous ramènerai tout aussi bien à Saint-Germain ! Allons, ne m'obligez pas à insister ! Il faut, vous entendez, il faut que nous causions ! Dites à vos gens d'aller vous attendre là-haut ! Ou plutôt, je vais le faire moi-même. Holà ! le cocher ! Je ramène Mlle de L'Isle au château. Allez à vos propres affaires !

Un instant plus tard Sylvie, moitié de gré moitié de force, se retrouvait sur les coussins de cette grande machine noire dont un valet claquait la porte. La peur la saisit et elle voulut réagir, appeler Corentin en se penchant au-dehors, mais déjà une main brutale la rejetait sur les coussins.

— Taisez-vous, petite sotte ! On ne résiste pas aux ordres du Cardinal !

— Qu'est-ce qui me prouve que ce sont les

siens ? Il a dit que M. de Saint-Loup me ramenait à ma voiture !

— Et à moi, il m'a donné celui de vous ramener chez vous !

— Jusqu'au château ? Nous avons tant à dire ?

— Plus que vous ne pensez !

Tirée par de puissants chevaux, la voiture partait déjà au galop. Tout s'était passé si vite que Corentin ne réagit pas mais Jeannette, qui attendait sagement sa jeune maîtresse à l'intérieur, surgit de la voiture et se jeta sur son ami. Elle était pâle comme une morte :

— Corentin ! L'homme qui vient de la faire monter dans cette voiture noire... je le connais !

— Moi aussi. C'est le Lieutenant civil !

— Tu ne comprends pas, s'écria-t-elle. C'est l'assassin de Mme de Valaines. J'en jurerais devant Dieu ! J'ai reconnu sa voix ! C'est lui, j'en suis sûre, c'est lui... et il l'emmène.

— Tu crois qu'il l'enlève ?

— Il faut le suivre... à tout prix ! Et sa voiture est plus rapide que la nôtre. Oh ! mon Dieu !

Et elle éclata en sanglots tandis que Corentin comprenait que le jeu ne serait pas égal.

— Arrange-toi pour ramener la nôtre au château et préviens la Reine ! Il faut que je le rattrape !

Sans rien ajouter, il courut vers un cheval sellé qui devait attendre l'un des gardes sous un arbre de la cour, sauta dessus en voltige, rassembla les guides et partit à fond de train mais, quand il franchit les douves de Rueil, l'attelage du

Lieutenant civil était déjà loin... Pas assez toutefois pour que les yeux aigus du Breton n'arrivent à distinguer deux circonstances alarmantes : d'abord, au lieu de continuer tout droit vers Saint-Germain, on avait obliqué à gauche en direction de Marly, et d'autre part deux cavaliers, sortis on ne savait d'où, escortaient maintenant le véhicule. Corentin comprit qu'à un contre quatre, certains bien armés, il ne serait pas de taille, mais son rôle était tracé : il fallait suivre, suivre à tout prix et où que l'on aille ! Par chance, il venait de voler un bon cheval et il n'était pas sans argent, mais son cœur se serrait en pensant à la petite Sylvie, si jeune, si fragile et qui se trouvait livrée à l'assassin le plus terrifiant du royaume...

CHAPITRE 12

... ET DES PERSONNAGES QUI NE LE SONT PAS MOINS !

Le mécontentement éprouvé par Sylvie quand Laffemas la contraignit à l'accompagner se changea en inquiétude quand elle vit que celui-ci s'accotait dans son coin sans sonner mot.

— Eh bien, qu'attendez-vous ? Je croyais que vous vouliez me parler ?

— Oh ! nous avons tout le temps !

— Le chemin n'est pas si long qui mène à Saint-Germain !

— J'ai dit que je vous ramenais chez vous. Saint-Germain appartient au Roi, il me semble !

— Chez moi ? Je n'ai pas de chez moi, sinon un vieux château en ruine au sud de Vendôme et que je n'ai jamais vu. Allez-vous répondre, à la fin ! Que signifie tout ceci ?

Il haussa les épaules avec un méchant sourire en relevant à peine ses lourdes paupières :

— Vous le verrez bien !... Puis, quittant soudain sa pose nonchalante, il se redressa pour prendre dans les siennes l'une des mains de son invitée forcée : « Allons, ne vous effrayez pas ! Je ne veux que votre bien... et même votre bonheur ! »

Ce simple contact eut le don de révulser Sylvie qui arracha sa main en criant :

— Vous mentez ! Vous n'avez fait que mentir depuis tout à l'heure ! Je veux descendre ! Arrêtez cette voiture ! Arrêtez !

Par deux fois, il la gifla, ce qui eut pour effet d'arrêter ses cris et d'augmenter sa colère. Elle se jeta alors sur la portière pour l'ouvrir, mais il se contenta de ricaner :

— Vous avez envie d'être foulée aux pieds des chevaux ?

En effet, un cavalier galopait presque contre la voiture et Laffemas mit son hésitation à profit en la tirant en arrière et en l'obligeant, avec une force insoupçonnée chez cet homme de peu d'apparence, à avaler le contenu d'une fiole qu'il lui enfonça presque jusqu'au fond de la gorge.

— En souvenir de notre première rencontre, grogna-t-il, j'aimerais assez voir l'effet que produiraient les fers de ces nobles animaux sur votre joli visage, mais il se trouve que j'ai pour vous d'autres projets.

— Quels que soient ces projets, cria-t-elle, il faudra bien que vous y renonciez car je ne vous obéirai en rien ! Et vous oubliez que je ne suis pas seule au monde. On me cherchera...

— Qui « on » ? Votre cher Raguenel ? Il n'est guère en état de s'opposer à moi !

— Je suis fille d'honneur de la Reine. Elle me fera chercher !

— Vous en êtes sûre ? C'est une personne fort

oublieuse que Sa Majesté, surtout quand il s'agit de femmes. Demandez plutôt à Mme de Fargis qui fut un temps sa dame d'atour grâce au Cardinal et qui, ayant choisi de servir la Reine et non son bienfaiteur, dépérit en exil à Louvain ? Loin des yeux, loin du cœur ! Telle est la devise de notre Reine et je ne jurerais pas que Mme de Chevreuse n'en fasse un jour l'expérience !... Non, la Reine est tout entière à sa joie d'être grosse et n'essaiera pas de vous retrouver. On saura d'ailleurs quoi lui dire...

— Et quoi ?

— Ce n'est d'aucun intérêt pour vous ! Ah ! vous bâillez ? Le sommeil vous gagne ? N'essayez pas de lutter. L'opiacé que vous avez bu est une drogue efficace... Et moi, je vais pouvoir prendre un peu de repos en votre aimable compagnie.

Malgré ses efforts, Sylvie avait de plus en plus de peine à garder les yeux ouverts. Quelques secondes encore, et elle s'endormit. Elle dormit même si bien qu'elle ne s'aperçut pas de l'accident qui immobilisa durant plusieurs heures, chez un charron de village, la voiture qui avait perdu une roue, et n'entendit pas davantage les imprécations de Laffemas...

Lorsqu'elle se réveilla, elle n'était pas au mieux : la puissante drogue en se dissipant lui laissait la tête lourde et la bouche pâteuse. On était en plein jour. Un jour, à vrai dire, peu réjouissant. Le ciel uniformément gris ressemblait à un couvercle posé sur la terre où l'herbe commençait à renaître, encouragée par les grandes pluies de février. Le premier mouvement de Sylvie fut d'écarter le rideau de cuir pour voir au-dehors, mais le paysage plat ne lui apprit rien.

— Où sommes-nous ? demanda-t-elle sans regarder le compagnon qui lui faisait horreur.

— Nous serons bientôt à destination. Voulez-vous un peu de lait ? J'en ai demandé pour vous au relais. Vous devez être affamée.

— Quelle sollicitude ! Avez-vous versé dedans une autre dose de votre drogue ?

— Non. Il est fort innocent. J'espère, d'ailleurs, ne plus en avoir besoin. Vous devez comprendre que votre intérêt est de vous tenir tranquille...

Elle n'avait pas faim mais seulement très soif et le lait lui parut d'autant plus délicieux qu'il lui rendit des forces. Ensuite, elle s'installa le plus commodément qu'elle put et garda le silence. Elle avait besoin de réfléchir et, par chance, son odieux compagnon respecta sa méditation. Sans doute pensait-il qu'elle commençait à s'engager dans le chemin de la résignation. Ce qui était une lourde erreur : Sylvie ne pensait qu'à trouver au plus vite un moyen de lui échapper.

Ses chances étaient minces contre un homme qui avait derrière lui la puissance du Cardinal. Où qu'il aille à travers le royaume, il lui suffisait sans doute d'invoquer son terrible maître pour que les dos se courbent et que naissent toutes les complaisances. C'est un si grand pouvoir que celui de la peur ! La pauvre Sylvie, engluée comme une mouche dans cette effrayante toile d'araignée, emmenée loin de Paris dans un endroit dont elle ignorait tout, ne voyait pas dans l'immédiat la moindre porte de sortie. Sur la route, en tout cas, il n'y en avait aucune : les cavaliers étaient toujours là, tout vêtus de noirs, aussi sinistres que l'équipage et que leur maître ! « Le mieux est d'attendre d'être arrivée, pensa-t-elle. À moins que l'on ne me jette dans quelque forteresse perdue au fond des provinces, je parviendrai peut-être à trouver un trou par où me glisser. Et même là, il faudra encore tenter d'en sortir... »

Pensées amères qui n'arrangeaient pas son moral. Des images défilaient dans sa tête : celle de Marie de Hautefort, sa chère amazone. Celle de François surtout ! Elle aurait eu tellement besoin de la force et du courage de « monsieur Ange » ! Mais il n'y avait aucune chance pour qu'il ait abandonné le tripot de la Blondeau et ses camarades de plaisirs frelatés pour jouer les chevaliers errants dans une campagne inconnue...

Soudain, quelque chose attira son regard absent, perdu dans le vague du paysage découpé par les rideaux de cuir : des toits bleus, des girouettes dorées, un foisonnement de magnifiques frondaisons... Anet ! Ce ne pouvait être qu'Anet tel qu'on le découvrait en arrivant de Paris. Le nom chanta dans son cœur mais ne franchit pas ses lèvres. Était-ce là qu'on la menait ? Ce serait trop beau car, au château comme dans le village, elle connaissait beaucoup de monde.

Elle étouffa cette magnifique lueur d'espoir. Qu'irait faire le suppôt du Cardinal dans un domaine des Vendôme, ses pires ennemis ?

D'ailleurs, le carrosse s'engageait dans un chemin qui faisait le tour d'Anet et Sylvie ne put retenir un soupir que l'affreux Laffemas traduisit sans peine.

— Non, nous n'allons pas chez vos chers protecteurs ! Souvenez-vous de ce que je vous ai dit hier ! Je vous ramène chez vous... mademoiselle de Valaines !

Au prix d'un effort surhumain, Sylvie réussit à rester calme :

— De quoi parlez-vous ? Je m'appelle Sylvie de L'Isle.

— Mais non. Et vous le savez. Pas depuis très longtemps, je veux bien l'admettre, mais vous le savez tout de même...

— C'est le Cardinal qui vous a dit ça ? Il n'a pas perdu de temps pour vous renseigner !

Il la regardait avec le sourire du chat qui s'apprête à gober une souris.

— Ce n'est pas lui. Je m'en doutais depuis le jour où je vous ai rencontrée avec Mme la duchesse de Vendôme à la Croix-du-Trahoir. Votre visage, même si la ressemblance était lointaine, m'en a rappelé un autre... qui m'était infiniment cher... et jamais oublié. Voyez-vous, petite Sylvie, j'ai aimé votre mère avant même qu'on ne la marie à ce benêt de Valaines. Le souvenir de sa beauté est de ceux qui ne s'effacent pas...

— Mais elle ne vous aimait pas. C'eût été surprenant. Même quand vous aviez vingt ans ! Il y a une laideur, celle de l'âme, à laquelle on ne s'habitue pas. Le malheur pour ceux qui en sont affligés veut qu'elle s'étale aussi sur leur visage.

Les yeux jaunes se plissèrent et le sourire se changea en une grimace que Sylvie lui préféra. Cette figure-là n'était pas faite pour le charme et l'amabilité.

— Est-ce que ça compte, la beauté chez un homme ? Pas plus que l'âge. Il suffit d'être riche et puissant. À ce moment, les plus belles n'ont qu'à s'incliner. Ce qu'elles peuvent penser est sans importance dès l'instant où elles ont été choisies. Moi, j'avais choisi Chiara Albizzi... Et Marie de Médicis, la grosse putain florentine, l'a donnée à un autre.

Ce soudain déferlement de haine ouvrit devant l'esprit de Sylvie des perspectives terrifiantes. Une idée abominable lui vint qu'elle exprima aussitôt d'une voix détimbrée :

— Et c'est vous qui l'avez tuée !

Ce n'était pas une question mais une certitude, une constatation lourde de chagrin et d'épouvante. Laffemas n'essaya même pas de nier. Il se sentait assez fort pour se passer de masque :

— Oui. Avec d'autant plus de joie qu'auparavant je l'avais faite mienne...

La jeune fille ferma les yeux. Elle comprenait qu'elle était désormais au pouvoir d'un démon et qu'elle devait abandonner toute espérance. Avec un regret poignant, elle songea à la fiole de poison qui reposait à Saint-Germain dans le baldaquin de son lit. Que ne l'avait-elle emportée ? Au moins, il lui resterait un moyen d'échapper au sort qu'on lui réservait et qui n'était certainement pas enviable... Elle n'eut même pas l'idée de chercher une prière. Pense-t-on à Dieu quand les portes de l'enfer vont se refermer sur vous ?

Elle n'eut pas besoin de demander le nom du château devant lequel on arriva peu après. Bien qu'elle ne l'eût jamais approché depuis tant d'années, elle savait que c'était La Ferrière. Les souvenirs de sa petite enfance se réveillaient et, avec le cadre, lui restituaient les personnages. Quand on eut franchi le vieux pont-levis qu'on n'osait plus trop manœuvrer, elle revit le temps d'un éclair les servantes se rendant au lavoir avec les lourds paniers de linge, une belle dame qui était sa mère lisant au jardin ou bien se rendant à la messe dans la petite chapelle. Elle revit Nounou, immense et débonnaire, la tenant par la main pour la promener puis l'enlevant soudain de terre pour lui plaquer de gros baisers sur les joues avant de l'installer confortablement sur son bras solide pour qu'elle pût voir choses et gens d'un point de vue plus élevé. Avec le souvenir revint la tendresse enfouie si profond dans son cœur qu'elle avait fini par s'y assoupir. C'est ainsi qu'elle se souvint de deux enfants plus grands qu'elle, un frère, une sœur, dont l'image avait dû se fondre, dans le temps, avec celle de François et d'Élisabeth de Vendôme...

Ainsi, comme il l'avait annoncé, Laffemas la ramenait chez elle ou ce qui l'était jadis. En fait, il lui mentait, puisque l'on avait donné le château à l'homme qui en portait le nom comme si c'eût été chose toute naturelle et comme s'il s'agissait de rétablir un ordre perdu dans la nuit des temps ou d'un dédommagement. Alors qu'il n'en était rien. Jamais aucun La Ferrière n'avait possédé le domaine. Perceval l'affirmait : le nom venait d'ailleurs.

Et bien entendu, quand on descendit de voiture, il était là pour lui offrir la main, ce Justin de La Ferrière que Sylvie détestait. Elle refusa d'y mettre la sienne mais il ne se fâcha pas, se contentant de la regarder avec un sourire goguenard. Et, tout de suite, elle prit feu.

— Voulez-vous m'expliquer ce que je fais ici ? s'écria-t-elle presque sous le nez du Lieutenant civil. Je n'y suis plus chez moi et vous le savez très bien !

— Sans doute, mais vous le serez bientôt. Il est apparu à Son Éminence qu'il était dangereux pour elle de vous laisser retourner à la Cour, surtout sous un nom d'emprunt.

— Ce n'est pas un nom d'emprunt. Il m'a été conféré bel et bien par Mgr le duc de Vendôme. Et je n'ai rien à faire dans une demeure étrangère...

— Dans quelques heures, vous en serez la châtelaine. Si je vous y ai amenée, c'est pour vous marier. Vous allez épouser ce soir même le baron de La Ferrière... Par ordre du Cardinal ! ajouta-t-il pour couvrir sa protestation, mais il était difficile de faire taire Sylvie quand elle avait quelque chose sur le cœur :

— Vous mentez ! Le Cardinal m'a lui-même

promis qu'il ne serait plus jamais question de ce mariage dont il sait que je ne veux pas.

— Ne pourrions-nous traiter cette affaire à l'intérieur ? intervint le baron. Il fait plutôt frais et même il commence à pleuvoir.

C'était vrai et mieux valait, en effet, rentrer. Le coup d'œil circulaire de Sylvie venait de lui montrer que s'enfuir de ce piège relevait de l'impossible. Elle pensa un instant à la petite fille qui était partie un soir en courant maladroitement sur ses pieds nus vers un destin meilleur et se dit qu'elle avait eu de la chance. Aujourd'hui, on ne lui en laissait aucune : outre Laffemas et son hôte, il y avait des serviteurs dont la mine ne lui disait rien, deux solides commères qui devaient être des chambrières et enfin les cavaliers d'escorte toujours en selle, immobiles et indifférents comme des statues équestres. Avec un soupir, elle rentra dans la maison de ses pères et se laissa conduire à une grande salle où l'on était en train de dresser le couvert. Cependant que des cuisines venaient des odeurs de pain chaud et de viande rôtie.

— On prépare le festin de nos noces, ricana La Ferrière. Vous voyez : vous étiez attendue.

— Vous pouvez garder votre festin. Jamais je ne vous épouserai. Jamais, vous entendez ?

— Mais si, ma chère, vous allez l'épouser et je vais avoir la grande joie d'être votre témoin. Le prêtre est arrivé ?

— Il se repose un peu cependant que l'on achève de parer la chapelle...

— La chapelle, notez-le bien, jeune dame, où

reposent vos parents. Cela devrait vous sembler de bon augure ? Voyez-vous, Son Éminence pense que vous savez trop de choses à cette heure et qu'il convient de vous remettre aux mains d'un époux qui saura non seulement vous garder auprès de lui, mais vous empêcher de revenir vous mêler de ce qui ne vous regarde pas !

La jeune fille haussa les épaules avec une grimace de mépris.

— Alors il me tuera, car je ne consentirai jamais à...

— Si vous êtes trop insupportable il faudra peut-être en venir là mais, pour l'instant, nous vous offrons une chance de vivre... de façon fort agréable aurès d'un époux aimant qui ne vous quittera plus.

— Pourquoi ? Il ne fait plus partie des gardes du Cardinal ?

— Non. Plus pour le moment. Un jeune époux se doit à sa femme.

— Cessez cette comédie ! Vous pouvez me traîner dans la chapelle, vous ne m'obligerez pas à dire oui. Pour le reste, enfermez-moi... ou mieux tuez-moi et n'en parlons plus !

— Faut-il vraiment renoncer à vous convaincre ? chuinta Laffemas avec un sourire mielleux.

— Faut-il vraiment vous le répéter ? D'ailleurs, je ne dirai plus un seul mot.

— Je crois que si... Au moins celui que nous attendons de vous et je suis certain que vous allez très vite reconsidérer la question...

Cette fois, il n'eut droit qu'à un haussement

d'épaules. Sylvie était décidée à ne plus faire entendre sa voix, mais il ajouta :

— À propos de question, M. de Raguenel n'y a pas été soumis. Pas encore. C'est une chose terrible, la question, vous savez. Le bourreau possède tout un arsenal propre à délier les langues les plus obstinées...

Sylvie sentit son cœur trembler mais, fidèle à sa ligne de conduite, elle tourna le dos au misérable pour aller tendre ses mains glacées au feu de la cheminée. Cependant, le Lieutenant civil la suivit :

— Il y a les coins qui font éclater les os des jambes, l'eau qui gonfle le corps jusqu'à l'insupportable, les tenailles brûlantes... Les plus durs cèdent... ou meurent ! Il est très possible de mourir sous la torture.

Il prit un temps, cependant que Sylvie ôtait ses mains de la bonne chaleur pour qu'il ne les vît pas trembler et les serrait l'une contre l'autre.

— Si l'on pousse au-delà de certaines limites, murmura Laffemas, la mort survient, mais... elle peut aussi prendre son temps, se faire attendre... désirer. Oh oui ! comme on la désire quand tout le corps n'est plus qu'une plaie, que les ongles sont arrachés, les yeux...

— Assez ! éclata Sylvie incapable d'en supporter davantage car, à mesure qu'il parlait, elle voyait son parrain subir ces horreurs. Je ne veux plus vous entendre !

Et, appuyant ses poings sur ses oreilles, elle courut vers la porte, s'y heurta à l'une des deux maritornes qu'elle avait aperçues en arrivant. Le Lieutenant civil reprit :

— Je vous en ai assez dit ! Suivez donc Gudrun ! Elle va vous conduire à votre chambre où vous vous préparerez pour la cérémonie... Ah ! n'essayez pas de causer, elle n'entend que l'allemand. Comme sa sœur Hilda.

La femme, dont le visage était à peu près aussi expressif que celui d'une gargouille en pierre, prit Sylvie par le bras sans trop de douceur et la conduisit à l'escalier qu'elle lui fit monter. À l'étage, la prisonnière retrouva la chambre qui avait été celle de sa mère, celle où Chiara avait vécu son martyre. Elle eut un regard pour la cheminée où Jeannette s'était cachée. Personne, cette fois, n'y était tapi, qui pourrait un jour rendre compte de son calvaire à elle.

Sur le lit, une robe était étalée et Sylvie eut un haut-le-corps en la reconnaissant. C'était l'une des siennes, sa plus belle, la robe blanche brodée d'argent, don d'Élisabeth de Vendôme, qu'elle portait le soir du *Cid*. Comment ses ravisseurs avaient-ils pu se la procurer ?

Elle ne s'attarda pas sur la question. Il y en avait trop qu'elle se posait depuis son enlèvement dans la cour de Rueil. Ces démons semblaient posséder le pouvoir d'agir à leur guise non seulement chez le Cardinal leur maître, mais aussi dans le palais des rois... L'idée lui vint cependant qu'en dépit de ce qu'on lui avait dit, Richelieu n'était peut-être pas à l'origine de cette aventure. Pourquoi l'avoir confiée à M. de Saint-Loup pour

la faire récupérer ensuite par son sbire ? Cela n
lui ressemblait pas, mais, au point où en étai
Sylvie, que le Cardinal fût d'accord ou non n
changerait rien. On le mettrait devant le fai
accompli et l'affreux Laffemas était suffisammen
retors pour lui présenter son inqualifiabl
conduite sous un jour flatteur pour lui.

Dans un geste de colère, la jeune fille arracha l
robe, la roula en boule et la jeta dans un coin de l
chambre, puis s'assit à sa place, bras croisés, dan
l'intention de ne plus bouger. Gudrun qui avai
achevé ses préparatifs se retourna, la regarda
puis, sans s'émouvoir le moins du monde, all
appeler sa sœur. À elles deux, elles se saisiren
d'une Sylvie qui tenta bien de se défendre mai
dut s'avouer vaincue : le « petit chat » n'était pa
de force contre les deux molosses, en dépit d
ses griffes. En un tournemain, elle se retrouv
dépouillée de ses vêtements, lavée et introduit
dans la jolie robe qui découvrait de façon si char
mante ses épaules fragiles et ses petits seins rond
encore menus. Puis on la recoiffa et, l'enveloppan
de son manteau, on la fit sortir, gagner la chapell
dont les vitraux bleus et rouges brillaient comm
des yeux dans le soir tombant.

Le château n'était pas grand, la chapelle n
l'était pas non plus, pourtant les quelques per
sonnes qu'elle contenait firent à Sylvie l'effet d'un
foule agglutinée devant un échafaud sur leque
La Ferrière, vêtu de velours pourpre, jouait asse
bien le rôle du bourreau. En outre, il y régnait u
froid humide qui la fit frissonner. Dès lors, l

pauvre enfant, vaincue par la fatigue et le désespoir, n'entendit rien, ne vit rien de ce qui se déroulait sous ses yeux. Elle pensait à tous ceux qu'elle aimait et qu'elle ne reverrait plus. Comme ils étaient loin ! Ils s'enfonçaient dans une brume toujours toujours plus épaisse, dans une mer toujours plus profonde sur laquelle surnagea finalement le seul Perceval dont le sort, à présent, dépendait d'elle. Il fallait le sauver, plus encore de l'horreur que de la mort dont elle savait qu'il ne la craignait pas ! Ensuite... le chemin semblait tout tracé.

La fiancée forcée s'intéressait si peu à la cérémonie qu'elle n'entendit pas le prêtre lorsqu'il lui demanda si elle consentait à épouser Justin de La Ferrière. Elle restait là, droite, immobile, quasi tétanisée, regardant sans le voir cet homme en chasuble brodée... Alors, une main de fer saisit sa tête par-derrière et l'obligea à s'incliner, selon la méthode employée jadis par le roi Charles IX, sur le parvis de Notre-Dame, pour extirper le consentement plus que réticent de sa sœur Margot au moment où elle épousait le Béarnais. Comme ce jour-là, l'officiant s'en contenta, bâcla la suite, et Sylvie se retrouva dehors, marchant au bras de son époux, vers le logis éclairé — assez modestement pour une noce ! — où il lui fallut prendre place à un festin dont elle ne mangea rien ou presque, se contentant d'un peu de ce vin de Loire que François aimait tant... L'idée lui vint d'en boire plus que de raison afin d'essayer d'oublier dans quelle situation abominable elle se trouvait.

Autour d'elle on baffrait, on buvait sans retenue. L'homme qui était à présent son époux buvait même plus que les autres, plus surtout que son « témoin » qui restait curieusement sobre. Sylvie pensa que c'était sans doute parce qu'il devait repartir après le souper : en revenant de l'église, elle avait remarqué la voiture noire que personne n'avait conduite aux remises. Seuls les chevaux avaient été changés. Tout à l'heure, Sylvie resterait avec Justin et cette pensée la révulsait. Un espoir, bien faible, suscité par la quantité de boisson qu'il ingurgitait : qu'il soit ivre-mort, donc incapable de l'assaillir. Oh ! s'il pouvait ne pas la rejoindre cette nuit, il ne la rejoindrait plus jamais, car le jour ne la trouverait pas vivante !

Laffemas, cependant, s'impatientait. Il trouvait le temps long et ce fut lui qui, se levant, déclara que cela avait assez duré, même pour un repas de noces, et qu'il était temps de conduire la mariée à son lit. Puis, sans attendre la réponse de La Ferrière qui avait entrepris, non sans peine, de se mettre debout, il alla prendre Sylvie par la main :

— Venez ! Vos femmes vous attendent. Et moi je n'ai pas toute la nuit !

— Pourquoi voulez-vous empêcher ce digne gentilhomme de fêter sa forfaiture ? Vous devez rentrer à Paris ? C'est parfait : partez ! Vous m'avez fait tout le mal que vous pouviez...

Il se contenta de la regarder sans répondre en se mordant les lèvres.

— Je ne partirai qu'en vous laissant au lit ! Appelez les femmes ! Qu'elles viennent chercher leur maîtresse ! dit-il à un valet. Voyez-vous, ma chère, il vous serait trop facile, moi parti, d'échapper à votre nuit de noces, vu l'état de votre époux. Or quand je fais quelque chose, je le fais bien... et jusqu'au bout.

Il fallut en passer par où il le voulait. La mort dans l'âme, Sylvie se laissa emmener par ses deux gardiennes. Quel autre nom donner à ces créatures aux visages fermés qui n'avaient pas la moindre ressemblance avec la rieuse Jeannette. Cependant, elles connaissaient leur métier. Dépouillée de ses vêtements, la nouvelle épousée fut par elles parfumée, glissée dans une longue chemise de soie ornée de lourdes dentelles. On libéra ses boucles de leurs rubans, on défit le chignon de sa nuque et Sylvie fut couverte de la masse soyeuse de ses cheveux dont le châtain clair prenait de si jolis reflets sous la lumière des chandelles. Le miroir devant lequel on l'avait assise lui renvoyait une image charmante. À cet instant, ce ne fut pas à François que Sylvie pensa mais à Jean d'Autancourt, et pour le regretter ! Pourquoi ne l'avait-elle pas écouté ? À cette heure, elle serait sans doute mariée, mais à un homme jeune, tendre, délicat, qui eût su ménager l'enfant qu'elle était encore. Rien de semblable à attendre de la brute qui allait venir !

Assise dans le grand lit à colonnes dont la veilleuse allumée au chevet faisait vivre les personnages sur les tentures en tapisserie des rideaux, Sylvie, glacée jusqu'à l'âme en dépit du grand feu allumé dans la cheminée, attendit... Les deux Allemandes s'étaient retirées, emportant avec elles ses vêtements et jusqu'à ses chaussures, ce qui lui parut étrange mais elle n'en était plus à une mauvaise surprise près.

L'oreille tendue, elle guettait le pas des chevaux, le roulement de la voiture qui emporterait enfin Laffemas vers Paris, la laissant au seul pouvoir d'un reître pris de boisson. Mais rien ne venait...

Ce qui vint, ce fut le léger grincement de la porte qui s'ouvrait lentement, lentement. Le moment terrible auquel elle espérait encore que le vin lui permettrait d'échapper pour cette nuit était venu. Mais la silhouette qui s'encadra dans le chambranle sculpté était celle de Laffemas.

Une bouffée de colère étouffa la peur de Sylvie :

— Que venez-vous faire ici ? On m'a mise au lit, comme vous le voyez, pour y attendre votre ami. À présent, vous pouvez partir ! Votre vilaine besogne est accomplie.

— Pas tout à fait...

Au lieu de s'en aller, en effet, il s'avançait dans la chambre et s'approchait du lit. Il y avait dans ses yeux jaunes une lueur trouble, cependant qu'il se pourléchait à la manière d'un gros matou. Épouvantée par ce qu'elle lisait sur cette figure diabolique, Sylvie recula dans le lit jusqu'à ce que la tête de chêne l'arrête. Elle voulut s'y accrocher.

— Sortez ! ... Sortez, cria-t-elle. Je vais appeler !

— Qui donc, ma jolie ! Ton époux ? Il est ivre mort et d'ailleurs en serait-il autrement qu'il ne viendrait pas. Il était bien entendu entre nous, et cela depuis longtemps, que si j'arrivais à te livrer à lui, je pourrais exercer le droit du seigneur !... Avoir tes prémices, ma jolie ! Quel moment délicieux nous allons vivre ensemble ! Il y a des mois que j'en rêve... Allons, sors de ce lit !

Elle s'y accrocha de plus belle. Alors, se penchant, il l'en arracha avec une force dont elle ne l'aurait pas cru capable. Elle tomba sur le tapis mais il la relevait déjà, maîtrisait ses mains qu'il maintint derrière son dos avec une seule des siennes, cependant que l'autre dénouait le ruban de la chemise, la faisait glisser jusqu'aux poignets meurtris et commençait à la caresser :

— Le beau petit corps ! La jolie fille !... Veux-tu que je te dise, petite, tu me plais plus encore que ta mère ! Oh ! elle était belle... très belle ! Mais toi tu es exquise ! Une biche affolée ! Et puis tu es neuve, toi ! Une fleur à peine éclose !... Un bouton de rose que je vais ouvrir !

Ce qui suivit fut abominable. Tout en imposant à la malheureuse un baiser qui la révulsa, il lui griffa le ventre, lui mordit les seins, se déchaînant davantage encore en l'entendant crier. Puis il la jeta sur le lit et s'enfonça en elle avec tant de brutalité qu'elle poussa un véritable hurlement. La douleur fut si violente que Sylvie perdit enfin connaissance. Il ne s'en aperçut même pas et continua sa danse infernale en vomissant des torrents d'injures où il la mêlait à sa mère et à toutes les malheureuses qu'il avait égorgées aux rives de la Seine. Cette ultime horreur, au moins, fut épargnée à sa victime...

Quand elle reprit connaissance, il se rajustait,

debout au milieu de la chambre. Le retour à la conscience lui arracha une plainte. Alors il se retourna vers elle, ricana, et jeta :

— C'était bon, tu sais ?... On se reverra, ma petite caille !... Sois tranquille ! Je reviendrai... et plus d'une fois ! Tu es à moi, maintenant !

Ce furent ses derniers mots. L'instant d'après, il quittait le théâtre de son infamie et, quelques minutes plus tard, Sylvie entendit enfin le roulement de voiture et le pas des chevaux qu'elle avait tant espérés. Puis plus rien. Un silence tellement épais que l'on aurait pu croire le château abandonné. Sylvie, alors, bougea, doucement. Tout son corps lui faisait mal. C'était comme si on l'avait enfermée dans une boîte avec des chats sauvages. Sur les draps, des taches de sang témoignaient du traitement barbare qu'on lui avait infligé. Mais, petit à petit, sa jeunesse et sa vitalité profonde reprirent le dessus. Elle aperçut la chemise restée à terre et glissa vers elle avec l'impression qu'en recouvrant son corps meurtri, elle souffrirait moins.

Une fois debout et réenveloppée, elle s'aperçut que sa tête ne tournait pas, qu'elle pouvait marcher. Elle vit alors, sur un coffre, un plateau sur lequel étaient posés deux verres et un flacon de vin. L'un des verres avait servi. Elle prit l'autre, y versa quelques gouttes qu'elle avala d'un trait, en éprouva un certain bienfait et s'en versa un peu plus.

Autour d'elle, le château était toujours aussi silencieux. Elle pensa qu'il lui fallait en sortir au plus vite. Pas pour chercher un secours qu'elle ne pouvait plus espérer de personne, puisqu'elle était mariée à l'immonde La Ferrière, mais pour aller vers la mort. La rivière n'était pas loin, cependant l'idée lui vint que sa fin serait plus douce si elle la trouvait dans la pièce d'eau d'Anet, celle où nageaient les beaux cygnes qu'elle aimait regarder lorsqu'elle était enfant. Et puis, là au moins, on trouverait son corps et on lui donnerait une sépulture convenable. Il était en si mauvais état que nul n'imaginerait qu'elle s'était suicidée...

Sylvie se sentit réconfortée. L'idée de sa fin prochaine non seulement ne l'effrayait pas, mais lui était douce parce que c'était le seul moyen de rejoindre François qu'elle ne ferait, après tout, que précéder de peu. Il n'y avait aucun doute à garder sur le sort que le Cardinal réservait à l'amant de la Reine : celui-ci allait retrouver les champs de bataille qui lui manquaient, et quelque jour, à l'issue de quelque bataille, on l'y ramasserait, frappé par l'ennemi ou par une main invisible venue de son propre camp...

Mais, pour sortir de la vie, il fallait d'abord sortir du château. Tout le monde devait dormir, les ivrognes sur leur vin, les serviteurs sur leur fatigue. Elle commença par chercher quelque chose qui puisse la vêtir mais ne trouva rien, hors les draps du lit. On avait tout emporté. En outre, la porte était fermée. Elle alla donc à la fenêtre avec l'idée d'y attacher les draps, dans la meilleure tradition des grandes évasions. Comme la chambre se situait au premier étage, leur longueur devrait suffire. Mais elle trouva mieux : une épaisse couche de lierre montait à cet endroit le long des murs de la maison, et elle savait depuis l'enfance comme il était aisé d'escalader au moyen de cette plante si solide. Descendre devait être aussi facile. Même pieds nus et en chemise !

En traversant son esprit, les mots s'y arrêtèrent, réveillant la mémoire. Elle ne portait rien de plus quand, à quatre ans, son instinct de petit animal l'avait jetée hors de La Ferrière ! Seulement, en aurait-elle la force ? Le bébé de jadis était vif, en pleine santé. Elle n'était plus qu'une trop jeune femme brisée traînant un corps en loques...

Elle s'y décida, cependant, réussit à se glisser — elle était si mince ! — entre le chambranle et le meneau de pierre, chercha une branche un peu épaisse et lentement, lentement, se hissa au-dehors, trouva sous ses pieds une autre branche, puis une autre encore et une quatrième, jusqu'à ce qu'enfin, au bout de ce qui lui parut un siècle, elle rencontrât la terre ferme. Là, elle s'assit un instant contre le tronc tordu pour laisser son cœur reprendre son rythme normal.

À ce moment, la lune en son dernier quartier sortit de derrière les nuages et lui montra la cour déserte, la porte ouverte sur un pont-levis qui ne servait plus depuis longtemps. Sylvie y vit une invite à poursuivre son lugubre projet. Elle se releva avec peine. L'envie de se coucher là, après l'effort qu'elle venait d'accomplir, était grande, mais sa volonté veillait : avant tout, sortir de cette demeure à jamais maudite ! Et elle se mit en marche...

Enfin, le chemin de la forêt s'ouvrit devant elle, obscur, traversé pourtant, par endroits, des flèches blafardes de la lune. Mais qu'il fut cruel à ses pieds nus ! Sa première fuite avait eu lieu en juin où l'herbe et les petites plantes étaient drues. L'hiver durcissait la terre dont le squelette se montrait à nu avec ses pierres coupantes et ses ronces cruelles. Et il faisait si froid ! Pourtant, Sylvie marchait, marchait noyée de larmes et gémissante, mais poussée en avant par un désespoir bien plus grand qu'elle. Son esprit ne raisonnait plus. Elle ne voyait que ce tunnel d'arbres morts qu'il lui fallait franchir pour trouver la fraîcheur de l'eau... de l'eau... de l'eau ! Elle buta contre quelque chose, poussa un cri et s'abattit de tout son long, face contre terre où elle agrippa ses mains avec le sentiment qu'elle ne pourrait plus jamais se relever. Ses oreilles étaient pleines de bruit, un bruit de galop qui lui rappela, avant de s'évanouir de nouveau, le moment merveilleux où, dans sa détresse enfantine, « monsieur Ange » lui était apparu !

Elle ne vit pas surgir du taillis les deux cavaliers que son cri précipitait. Ils l'aperçurent cependant juste à temps : François qui galopait en tête fit cabrer son cheval pour l'éviter, le détournant du même coup du corps étendu vers lequel il se précipita.

— Sang du Christ ! C'est elle !... C'est Sylvie ! Mais dans quel état ! Elle est glacée ! Je ne l'entends même pas respirer... nous arrivons trop tard !

— « Je » suis arrivé trop tard, monseigneur ! Et je ne me le pardonnerai jamais !... Pauvre, pauvre petite ! gémit Corentin au désespoir.

— Ce n'est pas votre faute si votre cheval s'est tué contre un tronc d'arbre et si vous avez mis des heures à en trouver un autre. En plus, il vous a fallu vous faire ouvrir le château, me réveiller...

— Dire que j'étais si heureux d'apprendre que vous étiez à Anet !...

Beaufort, cependant, agenouillé auprès de Sylvie, retournait doucement son corps inanimé dont la lumière pâle lui montrait les traces de sang, les meurtrissures sous le fin tissu déchiré par endroits. Une vague de tendresse, de douleur aussi, le submergea tandis qu'il la serrait contre lui...

— Mon petit chat !... mon pauvre petit chat ! murmura-t-il, les lèvres sur son front, sans pouvoir retenir davantage ses larmes... Je te vengerai ! Je jure devant Dieu que je te vengerai !

Soudain, il entendit un souffle :

— François...

Saisi, il l'écarta de lui juste à temps pour voir s'ouvrir les yeux qu'il croyait à jamais fermés, et la joie l'envahit.

— Dieu soit loué ! Vous êtes vivante !... Regardez, Corentin ! Elle vit !

Mais Sylvie ne voyait pas Corentin. Elle ne voyait que ce qu'elle croyait un rêve né de son désir désespéré que tout recommence comme autrefois :

— Vous... êtes venu !... Vous êtes là...

Et elle perdit conscience pour la troisième fois.

TABLE

Imprimé en France par CPI
en octobre 2015

POCKET - 12, avenue d'Italie - 75627 Paris Cedex 13

N° d'impression : 2019165
Dépôt légal : octobre 1998
Suite du premier tirage : octobre 2015
S08384/12